NARA LEÃO

SÉRGIO CABRAL

UMA BIOGRAFIA

NARA LEÃO

SÉRGIO CABRAL

UMA BIOGRAFIA

Lazuli editora
Companhia Editora Nacional

Este livro é dedicado à memória de Flávio Rangel e Oduvaldo Viana Filho.

Companhia Editora Nacional

diretor editorial	Antonio Nicolau Youssef
coordenação editorial	Célia de Assis
produção editorial	Lisete Rotemberg Levinbook

Lazuli editora

direção editorial:	Miguel de Almeida
direção de arte	Werner Schulz
edição	Max Welcman
diagramação	Edinei Gonçalves Bóris Fatigati
edição de imagens	Adriana Vichi
preparação de texto	Juliana Akemy Sugiura e Sílvia Simas
foto da contracapa	Nara em Paris, 1969; foto de Sandra Fanzeres de imagens do arquivo do MIS (RJ)

Dados Internacionais de Catalogação na Publicação (CIP)
(Câmara Brasileira do Livro, SP, Brasil)

Cabral, Sérgio
Nara Leão : uma biografia / Sérgio Cabral. — São Paulo : Lazuli Editora : Companhia Editora Nacional, 2008.

ISBN 978-85-7865-007-0

1. Bossa Nova (Música) 2. Cantores - Brasil - Biografia 3. Leão, Nara, 1942-1989 I. Título.

08-06621 CDD-780.092

Índices para catálogo sistemático:
1. Cantores brasileiros : Biografia 780.092

1ª edição – São Paulo – 2008

Companhia Editora Nacional
Av. Alexandre Mackenzie, 619 • Jaguaré • São Paulo • SP • 05322-000
Tel.: (11) 2799-7799 www.ibep-nacional.com.br editoras@ibep-nacional.com.br

Índice

Introdução

À minha antiga pretensão – e pretensão é a palavra certa – de fazer uma história da música popular brasileira, escrevendo sobre a vida e a obra de alguns dos seus principais personagens, não poderia faltar Nara Leão. Ela foi protagonista de um período em que a nossa música adquiriu novas formas e se tornou conhecida em todos os continentes (pelo menos na música popular e no futebol, somos do Primeiro Mundo, na condição de grande potência). E foi um ser humano de uma fertilidade impressionante.

Com o seu jeito discreto, com aquela carinha de quem não queria entrar em polêmicas, ela saiu sempre na frente, inaugurando caminhos e tendências e revelando valores esquecidos ou que estavam em início de carreira. Foi assim durante toda uma carreira em que enfrentou bravamente patrulhas de várias ideologias, a censura, a repressão policial, os problemas pessoais e, nos últimos 10 anos de vida, um tumor no cérebro. Uma valente mulher que nunca perdeu a serenidade. Uma doce guerreira.

Fomos amigos, mas, neste livro, a amizade serviu apenas para entendê-la melhor, nunca para modificar os fatos. Acompanhei-a desde o início da carreira e, provavelmente, foi isso que levou o ex-marido e cineasta Cacá Diegues e os filhos Isabel e Francisco a me sugerirem este trabalho, que me proporcionou emoção e saudade.

A verdade, porém, é que não a conheci o suficiente para assumir sozinho a tarefa que me foi confiada. Contei com a ajuda de dezenas de pessoas, algumas concedendo longas entrevistas, outras falando menos, mas dando informações preciosas. Agradeço especialmente a Marco Antônio Bompet; último namorado de Nara Leão; a Solange Kafuri, autora de um belo espetáculo teatral em homenagem a Nara; a Paulo César Andrade, que me cedeu generosamente a discografia da cantora por ele levantada; a Cacá, Isabel e Francisco, a Helena Floresta de Miranda, a Miguel Bacelar, a Ferreira Gullar, a Eládio Perez-Gonzalez, a Carlos Lyra, a Nei Sroulevich, a Roberto Menescal, a Túlio Feliciano, a Hermínio Belo de Carvalho, a Chico Buarque de Holanda, a Maria Bethânia, enfim, a todos que me ajudaram. Foi uma turma que ia de gente famosa a amigos como aquele pessoal de Araraquara, no interior de São Paulo, que me deu fotografias da passagem de Nara por lá, sem que registrasse sequer os nomes deles atrás das fotos. Finalmente, meu muito obrigado, como sempre, à direção e aos funcionários do Museu da Imagem e do Som do Rio de Janeiro, que me permitiram pesquisar todo o arquivo de Nara Leão, incorporado ao acervo do Museu.

Espero que o livro justifique a ajuda de todos.

Sérgio Cabral.

1

A menina de Copacabana

O primeiro período de psicanálise de Nara Leão levou cerca de cinco anos. Começou quando ela estava com 18 anos de idade. Fazia três anos que abandonara o Colégio Melo e Souza na segunda série do curso clássico. Se procurou o tratamento em conseqüência de seqüelas do passado ou da perplexidade diante do futuro, apenas ela e o psicanalista Ivan Ribeiro poderiam revelar. Certo é que, naquele momento, desconhecia o rumo a tomar na vida. Nem mesmo sabia que era cantora, já que seus amigos e até mesmo o namorado Ronaldo Bôscoli não permitiam sequer que ela cantasse em público.

Em seus depoimentos sobre a infância, Nara lembrava-se tanto de um tempo feliz quanto de uma época tão amarga que a levou até a pensar em suicídio. Sempre exaltou os pais, o advogado Jairo Leão e a professora Altina Lofego Leão, chamada de Tinoca, apelido que ela própria grafava como Tinoka, pela liberdade com que foram educadas a irmã mais velha, Danuza, e ela. Capixaba (nasceu em Vitória, no dia 19 de janeiro de 1942), transferiu-se, no primeiro ano de vida, com a família para o Rio de Janeiro. "Viemos para cá sem parentes. Meu círculo familiar era mamãe, papai e Danuza. Nossa educação foi bastante livre. Papai me emancipou com 16 anos. Ele não dava muita importância a diploma, não fazia questão que eu entrasse numa universidade. Para papai, o importante era que eu trabalhasse, para não depender de marido. Fundamentalmente, achava que devíamos resolver nossas vidas sozinhas", escreveu Nara Leão no programa de teatro do seu show *Nara muito informal*, em que se apresentou ao lado do cantor e compositor Fagner, em 1973. No mesmo texto, classificou sua família de "especial", daquelas que os ingleses chamariam de *classless*. "Não existiam em nossa casa os valores tradicionais da classe média nem suas normas de conduta. Não comemorávamos Natal, nem aniversários, nem *réveillon*", acrescentou.

Em suas entrevistas e depoimentos, raramente deixou escapar a revelação de um trauma de infância. Numa entrevista ao *Estado de Minas*, em 1987, ela confessou que procurara a psicanálise pela primeira vez porque era "uma adolescente um pouco problemática, muito tímida e com um monte de problemas existenciais". Não há dúvida de que também se sentia intimidada pela exuberância da irmã Danuza (sua madrinha. O padrinho era o tio Geyer Lofego, irmão de sua mãe), que, aos 16 anos de idade, era a mais famosa modelo brasileira, chegando a desfilar para Jacques Fath, o figurinista francês que, nas décadas de 1940 e 1950,encantou o mundo com as suas criações. "Você quer saber como era Nara Leão?", perguntou o jornalista João Luís de Albuquerque, um amigo do tempo da adolescência. "Faça uma pesquisa completa da biografia, da personalidade e do temperamento de Danuza Leão. Nara era exatamente o contrário", ele mesmo respondeu. A visão que tinha da irmã mais velha era comentada com bom humor pela caçula, quando a descrevia como "loura de olhos azuis", embora Danuza não fosse loura nem tivesse olhos azuis. Em seu livro *Eles e eu – memórias de Ronaldo Bôscoli*, escrito por Luís Carlos Maciel e Ângela Chaves, Ronaldo atribuiu a Nara "ódio de ser a irmã de Danuza, que tinha, convenhamos, uma tremenda personalidade". Enquanto a irmã brilhava cada vez mais, Nara se recolhia ao interior de sua "concha", expressão que gostava muito de usar. Do interior da concha, fez algumas observações mais profundas, como a que revelaria numa entrevista ao jornalista gaúcho Juarez Fonseca, em junho de 1980, quando afirmou que sua separação do marido, o cineasta Cacá Diegues, não causou problemas graves na formação dos filhos Isabel e Francisco: "Com 8 anos, eu já imaginava que meus pais poderiam ser mais felizes se estivessem separados. A criança é muito mais realista que o adulto imagina".

Um dos seus depoimentos mais significativos foi prestado em 1966 à revista *Manchete*, para uma série intitulada "Meu encontro com Freud". Disse ela:

"Nunca tive motivos concretos que determinassem minhas neuroses; sempre houve uma soma de pequenas coisas. Sempre tive complexos. Não me lembro muito de minha infância, mas sei que pelos 12 anos chorava sem parar. Eu era quieta, tímida e me considerava muito feia. E o que é pior: era irmã de mulher bonita. Eu não existia, não era Nara Leão.

Lembro-me de que, aos 14 anos, tive a minha crise séria, a religiosa. Comecei a fazer perguntas e, como não obtinhas respostas satisfatórias, fui deixando tudo de lado.

Aos 16 anos, parei de estudar e ingressei no meio musical, onde conheci pessoas muito mais velhas do que eu e excessivamente neuróticas. Isso me prejudicou bastante, porque a situação do grupo começou a se ajustar às minhas neuroses, que ficaram pouco a pouco mais profundas.

Sempre tive um excessivo sentimento de culpa pela desgraça alheia e pensei que todos os que me cercavam não gostavam de mim. Apesar de estar sempre acompanhada, eu me sentia ilhada e, até os 19 anos, a idéia do suicídio era constante.

Minha adolescência foi roubada pela atividade musical e, mantendo contato com gente mais velha, namorava exatamente essas pessoas. Nunca fui aquela menina de namorar rapaz de faculdade. Meus casos de amor sempre foram complicados porque eu os escolhia de acordo com as minhas necessidades neuróticas.

Nunca havia pensado em ser cantora. Tinha medo de envolver-me com o ambiente artístico, que considerava horroroso. Mesmo depois de tornar-me conhecida, ainda não sabia se seria cantora. Sempre temi que a atividade artística prejudicasse minha vida privada. Aos 18 anos, sentia-me velha e feia e achava todo mundo muito bonito e jovem. Não ia à praia porque o sol me fazia mal".

Em outro depoimento, para os jornalistas Yllen Kerr e Carlos Leonam, do *Jornal do Brasil*, disse que se identificava muito com a personagem do poema de Machado de Assis:

Às vezes recatada, outras estouvadinha,
Casa no mesmo gesto a loucura e o pudor.

Confessou à jornalista Olímpia Ciabattari, da revista *Manequim*, que nunca gostou de "freqüentar festas, reuniões sociais e coisas desse tipo". Em matéria de roupa, não fez por menos: "Babados e rendas, então, não fazem mesmo o meu estilo, nem de longe! Talvez por esse meu alheamento total em relação à moda eu não consiga me recordar de nenhuma roupa especial. Na verdade, só me lembro de roupas que me incomodaram, como o vestido de baile de formatura [do curso ginasial], aos 14 anos. Usei um longo branco, de alcinhas e saia godê. Detalhe: na barra aparecia cerca de um palmo e meio de saiote rendado. Não era vaidosa, pelo menos em relação à aparência pessoal: "Eu só tinha duas roupas iguais: saia e blusa cáquis. Fazia questão absoluta de só usar aquilo porque era o que gostava e não me deixava pavonear. Meu cabelo tinha de ser aquele, sem eriçados. E não usava maquiagem", revelou em seu depoimento ao Museu da Imagem e do Som, em julho de 1977. A única roupa que entusiasmou Nara Leão foi o *blue jeans*. "Foi paixão à primeira vista, um lance de absoluta identificação", disse ela.

A psicóloga e pianista Helena Floresta de Miranda, a melhor amiga de Nara Leão (foi assim que a cantora a apresentou ao autor destas linhas) e que conviveu com ela desde 1948, quando ambas ingressaram na primeira série do Colégio Melo e Souza, em Ipanema, foi seduzida pelo regime de liberdade que reinava no lar da família Leão. Embora estudassem na mesma sala durante todo o curso primário, a amizade entre as duas seria iniciada somente no primeiro ano do curso ginasial, no início da adolescência. Entre tantas boas lembranças dessa amizade, que durou até a morte da cantora, Helena guardou com carinho especial a do magnífico apartamento de três quartos em que Nara morava, o de número 303 do edifício Louvre, um dos três prédios do conjunto denominado Palácio Champs Elysées, na avenida Atlântica, 2.853, no Posto Quatro de Copacabana. Os demais edifícios tinham os nomes de Trianon e Versailles. Era o apartamento onde, segundo uma versão tantas vezes repetida, teria nascido a bossa nova (antes, a família Leão morou no edifício Elizabeth, na avenida Nossa Senhora de Copacabana, 769, ao lado do cinema Art Palácio e bem próximo do cinema Metro Copacabana). Helena adorava freqüentar o apartamento. "Havia uma coisa que eu acha o máximo: ninguém era obrigado a almoçar ou jantar à mesa. E não se fixava horário para nada. A gente ficava conversando no quarto e, quando tinha fome, ia à cozinha. Pouco depois, a cozinheira chegava no quarto com o almoço ou o jantar servido em duas bandejas. Era completamente diferente da minha casa, onde todos deviam estar à mesa nos horários estabelecidos para as refeições. Quem não estivesse à mesa não comia. Raramente – muito raramente, aliás – num sábado ou num domingo, Jairo dizia a Tinoca que queria almoçar à mesa com a família. Nesses dias, ele sentava-se à cabeceira e ouvia pacientemente as reclamações de Nara que, indignada, protestava contra aquela 'arbitrariedade' do pai. Era uma casa muito legal. Ninguém se incomodava se eu ficasse para dormir. Muito diferente da minha casa, onde eu tinha que negociar semanas inteiras para que uma amiga dormisse lá. Se a amiga dormisse duas vezes por mês, eu tomava uma descompostura daquelas". Segundo Helena, o apartamento era bem maior do que, em princípio, se imagina ser um de três quartos. No fim do corredor ficava a suíte de Jairo. O quarto do meio era de Tinoca. "Os quartos eram tão distantes", recorda, "que a gente podia promover festas e reuniões na sala, fazendo a maior algazarra, que eles não ouviam nada e dormiam à vontade. Era um apartamento muito espaçoso. Estive lá não sei quantas vezes e jamais tive a sensação de estar incomodando".

Nara lembrava-se de ter feito a primeira comunhão na igreja Nossa Senhora da Paz, em Ipanema, e do nome da sua primeira professora no Melo e Souza, Maria Sílvia. Mas os dez anos vividos no Colégio Melo e Souza nem sempre renderam boas lembranças. "No meu tempo, o estudo era muito chato. Não existiam as atividades que existem agora, como teatrinho, música e tantas outras. Não transava bem no colégio, onde tinha duas ou três amigas. Eu era muito solitária", confessou no texto do tal programa do show *Muito informal*. Além de receber aulas particulares de francês, tratou de procurar fora do colégio outras atividades que não encontrava lá. Gostando de desenhar, matriculou-se na Escolinha de Artes do Brasil, criada e dirigida pelo pintor Augusto Rodrigues, a fim de aprender as técnicas da gravura. Foi uma decisão que contou com a aprovação entusiástica da mãe, de quem herdou o gosto pela música e pelas artes visuais. Além de saber tocar bandolim, flauta e piano, Tinoca dedicava-se também à pintura. Quanto à filha, se não fosse a música, teria provavelmente desenvolvido a carreira de gravadora. Marcel Marceau, o famoso mímico e artista plástico francês, ficou encantado com as suas gravuras. A partir delas, nasceu uma amizade entre os dois e um longo período de troca de correspondências. Parte de sua obra está nas paredes de parentes e amigos e uma das suas gravuras chegou a ilustrar uma coluna de jornal do cronista Antônio Maria. Em julho de 1961, foi uma das 138 artistas classificadas no X Salão Nacional de Arte Moderna, por um júri integrado por Carlos Cavalcanti, Gilberto Ferraz e Bustamante Sá. Concorreram mais de 500 artistas nas categorias de pintura, escultura, artes decorativas, desenho e artes gráficas. Orgulhoso, Augusto Rodrigues saudou a artista – "minha jovem amiga Nara Leão" – em sua coluna de artes plásticas na *Última Hora*. Mas, segundo a coluna "Artes Visuais", do *Jornal do Brasil*, Nara não foi a única classificada da família: na relação dos vitoriosos, estava também Altina Lofego Leão. Os pendores da família para as artes plásticas acabariam consagrando, anos depois, a pintora Pinky Wainer, filha de Danuza.

Outra atividade tentada por Nara foi a dança. Tinoca achava que a filha tinha tendência para contrair celulite – talvez por causa das suas pernas grossas – e considerava que a dança poderia atuar de maneira preventiva. Ela freqüentou as aulas de balé com as bailarinas Ana Baliska e Nina Verchinina, mas desistiu, provavelmente, pelas exigências da nova atividade. A candidata a bailarina é obrigada a estudar durante longo tempo e ensaiar muitas horas por dia. Os mais íntimos, porém, sabiam que as aulas de dança nunca foram inteiramente esquecidas por Nara Leão. Marco Antônio Bompet, seu último namorado, ficou impressionado com a graça e a elegância com que ela, já quarentona, mostrou certos passos e sua habilidade no sapateado à filha Isabel.

Uma hepatite, que a obrigou a afastar-se durante dois meses dos estudos, teve um peso muito grande na sua decisão de abandonar o Colégio Melo e Souza em 1958. Pareceu-lhe impossível, por mais que se aplicasse nos estudos, recuperar o tempo perdido e chegar ao nível das colegas. Achava que seria reprovada num exame de segunda época: "Era muito orgulhosa e nunca havia repetido de ano. Fiquei envergonhada. Talvez fosse bom ter continuado a estudar. Não estou inteiramente convencida de que devesse parar. Se tivesse continuado, minha vida poderia ter sido diferente", confessou em seu depoimento ao Museu da Imagem e do Som do Rio de Janeiro, em julho de 1977. Disse que, na época, estava convencida de que "a física, a química e a biologia não iriam servir pra nada". Por coincidência, também em 1958, sua amiga Helena Floresta de Miranda também abandonou o Colégio Melo e Souza, mas por outra razão: com o estímulo de seu professor de piano, foi para a Europa aprimorar-se como pianista. "Na verdade", confessou em 1999, "estava mais interessada em viajar para a Europa do que nos estudos de piano". O gosto pelas viagens deve ter sido herdado do pai, Floresta de Miranda, o único jornalista a enviar de Paris as notícias de Pixinguinha e os Oito Batutas na França, entre janeiro e agosto de 1922. Numa das suas matérias, defendeu os músicos das manifestações racistas publicadas na imprensa de vários estados brasileiros, assinados por jornalistas indignados por ver a música brasileira representada no exterior por instrumentistas negros.

O estudo de violão teve início para Nara em 1954, aos 12 anos de idade. O professor escolhido foi Patrício Teixeira, um importante personagem da música popular brasileira como cantor e instrumentista e velho companheiro de Pixinguinha em grupos musicais e em gravações de discos. Ele estava com 57 anos quando começou a ensinar violão a Nara. Na época, já havia praticamente encerrado a sua carreira de cantor. Suas últimas gravações seriam *Azulão* (Hekel Tavares e Luís Peixoto), em 1956, e, em 1961, *Sabiá-laranjeira* (Max Bulhões e Milton de Oliveira), *Desengano* (Haroldo Lobo e Mílton de Oliveira) e *Não tenho lágrimas*, num disco da gravadora Mocambo com as músicas de Haroldo Lobo e Mílton de Oliveira. Era o autor de um método de violão que ele batizou ironicamente de "O capadócio", numa alusão à referência pejorativa que, no início do século, era utilizada para os tocadores de violão, vítimas do preconceito da elite da época. Um cidadão que fosse abordado pela polícia e tivesse os dedos marcados pelas cordas do violão era preso imediatamente. Um capadócio. Violonista e negro, Patrício Teixeira enfrentou muitas vezes as hostilidades da sociedade preconceituosa. Mas se manteve fiel ao violão e foi professor de muita gente, inclusive das cantoras Linda Batista e Aurora Miranda. Uma das suas primeiras alunas foi a soprano e violonista Olga Praguer Coelho, que começou a estudar com ele em 1927. Olga aprendeu tão bem que foi honrada com transcrições e arranjos escritos especialmente para ela por nada menos do que o genial violonista espanhol Andrés Segovia.

O bom entendimento entre Nara Leão e Patrício Teixeira não se limitou às relações da aluna com o professor. Um gostou muito do outro. "Era uma figura ótima", escreveu ela no tão citado programa do show *Muito informal*. Já ele, no depoimento ao Museu da Imagem e do Som do Rio de Janeiro, ao se recordar do tempo em que ensinava violão a Nara, entusiasmou-se: "Ela era minha deusa". A partir de um certo momento, Patrício passou a encontrar um jovem cinco anos mais velho do que Nara, quando chegava para dar suas aulas. Era Roberto Batalha Menescal, também nascido em Vitória e namorado dela desde o dia 25 de outubro de 1952. Aluno do Colégio Melo e Souza, sede de Copacabana, via Nara Leão quase todos os dias na calçada do outro lado da avenida Nossa Senhora de Copacabana, em frente ao colégio. Era o local escolhido por pelas alunas da sede de Ipanema para saltar do bonde. Procuravam, sem dúvida, uma convivência com os colegas do setor masculino, embora sem atravessar a rua. Se eles quisessem conversar com elas, que fossem para a outra calçada. Foi o que Roberto fez quando se empenhava na tarefa de arregimentar garotas para a festa dos seus 15 anos, a ser realizada no amplo salão do apartamento de Mara Rúbia, a bela e famosa vedete do teatro de revista. Mãe de três colegas de colégio de Roberto – Birunga, Ronaldo e Teresinha – morava no último andar de um prédio, onde construiu uma espécie de cobertura com o seu quarto de dormir e um grande salão muito freqüentado pelos amigos dos filhos, que lá iam jogar pingue-pongue. Os filhos dela e Roberto Menescal integravam um grupo que era conhecido como "a turma do Posto Quatro", também chamada de "turma do Quatro".

Roberto convocou imediatamente "a turma do Quatro" para sua festa de 15 anos. Mas havia um problema: a tal turma era constituída por cerca de vinte homens e apenas três ou quatro meninas. Teria de sair em campo em busca das moças. Atravessou a Avenida Nossa Senhora de Copacabana, parou em frente de Nara Leão, que conversava com uma colega chamada Ângela, e foi direto ao assunto:

– Você quer ir à festa dos meus 15 anos?

– Quero. Vamos eu e Ângela – disse ela.

Feliz com a resposta, ele resolveu dar seqüência à conversa, dizendo que a via saltar diariamente do bonde. E arriscou uma pergunta:

– Você me conhece?

– Não – respondeu Nara. Convencido de que ela mentia, deu o endereço e o horário da festa e encerrou o assunto.

Como todas as comemorações juvenis da época, o aniversário de Menescal foi festejado com um baile animado por discos de 78 rotações com algumas músicas brasileiras, um bom número de músicas norte-americanas e bastante rumba, mambo e bolero. O aniversariante e Nara dançaram muitas vezes.

Ao se despedirem, eram namorados. Trajando um elegante vestido de baile, Nara parecia ter 15 anos, mas, ao revê-la, no dia seguinte, com o uniforme do colégio, Roberto Menescal desconfiou que ela fosse mais nova, pois ainda era aluna do curso primário do Melo e Souza. É verdade que, dotada de um corpo bem desenvolvido, poderia perfeitamente passar por uma menina de 15. Quando o namoro começou a avançar – e ela já permitia que passeassem de mãos dadas – ele resolveu perguntar pela idade dela. Ao abordar o diálogo na entrevista que concedeu ao autor destas linhas, Menescal disse que ela respondeu ter 12 anos, o que o deixou confuso, achando-a muito nova para tê-la como namorada. Ou Nara aumentou a idade ou Menescal preferiu convencer-se de que ela estava com 12 anos, certamente constrangido por namorar uma garota de 10 anos, a verdadeira idade dela em 1952.

– O que vocês estudou? – perguntou ele.

Nara disse que havia estudado francês, um pouco de piano, além de ter feito outros cursos dos quais ele não lembrava ao ser entrevistado para este livro. O fato é que somou o francês com o piano e os demais cursos e concluiu que tinha conhecimento e maturidade suficientes para uma moça, por exemplo, de 17 anos.

A música foi o grande êmulo da convivência deles. Com gostos semelhantes, detestavam – salvo raríssimas exceções – os sucessos tocados no rádio e adoravam revelar um para o outro uma canção nova, que podia ser brasileira ou americana. Não perdiam um filme musical de Hollywood, principalmente aqueles estrelados por Fred Astaire (um dos cantores prediletos de Nara) ou Gene Kelly. Foi inesquecível, por exemplo, a saída do cinema Metro Copacabana, depois de terem assistido a *Cantando na chuva* no horário de sempre – matinês das duas às quatro – e repetido na sessão das quatro às seis... Chovia muito, o que os fez percorrerem a calçada da avenida Nossa Senhora de Copacabana dançando de mãos dadas, com a nítida sensação de que eram Gene Kelly e Debbie Reynolds.

– No dia seguinte – recordou Roberto – estávamos acamados com muita gripe e febre alta.

O entusiasmo de Nara por Gene Kelly não afetou em nada a sua preferência por Fred Astaire, por quem tinha uma imensa admiração como dançarino e como cantor. Mas a sua paixão cinematográfica mesmo, sua grande paixão era pelo ator cantor Mário Lanza, por quem chegou a chorar copiosamente.

A figura de Patrício Teixeira marcou as lembranças de Nara e de Menescal. Não abria mão da elegância, tanto que chegava ao apartamento da aluna impecavelmente vestido, geralmente com terno bege claro, muito bem passado, e, nos pés, polainas brancas. Os dedos grossos, calejados pelos longos anos tocando em cordas de aço, também impressionavam os dois jovens, pois era capaz de tirar um lá maior do violão utilizando apenas dois dedos, enquanto os outros violonistas precisavam de três dedos para obter a nota. O fato de ser professor de Nara Leão e dar aulas também para Roberto Menescal, que não era seu aluno, não mereceu dele qualquer manifestação de contrariedade. Sabia que o jovem não formalizava a sua condição de aluno porque o pai dele não permitia que aprendesse a tocar violão. E percebia que Menescal já estava irremediavelmente envolvido pela música. Estudara piano com uma tia, Irma Menescal, começava a tocar acordeom e arranhava o violão. Não fazia perguntas durante as aulas – um direito que julgava ser apenas de Nara, que pagava ao professor – mas ajudava fazendo coro quando Patrício Teixeira pedia que cantassem uma música e fizessem o acompanhamento ao violão. Uma das músicas mais cantadas era *Prece ao vento* (Alcir Pires Vermelho, Gilvan Chaves e Fernando Luís da Câmara Cascudo), grande sucesso da época na interpretação do Trio Nagô.

Menescal namorou Nara durante cerca de dois anos. Apesar de cinco anos mais velho, aprendeu muito com ela, uma menina que, graças à convivência com os pais e com a irmã Danuza, estava em dia com as últimas novidades em matéria de arte e cultura de um modo geral e da música em particular. "Um dia", revelou ele, "Nara me convidou para ouvirmos jazz. Não tinha a menor idéia do que era jazz. 'Você nunca ouviu uma banda de jazz?', ela me perguntou, surpreendida com a minha ignorância. E ficamos horas ouvindo discos com as orquestras de Duke Ellington e Count Basie".

A música impediu que o fim do namoro causasse algum dano à amizade entre os dois. Graças, sobretudo, a um determinado tipo de música que se manifestava nos violões de Garoto (Aníbal Augusto Sardinha), de Valzinho (Norival Carlos Teixeira) e, principalmente, nas canções americanas. A descoberta de um acorde era razão para grande euforia. Um motivo de briga entre os namorados surgia nas férias, quando Menescal viajava para Vitória. Para se "vingar", Nara seguia para Campos do Jordão, já que o namorado queria viajar mas também queria que ela permanecesse no Rio. Um dos poucos reencontros felizes depois das férias teve como origem uns sambas-canções modernos que Menescal aprendeu com músicos que passaram por Vitória e que foram mostrados a Nara com um acompanhamento adequado ao violão. A música também levava os dois a ampliar o círculo de amizades. Sérgio Ferreira Hehl, aluno do Colégio Melo e Souza, era filho de Breno Ferreira, o cantor e compositor que abandonou a carreira artística ainda na década de 1930, quando se formou em direito. Sérgio, que, segundo Menescal, gostava de cantar músicas americanas acompanhando-se com um violão bem quadrado, atraiu Menescal e Nara para as reuniões musicais promovidas pelo pai. Os encontros eram chamados muito propriamente de rodas de música, pois os participantes sentavam-se em círculo e o violão passava de mão em mão. Entre outros, participavam das rodas os irmãos Paulo Borges (autor do grande sucesso *Cabecinha no ombro*) e Élton Borges, que tocava um violão com aquela modernidade que tanto agradava a Nara e Menescal. Quando as reuniões não ocorriam na casa de Sérgio ou de amigos, o jovem casal ia para o sítio de Breno Ferreira, em Barra do Piraí, em companhia de Sérgio e de sua namorada Ângela – aquela mesma que acompanhava Nara Leão quando Menescal a conheceu – para fins de semana inesquecíveis em que andavam muito a cavalo e tocavam violão. Breno Ferreira, que cantou muitas vezes em dupla com Sílvio Caldas no *Programa Casé*, na década de 1930, foi um dos primeiros cantores a gravar na Victor. Morreu em 1966, com 59 anos de idade. Paulo Borges, por sua vez, era também parceiro e irmão de Otto Borges, o fundador do conjunto vocal Anjos do Inferno, e chegou a ter uma rápida passagem pelo conjunto. *Cabecinha no ombro* não foi a sua única composição bastante conhecida. Também é dele a valsa *Mãezinha querida*, durante muito tempo lembrada na passagem do Dia das Mães.

O violonista Edinho (Édison Reis de França), integrante do Trio Iraquitã, foi uma excelente conquista para a roda de violões. Ele e seus companheiros de conjunto, Paulo Gilvan Duarte Bezerril (afoxé) e João da Costa Neto (tantã), moravam num prédio quase vizinho ao de Nara Leão, quando ela estava ainda na avenida Nossa Senhora de Copacabana. Mas o que o aproximou do grupo foi a gravação pelo Trio Iraquitã do clássico *Andorinha preta*, de Breno Ferreira, uma música que mereceu várias gravações e que acabou conhecida no mundo inteiro, graças a uma gravação de Nat King Cole. Bom violonista, Edinho identificou-se rapidamente com Élton Borges, Nara e Menescal, os integrantes da corrente moderna do grupo. Foi uma convivência tão marcante que, no disco *Meu primeiro amor*, com as músicas que cantava para os filhos Isabel e Francisco, lançado por Nara em 1975, ela incluiu não só as músicas de Breno Ferreira (*Colar de estrelas*) e Paulo Borges (*Cabecinha no ombro*), como dedicou o disco a eles juntamente com Patrício Teixeira, João Gilberto, Vinicius de Moraes, Roberto Menescal, o violonista Élton Borges e seus pais. Por falar em *Meu primeiro amor*, Nara Leão esqueceu-se do nome do seu primeiro namorado. Num depoimento à revista *Contigo*, em 1967, disse que tinha 12 anos (se foi mesmo o primeiro, tinha no máximo 10 anos) no início do namoro, que encontrava com ele numa esquina perto da casa dela, que ele comprava um pacote imenso de pipocas quando iam ao cinema, na matinê, que gostava de sair com ele, mas que, depois de uma briga, nunca mais tornou a vê-lo. O jornalista e cineasta Nei Sroulevich, que conviveu com Nara na época em que ela morava na avenida Nossa Senhora de Copacabana, lembrou-se de um namorado dela daquele tempo. Chamava-se Octavio Godoy, o Tatá, um dos meninos que, todas as tardes, ia jogar voleibol na quadra instalada nos fundos do prédio em que ela morava. Deve ter sido o primeiro namorado depois do fim do romance com Menescal. Segundo Nei Sroulevich, Nara era "apaixonadíssima" por ele.

Roberto Menescal estava com 17 anos e Nara com 12 quando o namoro deles acabou. Quase homem feito, ele circulava pela noite em busca das novidades musicais. Uma dessas novidades foi o compositor, cantor e pianista Johnny Alf que, ao lado de Ed Lincoln (baixo) e Paulinho Nei (violão elétrico), se apresentava na boate Plaza, onde Menescal conheceu músicas absolutamente inovadoras como *Rapaz de bem* e *O que é amar*. Na mesma noite, viu o pianista Luiz Eça tocando a sua composição *Melancolia*, algo também muito novo para a época pelas harmonias criadas pelo autor. E a noite terminou com Ivon Curi cantando *Amendoim torradinho* (Henrique Beltrão), um samba-canção moderno, que surpreendeu Menescal. "Puxa", pensou, "ele não gosta só das músicas quadradas que canta no rádio!".

– Naquela noite, saí da boate convencido de que uma coisa nova estava nascendo em nossa música. Passei a procurar essa coisa nova também nos discos, incluindo as primeiras gravações com as obras de Antonio Carlos Jobim – recordou.

Também se metia em aventuras próprias dos jovens de Copacabana, como a que foi idealizada pelo amigo Gustavo, um jovem de família rica que, ao completar 18 anos, ganhou dos pais um Odsmobile conversível. Gustavo mandou cromar as ferragens, pintou o carro de branco e convidou Roberto Menescal para participar de uma manifestação de exibicionismo diante das meninas, na porta do Metro Copacabana, no fim da sessão das duas. Menescal entrou no carro, jogou displicentemente seu violão da marca Silvertone (que havia comprado na Sears) nas costas do banco de trás, sentou-se no banco da frente e, com os trajes e a pose à James Dean, aguardaram o fim da sessão de cinema. Quando elas começaram a aparecer, Gustavo apertou um botão e a capota começou a fechar-se, deixando as mocinhas com os olhos arregalados. Tudo ia bem, até que o espetáculo foi perturbado pelo som produzido pelo esmagamento do violão pela capota, começando pelas cordas que se arrebentavam e estalavam uma a uma.

– Vamos embora! – berrou Menescal, envergonhado com o fim infeliz do show montado pelo amigo Gustavo.

Seria mais uma falsa demonstração de riqueza do jovem violonista, que morava na Galeria Menescal. Toda vez que perguntavam se a galeria pertencia a ele, respondia evasivamente, dando a entender que não gostaria de falar sobre o patrimônio familiar. Na realidade, porém, da Galeria Menescal ele dispunha apenas de um apartamento, fruto da camaradagem de um tio dele – este sim, um homem rico – que vendeu o imóvel a seu pai em condições possíveis apenas num negócio entre irmãos.

Sem idade e sem vocação para acompanhar o amigo Roberto Menescal nas incursões pela noite do Rio, Nara limitava sua vida musical ao estudo de violão, a tomar conhecimento das novidades por meio dos discos e às reuniões domésticas com amigos. Seu círculo de amizades masculinas, aliás, cresceu a partir de 1957, quando, concluído o ginasial, deixou a sede de Ipanema do colégio Melo e Souza e transferiu-se para a sede de Copacabana, onde turmas mistas assistiam aos cursos clássico e científico. A mistura de sexos era um forte estímulo para que as meninas estudassem seriamente pelo menos durante a quarta série do ginásio. Para Nara Leão, no entanto, a mudança não proporcionou qualquer novidade capaz de mexer com o seu coração. O intenso romance de amor que viveria por mais de quatro anos teria início na sua própria casa.

2

O lobo Bôscoli

Nara Leão ainda morava na avenida Nossa Senhora de Copacabana quando seu ex-namorado Roberto Menescal, que prestava serviço militar no Forte de Copacabana, trocou, em 1956, o Melo e Souza pelo curso noturno do Colégio Mallet Soares, onde conheceu Normando Santos, que também tocava violão e cantava. Outro novo colega era o pianista Luís Carlos Vinhas. Normando disse a Menescal que havia um aluno chamado Carlos Lyra, que tocava violão e fazia músicas. "Eu conheço uma música dele", disse Menescal, lembrando-se do espetáculo *Gente bem e champanhota*, no teatro Follies, em Copacabana, a que assistira várias vezes, nas matinês de segunda-feira, atraído pela presença da cantora Silvinha Telles, que havia gravado um disco de 78 rotações com o samba-canção *Amendoim torradinho*, de Henrique Beltrão. Em *Gente bem e champanhota*, Candinho, marido de Silvinha, tocava violão e cantava *Menina*, de Carlos Lyra, a música que a cantora gravaria pouco depois, com o nome de *Menina*, num disco que do outro lado teria o clássico *Foi a noite*, de Antonio Carlos Jobim e Newton Mendonça. Menescal adorou *Menina*, e em pouco tempo já sabia tocá-la no violão. Normando fez a apresentação dos dois e Carlinhos foi logo sugerindo deixarem a aula de lado e tocarem violão, proposta não só aceita por Menescal como também pelos professores de matemática e de português, que também "mataram" a aula naquela noite. "Claro que o colégio acabou para mim.

Se os professores também matam a aula, o que viria depois?", justificou Menescal. No dia seguinte, comunicou a Nara que pensava em abandonar o colégio para dedicar-se inteiramente ao violão.

– Isso quer dizer que você será um profissional da música – disse Nara. Menescal concordou, mas ainda esperaria dois anos para deixar os estudos colegiais de lado.

Amigos novos dele, amigos novos de Nara. A turma do Mallet Soares compôs o grupo que se encontrava quase diariamente na casa de amigos ou em locais que, aos poucos, iam descobrindo, como o clube Leblon, onde promoviam aos sábados um evento ao qual davam o nome de "Noite do violão". O casal Dulce e Bené Nunes, ela cantora e ele pianista, foi um dos primeiros a abrir a casa, na Gávea, para eles e muitos outros músicos (certa vez, Nara Leão pediu a Bené para ser *crooner* do conjunto deles, mas o pedido não foi atendido sob a alegação de que tal ocupação seria inadequada para ela, "moça de boa família, educada, de fino trato"). Numa noite, Nara levou um susto ao chegar à casa de Dulce e Bené: lá estava, sem paletó e sem sapatos, nada menos que o presidente do Brasil, Juscelino Kubitschek de Oliveira. Quando a família Leão mudou-se para o apartamento da avenida Atlântica, abriu-se um ponto de encontros musicais que entraria para a história da música popular brasileira. Quase todas as noites, lá estava o mesmo grupo a tocar, cantar e trocar informações. Segundo Carlinhos Lyra, aconteceu nessa fase um namoro entre ele e Nara Leão. Na entrevista que concederia, pouco antes de morrer, a Almir Chediak, para o *songbook* da bossa nova, porém, Nara revelou não se lembrar desse namoro. "Namoro é quando tem beijo na boca. Que eu me lembre, nunca beijei a boca do Carlinhos", disse ela. Havendo namoro ou não, o certo é que Nara não escondia um certo fascínio por ele, um integrante do grupo que tocava violão há vários anos, já trabalhava como violonista no conjunto de Bené Nunes e levava sobre os demais a vantagem de ler cifras, tudo isso somado às músicas que compunha.

Ronaldo Bôscoli apareceu em 1957, também por motivos musicais. Era repórter do jornal *Última Hora* (logo depois, também da *Manchete*) e iniciava sua carreira de letrista de música popular, tendo o amigo Chico Feitosa como parceiro. Uma das primeiras obras da parceria foi o samba-canção *Fim de noite*, que imediatamente se transformou em marca registrada da dupla e numa espécie de hino do seu círculo de amigos. Não demorou muito para que esses amigos substituíssem o sobrenome de Chico, Feitosa, por Fim de Noite. Ele passou a ser o Chico Fim de Noite. Foi *Fim de noite*, por sinal, uma das músicas que Ronaldo Bôscoli cantava, acompanhado por Élton Borges ao violão (outras músicas eram do próprio Élton com letra de Ronaldo), na varanda da casa de Breno Ferreira, no Alto Leblon, quando Roberto Menescal o viu pela primeira vez. Não foi um encontro dos mais agradáveis, por causa da antipatia de Ronaldo, que o olhou "de maneira estranha" (pouco depois, Menescal soube que ele estava saindo de uma crise de depressão – chamada na época de vagotonia – que o fizera permanecer quase um ano trancado no apartamento em que morava). Naquela noite, Menescal sugeriu que ele cantasse dentro de casa, e não na varanda, com os outros violonistas, e foi imediatamente advertido de que Bôscoli não podia permanecer lá dentro porque sofria de claustrofobia). Segundo depoimento de Menescal, o encontro ocorreu quando Nara já morava na avenida Atlântica, tanto que ele convidou Ronaldo para comparecer à reunião musical na casa dela, mas este não apareceu. Como havia falado muito dele aos companheiros, foi várias vezes cobrado: "Cadê o Ronaldo?". Este, por sua vez, em seu livro *Eles e eu – memórias de Ronaldo Bôscoli*, afirmou que conheceu Nara quando ela "morava num edifício em Copacabana, perto do cinema Metro, de costas para o mar". E mais: segundo ele, foi Chico Feitosa quem lhe falou pela primeira vez de Nara Leão. Ele teria ido a uma das reuniões na casa dela e, ao chegar ao pequeno apartamento da rua Otaviano Hudson, onde os dois moravam, comunicou a Ronaldo Bôscoli: "Conheci uma menina que toca um violão! Está querendo que a gente vá à casa dela para uma violonada." Chico Feitosa disse ao autor dessas linhas que ainda não morava com Ronaldo Bôscoli (vivia com os pais, em Jacarepaguá) e que o primeiro encontro dos dois com Nara ocorreu de fato no apartamento da Nossa Senhora de Copacabana, a convite de Menescal, e que ficaram tocando violão até as três, quatro horas da manhã.

No depoimento para este livro, Roberto Menescal disse que, cerca de um ano depois de ouvir Ronaldo cantar *Fim de noite*, estava na praia de Copacabana com Nara Leão e outros amigos, quando o viu pela segunda vez. Foi ao encontro dele, mas Ronaldo não o reconheceu imediatamente.

– Você não se lembra e mim? Eu falei com você naquela noite na casa do Breno Ferreira.

– Ah, sim! Estou lembrado.

– Pois é, o pessoal está ali na barraca. Você não quer ir até lá?

Ronaldo disse que não, que estava com pressa. Ainda assim, foi convidado para ir à noite à casa de Nara Leão.

– Quem é Nara Leão?

Menescal falou dela e das reuniões musicais promovidas no apartamento em que ela morava, na avenida Atlântica. Ronaldo anotou o endereço, disse que ia, mas se recusou a fornecer o seu telefone a Menescal. À noite, a reunião já estava quase acabando quando ele apareceu. Contou Ronaldo no livro *Eles e eu*: "Chegando lá, toquei a campainha e quem veio me atender foi a própria Nara. Estava de shortinho curto, deixando inteiramente a descoberto seus joelhos redondinhos, que foram objeto de poesias, crônicas e suspiros gerais. Ela comia displicentemente uma maçã e me ofereceu com a maior naturalidade um pedaço". Como veremos a seguir, foi paixão à primeira vista de um homem de 28 anos por uma menina de 15: "Hoje, lembrando aquela cena, percebo nitidamente o fascínio e o encantamento que Nara me causou na segunda vez que a vi. Um impacto. Me senti o próprio Adão diante do pecado original. Recusei, meio atordoado, a mordida da maçã. Mas já era tarde. Nara tomou meu coração. Tremendo lobo, com anos de estrada, já trazendo desencantos de amores tantos (como disse na música que fiz para ela, *Se é tarde, me perdoa*), me apaixonei inteiramente por aquela menininha. Mal comia, mal dormia. Para Nara, fiz a canção que melhor retrata a situação que vivi com ela: 'O lobo mau se derreteu/Pra ver você que lobo/Também faz papel de bobo/Só posso lhe dizer/Chapeuzinho agora traz/Um lobo na coleira/Que não janta nunca mais/Lobo bobo'. Nara era tudo que eu sonhava como mulher: uma gracinha, sensível, musical, sincera, inteligente, doce, educada, tudo. Musa-Nara, a musa eterna da bossa nova". Não foi apenas *Lobo bobo* e *Se é tarde, me perdoa* (ambas com Carlos Lyra) que Bôscoli fez para sua amada. Foi também pensando nela – conforme revelou em seu livro – que compôs *Você*, *O barquinho* e *Vagamente* (todas estas em parceria com Roberto Menescal). Além daquelas feitas depois que o romance acabou.

As reuniões na casa de Nara Leão, que contavam sempre com as presenças de Menescal, Carlos Lyra, Luís Carlos Vinhas, Normando Santos, Edinho (do Trio Iraquitã), Ronaldo Bôscoli e Chico Feitosa, ganharam a adesão dos irmãos

Castro Neves (Oscar, principalmente, além de Mário, Léo e Iko), da cantora Silvinha Telles (uma espécie de ícone do grupo, desde que, em 1956, gravou *Foi a noite*), do violonista Baden Powell, do pianista Luiz Eça, do veterano cantor Lúcio Alves, que dividia com Dick Farney a preferência do grupo entre os intérpretes brasileiros (até aparecer João Gilberto, é claro), do flautista, saxofonista e baixista Bebeto, do adolescente Dori Caymmi e alguns outros. Quando Vinicius de Moraes aparecia, era uma festa, mas os grandes ídolos da turma eram mesmo Antonio Carlos Jobim e João Gilberto (com este, o grau de relações pessoais poderia ser avaliado pelo tratamento: os mais íntimos o chamavam de Joãozinho; os demais, de João Gilberto mesmo. E ele fazia questão de selecionar as suas companhias. Nas poucas vezes em que fora ao apartamento da avenida Atlântica, tivera o cuidado de telefonar antes para saber quem estava lá. Outras vezes, atirava pequenas pedras na janela, até que Nara Leão aparecesse para dizer os nomes dos músicos presentes. Dependendo de quem estivesse, não dava as caras). Nas vezes em que entrou no apartamento, todos os participantes das reuniões se renderam ao seu violão tocado em meio a um silêncio absoluto, durante o qual procuravam apreender as suas harmonias, o seu ritmo, enfim, o seu jeito de tocar. Numa dessas reuniões, João Gilberto conheceu a bela baiana Astrud Weinert, sua futura esposa e cantora (quando passou a chamar-se Astrud Gilberto). Apesar de ser a mais nova, Nara ocupava uma posição especial no grupo, naturalmente por ser a dona da casa e ainda por tocar muito bem violão, pela boa memória (sabia de cor uma infinidade de músicas) e pelas manifestações críticas sempre oportunas. Suas opiniões sobre a qualidade das músicas ou de um acorde criado nas reuniões eram muito respeitadas. "Nara era uma cabeça muito mais adiantada do que a gente", disse Roberto Menescal. É bom lembrar que, depois de estudar violão com Patrício Teixeira, ela – atendendo a pedidos do pai – tomou aulas de violão clássico com Solon Ayala. Voltando a João Gilberto, coube a ele introduzir nas reuniões um personagem conhecido como Milton Ilha Rasa. O apelido tinha a ver com o farol de aterragem no porto do Rio de Janeiro, localizado na Ilha Rasa, que tem como característica luminosa dois lampejos de luz branca e um de luz vermelha. Os olhos de Mílton também variavam do branco para o vermelho, dependendo da maconha que fumava. De vez em quando, ele estava internado na casa de saúde Doutor Eiras, em Botafogo, apresentando distúrbios psíquicos. Nara ia sempre visitá-lo. Como as internações tornavam-se cada vez mais freqüentes, ela conheceu outros doentes, que também recebiam as frutas e os doces que ela levava. Com o tempo, passou a ajudar os funcionários da casa de saúde nas pequenas tarefas. Além da generosidade, ficou também marcado na adolescente Nara Leão o seu interesse pelos mistérios da mente humana, consolidado pela leitura de inúmeros livros que tratam do assunto e pela escolha do curso de psicologia ao ingressar na PUC do Rio de Janeiro.

Em 1957, Roberto Menescal e Carlos Lyra estabeleceram um acordo com um amigo chamado José Paulo, que nada tinha a ver com música, por meio do qual o apartamento dele – na verdade era a sua *garçonnière* – na avenida Nossa Senhora de Copacabana passaria a ser utilizado pelos dois para dar aulas de violão, mediante o pagamento de um módico aluguel. Era um apartamento de dois cômodos, ficando um para Menescal e outro para Carlinhos. Depois, a dupla levou a academia para uma casa de vila também em Copacabana, a de número 5 da rua Dias da Rocha, 31. Menescal e Carlinhos eram muito procurados por jovens interessados em aprender a tocar o instrumento, provavelmente sob a influência das reuniões cada vez mais freqüentes em apartamentos da Zona Sul em torno de violões. Havia também alunos de origens diferentes, como o gaúcho Breno, jogador de futebol do Fluminense, convidado para desempenhar o papel principal do filme *Orfeu do carnaval*. Como o seu personagem teria que tocar violão, ele procurou Menescal para ensiná-lo a, pelo menos, colocar os dedos nas cordas certas quando fingisse que tocava o instrumento. Ao contrário do que foi publicado tantas vezes, Nara Leão jamais foi aluna da tal academia. Tratava-se de uma freqüentadora, mas na condição de amiga e, depois, de professora. Havia uma constante troca de informações entre eles, que podia ser feita na academia ou na casa de Nara, sobre soluções harmônicas para determinadas músicas. Carlinhos Lyra, sabendo ler e escrever cifras, era naturalmente o mais consultado. Mas, dos três, era de Roberto Menescal a mais forte vocação para violonista. Naquele mesmo 1957, ele se iniciava como profissional da música, formando um conjunto de bailes que tocava nas tardes de domingo no clube Caiçaras e integrando o conjunto que acompanhava Silvinha Telles. Apesar de não contar com a aprovação do pai, já era um "profissional da música", como previu Nara Leão. O que menos fazia era freqüentar as aulas do colégio Mallet Soares.

Responsável pela primeira participação de João Gilberto nas reuniões na casa de Nara, Menescal era cobrado por ela pela ausência de Antonio Carlos Jobim. "Soube que Tom esteve na casa de fulano", reclamava ela, cheia de ciúmes. Mas Menescal sequer o conhecia pessoalmente. O primeiro contato entre eles ocorreria em fins de 1958, quando Tom o procurou para substituir João Gilberto, tocando violão, na gravação do samba *A felicidade* para o filme *Orfeu do carnaval*. O violonista ficou tão feliz com o convite que nem quis aceitar o dinheiro que lhe era oferecido pelo trabalho. "Eu é que deveria pagar", disse Menescal. Sendo assim, foi convidado para jantar. No restaurante, Tom Jobim percebeu na fisionomia dele um ar de preocupação e perguntou o que estava havendo.

– É que resolvi ser músico e meus pais querem que eu seja arquiteto. Não sei o que fazer – desabafou Menescal.

– Ser arquiteto pra quê, rapaz? Estudei arquitetura e só serviu para compor *Aula de matemática*. Você precisa é estudar música – aconselhou Tom, autor da música, e não da letra, que faz um jogo de palavras com as regras de matemática. A letra foi escrita por Marino Pinto.

Roberto Menescal, que fazia o segundo ano científico, correu no dia seguinte para a casa de Nara para narrar o encontro e dar a notícia de que decidira definitivamente ser músico.

– Você já conversou com seu pai? – perguntou a amiga.

– Não, mas vou conversar com ele hoje mesmo.

Quando comunicou a decisão ao pai, a reação foi diferente da que ele esperava:

– Não adianta você me dizer uma coisa dessas porque não entendo nada disso. O que é ser músico? Como é que você vai ganhar dinheiro? Vai tocar nas portas dos bares, como aqueles músicos que tocaram para nós na porta da cantina Sorrento? – perguntou o pai que, dia antes, havia jantado com a família no velho restaurante do Leme, onde músicos populares tocavam para fregueses e recolhiam dinheiro no chapéu.

Quanto a Antonio Carlos Jobim, foi feito o convite para ir a uma reunião na casa de Nara Leão, mas, segundo Menescal, ele não foi um freqüentador assíduo porque os encontros rolavam em torno dos violões. O belo apartamento não contava com o instrumento preferido de Tom, o piano. "Além disso", lembrou Menescal, "ele era ídolo demais pra a gente ficar chamando a toda hora".

Apareceu três ou quatro vezes. Jobim freqüentou bem mais as reuniões na casa do pianista Bené Nunes. Talvez por isso Carlinhos Lyra se recuse a aceitar a versão de que a bossa nova tenha nascido na casa de Nara Leão. "Para falar a verdade, eu, pessoalmente, nunca vi Vinicius ou Tom Jobim por lá. Prefiro acreditar que, se a bossa nova nasceu na casa de alguém, foi na do pianista Bené Nunes. Não só nasceu como comeu também. Tom, Vinicius, Bôscoli, Menescal, Nara, Donato, eu e até Millôr Fernandes ali nos encontrávamos freqüentemente e acabávamos por ficar até de madrugada, quando Bené – tão bom mestre-cuca quanto Vinicius – ia pra cozinha e improvisava macarronadas ou o que fosse para a tropa", escreveu ele para o seu *CDBOOK*, ainda inédito quando este livro era elaborado. Reconheceu, porém, que as reuniões no apartamento da avenida Atlântica forma muito importantes e que Nara exercia uma espécie de coordenação da turma. Em seu depoimento ao Museu da Imagem e do Som, Nara procurou explicar o seu papel na época: "Eu funcionava para o grupo como uma espécie de computador. Sabia de cor todas as letras, melodias e acordes, mas só podia abrir a boca para cantar quando alguém precisava que alguma música fosse lembrada. E, assim mesmo, a malhação era geral: 'fanhosa', 'desafinada' e outros 'elogios' desse tipo. Acho mesmo que só permaneci no grupo por causa da minha casa. Ninguém acreditava em mim, mas também ninguém me escutava cantando".

O que Carlos Lyra não pode negar é que os encontros na casa de Nara foram fundamentais para formar com Ronaldo Bôscoli uma parceria responsável por alguns dos maiores sucessos da bossa nova. Ronaldo, já nas primeiras reuniões, mesmo não sendo músico, assumiu uma posição de liderança da turma, além de conquistar o coração da dona da casa. Narrou Bôscoli em seu livro *Eles e eu*: "Era o mais velho, tinha 28 anos, trabalhava como jornalista, tinha uma considerável experiência com as mulheres. Os outros ainda eram estudantes e estreantes no assunto [...] O fato é que os namoros de Nara antes de mim foram pequenos flertes. Nada, sem dúvida, comparável à paixão que vivemos. [...] Dr. Jairo e dona Tinoca adoravam nos receber. A casa era enorme. Danuza, a irmã mais velha, já tinha saído para casar com Samuel [Wainer]. Então, o espaço era todo de Nara, filha única de pais bem *relax* para a época. O resultado é que freqüentávamos com assiduidade, praticamente todas as noites. Coca-cola, guaraná, salgadinhos rolavam e com fartura pra a gente ficar ali tocando e cantando à vontade. Não é verdade que bebêssemos muito ali, principalmente uísque. Isso veio depois, mais tarde um pouco. Nara já tocava uma bossa novinha linda no violão e, como musa e madrinha de nossos experimentos musicais, dava opinião em todas as composições que nós levávamos para mostrar".

Ainda em seu livro, Ronaldo lembrou da época como um tempo feliz, "de encontros da música e paixão", de "felicidade", até porque os pais de Nara aprovavam o namoro e Dr. Jairo o considerava "um rapaz sério, esforçado, talentoso", além de estimular o casamento, convidando-o a morar no apartamento com eles. "A casa é grande", justificava. "Eu, tomado de brios idiotas que só a juventude possui, recusava, ofendidíssimo. Queria me casar com os meus próprios meios. Nem que demorasse muito. Hoje me arrependo amargamente de ter tido essa postura boba", confessou, acrescentando adiante: "Enquanto isso, íamos nos amando, namorando, apaixonados. Até que o inevitável aconteceu: nos tapetes maravilhosos da sala daquele apartamento, tive Nara pela primeira vez. A sensação foi inesquecível para mim e acho que para ela também. Na minha cabeça, ficou sempre claro que Nara não era a mulher com quem eu estava transando, mas aquela com quem iria me casar um dia". O sexo, porém, não deixou boas lembranças: "Nara tinha uns problemas muito sérios de culpa, uma repressão enorme introjetada dentro dela, sei lá. Eu também, ou muito mais ainda", depôs Ronaldo Bôscoli, lembrando que continuava a merecer a confiança do pai da namorada: "O Dr. Jairo de forma alguma poderia ser considerado um pai chato, caretão. Muito pelo contrário. Já tinha tido a Danuza como filha! A Nara ele tirava de letra. [...] Nara era o oposto [de Danuza] e, incrivelmente para a época, isso preocupava a família. Era muito tímida e delicada, um pequeno caramujinho escondido. Não sei se a figura de Danuza a oprimia, mas o fato é que ela era extremamente preocupada com a vida, responsável, certinha".

Convidado por Samuel Wainer para editar o jornal *Última Hora*, o jornalista Alberto Dines criou o *Tablóide UH*, com noticiário, serviços e comentários relacionados com cinema, teatro, música, vida noturna, artes plásticas etc., que seria muito bem recebido pelos leitores. Corria o ano de 1958, quando Samuel pediu a Dines que arranjasse um lugar para a sua cunhada Nara Leão, que abandonara os estudos e "precisava de uma ocupação". E foi assim que Nara, ganhando Cr$ 3.800,00 por mês, o salário mínimo da época, começou a trabalhar na *Última*

Hora como uma espécie de secretária de Alberto Dines, mas sonhando em ser repórter. Fez até algumas reportagens – entre as quais uma entrevista com Denise Rocha de Almeida, *Miss* Flamengo –, e até escreveu algumas vezes a seção de horóscopos, mas chegou facilmente à conclusão de que aquela não deveria ser a sua profissão. Cunhada de Samuel, ela já conhecia não só Ronaldo Bôscoli como vários outros funcionários e colaboradores do jornal e fez novas amizades, sendo uma delas com o editor do *Tablóide UH*, o jovem Moisés Fuks, que aceitou o convite para assistir a uma das reuniões musicais que ela promovia em casa. Entusiasmado com o que viu e ouviu, Moisés conversou com Ronaldo Bôscoli sobre a possibilidade de uma apresentação no Grupo Universitário Hebraico do Brasil, do qual era diretor artístico. Ronaldo gostou da idéia e tratou de convidar Silvinha Telles para ser a atração principal, já que ela era o único nome conhecido do grupo, razão pela qual apenas o seu nome figurou nos cartazes confeccionados para divulgar o show: "Sílvia Telles e um grupo bossa nova", informavam os cartazes. O "grupo bossa nova" poderia identificar o conjunto de Roberto Menescal, ainda sem nome (piano, Luís Carlos Vinhas; sax e flauta, Bebeto; bateria, João Mário; contrabaixo, Henrique; e violão, Menescal), que acompanharia Silvinha, ou, além dele, Carlos Lyra e Chico Feitosa, que também se apresentaram. Ao chegar ao local do show, Menescal quis saber que "grupo bossa nova" seria aquele e Moisés Fuks explicou que, não sabendo os nomes deles, achou melhor adotar aquela solução. "Mas, se vocês quiserem, eu mudo", defendeu-se Fuks. "Pode deixar assim mesmo", liberou o violonista. O fato é que, a partir dali, a expressão *bossa nova* passou a identificar a música e os músicos comprometidos com o movimento.

Um movimento, por sinal, que chamou a atenção do poeta Manuel Bandeira, antes mesmo de ser chamado de *bossa nova*. Numa conversa com o também poeta Paulo Mendes Campos, Bandeira, um conhecedor de música e parceiro de Heitor Villa-Lobos e Jaime Ovalle, revelou que estava surgindo um novo tipo de música popular no Rio de Janeiro, em conseqüência das transformações urbanísticas ocorridas na cidade. O trânsito cada vez mais intenso de veículos estava acabando com a "música de rua", que definia vários tipos de manifestações musicais, incluindo a própria canção carnavalesca. A substituição das casas por edifícios, por sua vez, submetia a população aos rigores da lei do silêncio. Serenatas na janela da amada nem pensar, depois que ela passou a morar no décimo andar. "Está nascendo uma *música intimista*, mais apropriada para os apartamentos", disse Manuel Bandeira a Paulo Mendes Campos. É bom que se esclareça que o velho poeta manteve a vida inteira as antenas ligadas para a música. Foi autor de letras para obras de Heitor Villa-Lobos e Jaime Ovalle e de crônicas antológicas sobre música. Um dos seus amigos era Jairo Leão, o pai de Nara, cuja casa freqüentou. Ele foi uma ilustre testemunha das reuniões musicais em torno de Nara Leão.

Mas não eram todos os amigos de Jairo que prestavam atenção à música que se cantava e tocava na casa dele. Nem o próprio dono da casa se envolvia muito com a reunião dos jovens. Geralmente a música ficava na sala e ele ia para o seu quatro com um livro na mão esquerda e um uísque na direita. Fazia questão de deixar os músicos inteiramente à vontade. Mas havia um momento em que os interesses eram conflitantes: era aquele em que Jairo Leão jogava pôquer com os amigos. Um dos participantes era ninguém menos do que Millôr Fernandes que, em outubro de 1990, teve a feliz idéia de escrever uma crônica no *Jornal do Brasil* dando o seu testemunho do que ocorria naquele apartamento do edifício Champs Elysées. A crônica recebeu o título de "De como atrasei a bossa nova em seis meses" e, nela, Millor narrou o seguinte: "Foi a temporada de pôquer mais ilustre de minha vida. Iniciada na casa de Osvaldo Rocha, diretor da saudosa Paramount e pai da menina Nelita, futura senhora Vinicius de Moraes, a rodada passou para a casa do arquiteto Carlos Lessa e ancorou na casa de Jaime Leão, pai de Danuza (Danuza, musa, já famosa por si mesma) e de Nara, a dos joelhos cantados em prosa e verso. Na primeira rodada em que jogamos juntos, sem nunca nos termos visto antes, Jairo – que depois conheci como jogador seguro, incapaz de qualquer risco – ficou mano a mano comigo. Apostou alto, repiquei, ele repicou, eu repiquei, ele repicou, a aposta ficou altíssima, os outros jogadores ligadões, esperando meu movimento. Apenas 'paguei pra ver'. Jairo teve de abrir, mostrando que não tinha absolutamente nada, nem um par. Abri também meu jogo. Tinha apenas um par de setes! Jairo disse apenas: 'Puxa, mas isso é uma ofensa pessoal!'. Pelo jogo passaram os já ditos e mais o humorista Leon Eliachar, o comentarista e ativista político Newton Rodrigues, o auto-exilado Ivan Lessa, o polêmico Paulo Francis, o também polêmico

Antônio Maria, a já citada Danuza Leão *et* outros. Mas, atrás, havia ainda os futuros ilustres. Como nosso jogo deveria sempre terminar às seis horas, mais ou menos a essa hora começava a chegar a "garotada" para acompanhar Nara em ensaios do que, ninguém sabia, viria a ser a bossa nova. Ronaldo Bôscoli, a essa altura noivo de Nara, e mais Jotabê, Menescal, Bebeto, Dori, Chico Feitosa *et* outros. Mas essa rapaziada tinha sempre de esperar muito (meia hora, uma hora, uma vez duas horas!), quando jogávamos uma roda de fogo mais prolongada. Um dia, fiz as contas – sou razoavelmente bom de números – e concluí: atrasamos a bossa nova pelo menos seis meses". Numa entrevista que Nara deu ao *Pasquim*, em 1971, Millôr contou a mesma história e a cantora concordou: "É verdade. Com aquele pôquer, a gente não podia bagunçar muito".

Mas Millôr Fernandes não precisava se preocupar, pois o surgimento da bossa nova não dependia tanto das reuniões musicais na casa de Nara Leão. Dependia muito mais do que ocorria nos estúdios da gravadora Odeon, onde, desde 10 de julho de 1958, com *Chega de saudade*, João Gilberto gravava as músicas de Tom Jobim. Na verdade, era apenas uma questão de nomenclatura. Se a expressão *bossa nova* tornou-se familiar entre os jovens músicos da Zona Sul, ficaria popular a partir da gravação de *Desafinado*, de Tom Jobim e Newton Mendonça ("Isso é bossa nova/Isso é muito natural"), gravado em 1958 por João Gilberto num disco de 78 rotações, e da contracapa do LP *Chega de saudade*, lançado pelo mesmo João em 1959, na qual Jobim apresentou o cantor como "um baiano bossa nova".

3

O racha

As gravações de João Gilberto e o potencial da expressão *bossa nova* deixaram dois executivos da gravadora Odeon, o diretor artístico Aloysio de Oliveira e André Midani, certos de que ali estava um novo filão para a música brasileira e para a venda de discos. Passaram a freqüentar o apartamento de Nara Leão e encheram a turma de alegria ao convidá-la a gravar um *long-play*. Enquanto o disco não saía, que tal a Odeon apoiar o 1º Festival de Samba-Session, que iriam realizar na Pontifícia Universidade Católica do Rio de Janeiro, em agosto de 1959? (O título do evento demonstra que, até aquela data, a expressão *bossa nova* era menos conhecida do que a palavra *session*, pelo menos nos círculos musicais, graças às *jam-sessions* que começavam a se tornar moda nas casas noturnas do Beco das Garrafas, em Copacabana).

– Podem contar conosco – respondeu André Midani.

A Odeon convocou três das suas jovens cantoras para o show – Silvinha Telles, Norma Bengell e Alaíde Costa – e prometeu mobilizar o seu setor de divulgação para fazer a propaganda. Promovido pelo diretório acadêmico da faculdade de direito, presidido por Cacá Diegues, o futuro cineasta e marido de Nara Leão, o show era ansiosamente aguardado pelos estudantes da PUC quando o padre Laércio Dias de Moura, reitor da universidade, decidiu que só autorizaria a sua realização se Norma Bengell não cantasse. Norma havia gravado o seu primeiro disco, mas ainda não era conhecida como cantora. Para os menos avisados, ela continuava a ser a esplendorosa vedete dos shows de Carlos Machado, em que se apresentava mostrando 95% do seu belíssimo corpo. A reação dos demais artistas foi unânime: ou Norma Bengell canta ou ninguém cantará. O veto foi mantido, o show foi cancelado e os jornais noticiaram tudo (o *Diário Carioca* foi o primeiro. Título da matéria na primeira página: "Norma no *Índex*"). Solidário com os colegas da PUC, o diretório acadêmico da Faculdade Nacional de Arquitetura da Universidade do Brasil ofereceu o seu anfiteatro para a realização do show, pedindo apenas um prazo para preparar tudo e fazer a divulgação. Assim, no dia 22 de setembro, apresentaram-se Norma Bengell (com o corpo todo coberto por um vestido preto e luvas e meias da mesma cor), Silvinha Telles, Luis Carlos Vinhas (cantando), Carlinhos Lyra, Menescal, Normando, Toninho Botelho (do conjunto Garotos da Lua) e até Ronald Bôscoli (também cantando). Nara Leão, também vestida de preto, em solidariedade a Norma Bengell, não foi sequer cogitada para cantar.

No dia 13 de novembro, a turma estava toda na Escola Naval (onde, por coincidência ou não, estudava o irmão de Carlos Lyra, Sérgio Henrique Lyra Barbosa) fazendo um novo show, só que, dessa vez, definindo melhor a música que fazia, com uma pitada de estilo militar: "Segundo comando da operação bossa nova", foi o título do espetáculo. Ronaldo Bôscoli, o apresentador, abriu a noite tentando, "com aquele seu jeitão displicente", como o descreveu o repórter do *Correio da Manhã*, definir a música que viria a seguir. Eis, textualmente, a apresentação inicial de Ronaldo Bôscoli naquela noite:

"Meus amigos, esse é o Segundo comando da operação bossa nova". Eu teria que explicar a vocês o que seja comando, o que seja bossa-nova, o que fosse isso tudo, mas eu serei breve. O que esse pessoal bossa nova intitula de comando é exatamente essa presença pública nas escolas, nas faculdades, nas universidades e, no caso aqui, quase que numa praça de guerra. Bossa nova é melhor vocês ouvirem do que eu explicar. É essa melodia, esse ritmo, esse balanço brasileiro bom, novo, se não o melhor, totalmente honesto. O que nós podíamos fazer em matéria de música de vanguarda, nós estamos fazendo. Esse pessoal não está argumentando, não está propondo uma polêmica, mas está querendo fazer o que há de vanguarda, o que há de novo, o que há de moderno, o que se pode mostrar em relação à música nova brasileira em novos horizontes. Tínhamos aqui, então, para continuar esse samba *session*, esse sambalanço, como eles chamam, que agradecer ao comandante da escola, o almirante Adalberto Nunes, que nos proporcionou esta noitada; à gravadora Odeon, que nos ofereceu três grandes cantores, quais sejam Lúcio Alves, Alaíde Costa e Norma Bengell, que estará aqui presente e, naturalmente, agradecer a essa rapaziada que vai oferecer duas horas de músicas ininterruptas a vocês, o que há de moderno, o que há de bom, o que há de exatamente novo. Mas chega de papo e vamos ouvir o que eles vão tocar. O que vão tocar agora? (*Pausa*) *Minha saudade*, de João Gilberto e Donato".

Dolores Duran, que morrera no dia 24 de outubro aos 29 anos e que era ligada à bossa nova pelas suas parcerias com Antonio Carlos Jobim, foi homenageada durante o show. Lúcio Alves cantou *Por causa de você* e Normando Santos, *A noite do meu bem*. A cantoria começou às 21 horas e foi até a meia-noite. O conjunto de Roberto Menescal, que acompanhava os cantores, era conhecido como Butantã e seus Cobrinhas. Depois de Normando Santos cantar *A noite do meu bem*, Silvinha Telles foi ao microfone e promoveu, finalmente, a estréia que interessa à nossa história:

"Meus amigos, eu quero apresentar a vocês, agora, um dos mais novos elementos da bossa nova, que faz hoje sua primeira apresentação ao público: Nara!".

Para sua surpresa, o anúncio foi saudado por uma calorosa salva de palmas, o que a obrigou a intervir:

"Calma, que ela ainda não cantou! E também será acompanhada por um conjunto vocal muito novo, que ainda não tem nome: Oscar Castro Neves, Climene, Glória e Roberto Menescal".

"Quando Silvinha começou a falar, desconfiei que era comigo. Tentei fugir a tempo, mas a porta do auditório estava trancada. Então, ela me chamou ao palco e eu entrei em pânico. Cantei de costas para o público, quase chorando", contou Nara em seu depoimento ao Museu da Imagem e do Som do Rio de Janeiro. Na Escola Naval, ela cantou *Se é tarde, me perdoa* e *Fim de noite*, amparada por Ronaldo Bôscoli, que segurou o microfone. Uma nova surpresa: Nara foi ovacionada ou por ter cantado muito bem ou pelos seus dotes físicos ou por uma manifestação da platéia, vendo-a tão nervosa. Ou por tudo isso.

Por falar no namorado, o romance ia casa vez mais firme e tudo indicava que acabaria em casamento. Menescal já estava namorando Iara, com quem se casaria, e os pais dela só permitiam que ela o acompanhasse nos fins de semana em Cabo Frio, onde praticava a pesca submarina, se Nara Leão viajasse com eles. Nara aceitava gostosamente a missão não só porque acompanhava dois grandes amigos como também porque levava Ronaldo Bôscoli com as bênçãos do Dr. Jairo: "Ronaldo, em você eu confio. Entrego minha filha nas suas mãos", dizia o futuro sogro, deixando-o numa situação embaraçosa, como revelou no livro *Eles e eu*: "Aquilo me deixava louco. Como é que eu ia trair a confiança do pai dela? Um cara tão legal!". Pelo menos, esta era a versão de Ronaldo Bôscoli, um personagem de inúmeras qualidades, mas nem sempre uma fonte confiável para os historiadores da música popular brasileira. É que a decisão de liberar Nara para os fins de semana em Cabo Frio era tomada por dona Tinoca, que se despedia sempre com a mesma recomendação: "Menescal, toma conta dela". A imagem de Jairo, segundo Bôscoli, a de um bonachão com boa dose de ingenuidade, também se contradiz com o que sempre se falou dele, inclusive a própria filha. Não era homem de confiar com tanta facilidade. Aliás, uma das suas frases prediletas era: "Seres humanos não prestam". A propósito, o próprio Ronaldo referia-se a Jairo chamando-o de "déspota esclarecido".

De qualquer maneira, devolvemos a palavra a Ronaldo Bôscoli: "Em Cabo Frio, a praia, o sol, o mar, só eu e Nara. Podia ser um paraíso, mas, para mim, era uma tortura. Sem falar no medo da gravidez. Eram tempos pré-pílula, é bom deixar claro. E como esse fato interferiu em nossos contatos sexuais! Para cada 10 minutos de prazer, 20 dias de sofrimento e expectativa. Nara sempre imaginava que estava grávida, ficava tensa, apavorada. Uma tortura! Hoje, pensando bem, o que teria sido de tão mau se realmente ela tivesse ficado grávida? Nada. Teríamos nos casado, o que poderia ter sido maravilhoso para nós dois. Porém, a culpa estava em nossa cabeça. Aos poucos, diante de tantas confusões, comecei a evitar qualquer contato mais íntimo com Nara. O que acarretou nossas primeiras rusgas. Dolorosas, muito dolorosas. Nara pensava que eu não a amava mais, que estava cansado dela, que não mais a desejava. Afinal, ela tinha me dado o que eu queria. Tolice. Estava apaixonado, muito feliz ao lado daquela mulher. E imaginava que tudo seria diferente quando nos casássemos".

Novas dúvidas sobre tudo isso. O autor destas linhas ouviu Marco Antônio Bompet, o último namorado de Nara, que revelou ter conversado com ela sobre esse assunto. O episódio do tapete é verdadeiro e ocorreu em 1958, quando ela estava com 16 anos. A primeira conseqüência de tal ato foi o desaparecimento de Ronaldo Bôscoli. Nara tentou em vão reencontrá-lo e chegou a telefonar para Tom Jobim, que confirmou a história para Bompet. É provável até que o sumiço do namorado tenha sido um dos motivos para dar início ao tratamento de Nara com o psicanalista Ivan Ribeiro. Não estaria Ronaldo temendo uma reação de Jairo, que nunca escondeu que andava armado de revólver? O fato é que, tempos depois, ele acabou reaparecendo. O jornalista João Luís de Albuquerque, grande amigo de Ronaldo na época, nunca teve a menor dúvida de que ele fosse apaixonado por Nara e que sonhava tê-la como esposa. "Mas fiel ele não era não", lembrou João Luís, testemunha do sucesso que Ronaldo Bôscoli fazia com as mulheres. "Algumas vezes, ele assumia compromissos no mesmo dia com cinco mulheres. Cinco bonitas mulheres, é bom que seja dito. Eu perguntava a ele: 'Hoje, vão sobrar quatro mulheres. Posso tentar uma delas?'. Assim, na 'cola' do amigo, eu acabava por fazer excelentes programas com belas mulheres", confessou João Luís de Albuquerque.

O interesse pela música continuava firme. Ronaldo Bôscoli dava seqüência à sua carreira de letrista, compondo também com Roberto Menescal, e Nara passou a receber aulas de música do maestro Moacir Santos. E começava a cantar com mais desembaraço, aguardando o disco da Odeon com a participação dela e dos seus companheiros de reuniões musicais. Tudo indicava que a espera não seria longa, pois, em dezembro de 1959, leu uma nota na coluna do cronista Mister Eco (pseudônimo do jornalista Eustórgio de Carvalho), no *Diário Carioca*, informando que estava para sair "um *long-play* com gente nova com seis cantores inéditos e 12 músicas. Uma das revelações é a srta. Mara [*sic*] Leão". De vez em quando, surgia uma oportunidade de cantar em público, geralmente na Zona Sul e às vezes no Tijuca Tênis Clube. Ronaldo Bôscoli ampliou suas aptidões profissionais, passando a trabalhar como produtor da TV Continental, onde conheceu um jovem *cameraman* e futuro diretor de TV, chamado Luís Carlos Mièle, que seria o seu mais constante parceiro de trabalho e amigo para toda a vida. Mièle, que pouco depois iria morar com Ronaldo e Chico Feitosa, também passou a marcar presença nos encontros musicais no apartamento de Nara Leão. O cantor, compositor e pianista Sérgio Ricardo, já com alguma experiência de trabalho nas noites cariocas, foi levado a uma das reuniões por Mièle. Em seu livro *Quem quebrou meu violão?* contou que, chegando lá, percebeu que o nome mais falado pelo grupo era o de um ausente, João Gilberto. Para Sérgio, o violão de Chico Feitosa "era o mais balançado e o que mais se aproximava da batida de João". E registrou que Nara "de voz doce, balançava bonito, preferia ser acompanhada por Menescal, mas às vezes, pegando o seu violão, se saía muito bem. Além disso, era linda, tranqüila e modesta". Lembrou também que, na TV Continental, para onde foi levado pelo produtor Demerval da Costa Lima, atuou no programa *Balada*, apresentado por ele e pela cantora e atriz Lueli Figueiró. "Meses depois", prosseguiu, "Lueli deixou o programa e foi substituída por Nara Leão. Ronaldo ficou com o roteiro e Menescal tocando violão". E completou: "Ali mostrávamos pela primeira vez a música do grupinho".

Em janeiro de 1960, o *Jornal do Brasil* publicou uma reportagem de página inteira sobre a bossa nova focalizando os seus principais personagens e assinalando que a novidade tinha o apoio de Ary Barroso, o grande nome do que já era chamado de bossa velha, ou seja, a música tradicional, que revelou já ter composto dois sambas no estilo bossa nova, *Esquece* e *Samba no céu*. Sem dúvida, mais um exagero do extraordinário compositor: os sambas nada tinham de bossa nova. O jornal publicou uma foto mostrando Nara Leão cantando com Menescal ao violão e Ronaldo Bôscoli dizendo alguma coisa no ouvido dela (segundo a legenda da foto, ele estaria "soprando"). Dias depois, no início de fevereiro, a turma voltou a ser notícia, dessa vez nas colunas sociais, pela apresentação, feita na casa do poeta e empresário Augusto Frederico Schmidt. Tendo como convidados vários amigos do anfitrião – entre eles, o diplomata Celso Souza e Silva, os jornalistas Álvaro Americano e José Amádio e o empresário Israel Klabin – a música começou depois das 11 da noite, porque os músicos não chegaram na hora combinada, às nove. Pedro Muller, responsável pela coluna "JB em sociedade", do *Jornal do Brasil*, após esclarecer que os artistas pertenciam à nova geração do samba, "conhecida como bossa nova", informou que compareceram à casa do poeta "o músico surrealista" Sérgio Ricardo, a "irmã da sra. Danuza Wainer", Nara Leão, o conjunto de Roberto Menescal, Normando Santos e Chico Fim de Noite. "A grande revelação", concluiu, "foi Nara Leão, que canta com seu jeito todo especial, a um tempo tímido e malicioso". O cronista social do *Correio da Manhã*, por sua vez, revelou que Augusto Frederico Schmidt "ficou muito impressionado com o grupo", acrescentando que se tornara "completamente fã da bossa nova".

Nara Leão, "a cantora da nova geração", foi elogiada em março por um colunista da *Última Hora* pela sua participação no programa Balada, na TV Continental. O colunista acrescentou que Nara é da "mesma geração de Nana, filha de Dorival Caymmi". Em abril, era o amigo Moisés Fuks que falava dela na mesma *Última Hora*: "Bossa nova não é blefe. É simplicidade. Na maneira de cantar e de escrever. Quem diz isso, com seu jeito todo especial, é uma menina moça, que desde pequena vive quase exclusivamente para a música. Atualmente, é notícia obrigatória em todos os jornais e revistas". Na mesma coluna, Fuks anunciava o lançamento naquele abril de um *long-play* da Odeon em que Nara cantaria *Se é tarde, me perdoa* e *Fim de noite*, e que teria faixas instrumentais com Luisinho Eça, Roberto Menescal, João Mário, Luís Carlos e Bebeto. "Nada de música quadrada. Só música moderna", esclarecia o jornalista.

Teria Moisés Fuks se esquecido de incluir Carlos Lyra na relação dos participantes do disco? Nada disso. Naquele momento, Carlinhos Lyra era considerado um "traidor", por ter assinado contrato com a Philips para a gravação de um LP somente dele.

– O disco não saía e estava desconfiado de que não sairia nunca, quando João Araújo e Paulo Serrano, da Philips, me convidaram para assinar um contrato. "Não posso, porque tenho o compromisso de fazer um disco na Odeon com a tropa da bossa-nova", disse a eles. "Você assinou alguma coisa?", perguntaram. "Não, não assinei nada". "Então, você não tem compromisso nenhum", garantiram. Argumentei que tinha um compromisso moral e eles então recomendaram que eu gravasse com a "tropa" e depois conversasse com eles, porque pretendiam fazer um *long-play* só comigo – recordou Carlos Lyra em entrevista para este livro.

Depois do contato com Paulo Serrano e João Araújo, Carlinhos procurou Ronaldo Bôscoli para saber se o disco da Odeon sairia mesmo.

– Não faz disco nenhum na Philips porque o nosso está para ser gravado – assegurou Ronaldo.

Segundo Carlinhos, passaram-se mais três, quatro meses e nada de sair o disco. Cobrou novamente de Ronaldo Bôscoli e a situação continuava na mesma.

– Quando vi que o que havia era apenas enrolação, fui à Philips e manifestei minha intenção de assinar o contrato. Dias depois, o Aloysio de Oliveira, André Midani e Ronaldo Bôscoli me convocaram e, indignados, começaram a me fazer perguntas. Parecia a Inquisição – prosseguiu Carlos Lyra, acentuando que eles passaram a fazer ameaças, alegando que tinham condições legais de retirar da praça o disco da Philips.

A resposta, segundo o compositor, foi também na base de ameaças: "Se vocês fizerem isso, terão que se entender comigo na porrada".

– Naquele tempo, eu era esquentadinho, tinha o pavio curto – justificou.

Felizmente, o disco saiu (com o título *Carlos Lyra bossa nova*) sem maiores problemas. O curioso é que a crise deixou o compositor envaidecido:

– Pelo visto, eu era o mais importante do grupo. Não sabia que era tão importante.

Reconheceu que, mesmo sem ele, o disco da Odeon seria muito bom, pois reuniria nomes como os de Nara Leão, Oscar Castro Neves, Luisinho Eça, Menescal e Luís Carlos Vinhas. A Odeon mantinha o apoio à turma das reuniões musicais na casa de Nara Leão, como se eles fossem contratados. Tanto que se colocou à disposição deles para o show apresentado no dia 20 de maio de 1960, novamente no anfiteatro da faculdade de arquitetura da Universidade do Brasil, intitulado "A noite do amor, do sorriso e da flor." O problema é que, naquela mesma noite, Carlinhos Lyra marcou um show de bossa nova na PUC. Haveria público para os dois? Segundo Ronaldo Bôscoli, Carlinhos só programou o show na mesma data para atrapalhar "A noite do amor, do sorriso e da flor". Carlinhos, por sua vez, alegou que Bôscoli só falou da sua iniciativa depois que soube da realização do show na PUC e, mesmo alertado por ele, manteve a data do seu show. Resultado: o duplo programa virou também uma briga de gravadoras, pois a Odeon manteve o seu apoio a "A noite do amor, do sorriso e da flor" e a Philips ao show da PUC.

Cacá Diegues, ainda presidente do diretório acadêmico da faculdade de direito da PUC, viu logo que, em matéria de atrações, a apresentação na faculdade de arquitetura ganharia de goleada, pois, além de Carlinhos Lyra, seu show contava apenas com Alaíde Costa e Oscar Castro Neves como representantes da bossa nova, e Juca Chaves, identificado equivocadamente por alguns como representante do movimento. Tudo porque Juca não tinha o vozeirão dos cantores da bossa velha e, portanto, achavam que ele era da mesma escola de João Gilberto. Além disso, havia feito um grande sucesso com um samba sobre Juscelino Kubitschek intitulado *Presidente bossa nova*. Sendo assim, Cacá partiu para uma solução que permitiu a entrada, pela primeira vez, de uma escola de samba numa universidade: por intermédio do colega Nuno Linhares Veloso, que havia algum tempo freqüentava o morro de Mangueira, tornando-se amigo e parceiro de Cartola, apresentou um numeroso grupo de sambistas da gloriosa Escola de Samba Estação Primeira. Como se vê, de bossa nova havia muito pouco. Mas o que fazer, se o próprio Carlos Lyra já estava chamando a música de "sambalanço"? O fato é que, por uma razão ou por outra, a PUC recebeu uma grande multidão para ver o show.

Não tão grande, porém, quanto a que compareceu ao anfiteatro da faculdade de arquitetura, onde o público assistiu a um dos maiores espetáculos já feitos em nome da bossa nova e que marcou a reaproximação do diretório acadêmico da faculdade com a associação atlética, até então apontada como direitista pelos estudantes da esquerda. É verdade que alguns nomes citados nos cartazes de propaganda não apareceram, como Dorival Caymmi e Antonio Carlos Jobim. Mas lá estavam o pioneiro Johnny Alf, Norma Bengell, Normando Santos, Luís Carlos Vinhas, Claudete Soares, Eumir Deodato, Menescal, Nara Leão, Chico Feitosa, Elza Soares e o casal Astrud e João Gilberto. Georgiana, a filha de sete anos de Vinicius de Moraes, foi a primeira a fazer sucesso no show, ao atravessar o palco de bicicleta. No fim do espetáculo, Vinicius de Moraes subiu ao palco e contemplou-a com flores.

Para o *Diário da Noite*, pelo menos 3 mil pessoas compareceram ao show.

Em junho de 1960, a revista *Singra*, que era distribuída uma vez por semana com o *Correio da Manhã*, publicou uma reportagem feita durante uma reunião na casa de Nara Leão. Lá estavam os de sempre – Ronaldo Bôscoli e Chico Feitosa – além de Vinicius de Moraes, Tom Jobim, João Gilberto e Baden Powell. A revista registrou manifestações de dona Tinoca e do dr. Jairo: "Nara, está na hora de dormir. Amanhã tem mais bossa nova", advertiu ela. "Isso de bossa nova é que eu não entendo. Onde está a bossa? De onde surgiu? Em que diferem das outras as músicas dessa rapaziada?", criticou ele. Chico Fim de Noite, por sua vez, revelou-se contrário ao rótulo de bossa nova dado à música que faziam: "É um nome que nos foi imposto", queixou-se. E Ronaldo Bôscoli fez questão de comparar as letras da bossa nova com as outras: "'A felicidade é como a pluma, que o vento vai levando pelo ar' é muito melhor do que 'ela me abandonou e estou cansado de sofrer'".

A confusão feita por aqueles que consideravam Juca Chaves um outro João Gilberto, somada ao crescente aproveitamento comercial da expressão bossa nova (liquidações, novos tipos de geladeiras etc.), levou o grupo da casa de Nara a decidir pela criação de um clube para defender a integridade do movimento. Num ato realizado em setembro de 1960 no Colégio Santo Inácio, sob a presidência de Ronaldo Bôscoli, Roberto Menescal anunciou a criação de um jornal para divulgar o que interessava ao movimento e para denunciar as distorções. Nara Leão foi veemente: "Se não cortarmos o mal pela raiz, até chantagens serão cometidas em nome da bossa nova". Mas o jornal não saiu.

Em 1961, a cantora Maysa, uma das maiores atrações da música popular brasileira da época ("seus olhos são dois oceanos pacíficos", escreveu o poeta Manuel Bandeira num poema a ela dedicado), gravou *O barquinho*, de Menescal e Bôscoli. Obra de destaque entre tantas da bossa nova, *O barquinho* tem uma letra criada depois de acontecimentos que nada tinham a ver com "o barquinho deslizando na canção" sob um céu azul. Na verdade, a composição surgiu após uma pescaria em que o barco que conduzia os compositores permaneceu intermináveis horas à deriva. Quanto a Maysa, feliz com a perspectiva de ser a cantora da bossa nova, convidou Ronaldo Bôscoli para dirigir os shows que ela faria na Argentina. Aceitou entusiasmada a sugestão de ser acompanhada por um conjunto integrado por Roberto Menescal (violão), Bebeto (baixo), Élcio Milito (bateria), Luiz Eça e Luís Carlos Vinhas (piano). Bôscoli justificou a ida de dois pianistas num grupo tão pequeno, afirmando que precisava de um especialista em samba (Vinhas) e outro para os demais gêneros musicais (Eça). Outra curiosidade do conjunto é a de que ele reuniu pela primeira vez Luiz Eça, Bebeto e Milito, que, logo em seguida, criariam o Tamba Trio. "Maysa, que já era famosa, queria modernizar o seu repertório. E resolveu ir para a Argentina com um grupo de garotos da bossa nova. Em princípio, achei estranho. Ela me parecia meio *dark* para cantar bossa nova, uma música mais leve, mais alegre. Mas, enfim, Maysa era Maysa. Para nós, seria a maior força. Ela seria a primeira artista que viajaria com a bossa nova para o exterior", justificou Ronaldo em seu livro.

Muito bem-sucedida em Buenos Aires, a excursão foi estendida ao Uruguai e ao Chile. Ronaldo contou em seu livro: "Era para ficarmos uma semana, ficamos dois meses. E, no Cone Sul, no calor dos sucessos, eu e Maysa nos apaixonamos. Foi uma paixão enlouquecida. Muita alegria, muita música. Muito sexo. Maysa me abriu os abraços e vi o mundo. Ao contrário de Nara, era uma mulher voluptuosa, entregue, experiente. Sem culpas, sem medos. A gente transava onde queria: na praia, no carro, nos camarins, em qualquer canto. Canalizei todo o tesão reprimido pela Nara naquele caso de amor. Foi uma loucura". Seguro de que Nara Leão não saberia de nada, Ronaldo Bôscoli viveu a lua-de-mel com a maior tranqüilidade. Maysa é que queria mais. Na volta, sem que ele percebesse, telefonou do aeroporto de Buenos Aires para amigos jornalistas, anunciando a sua chegada e sugerindo que eles a aguardassem no Galeão, onde faria uma revelação para a imprensa. Era o tempo em que os passageiros desembarcavam na pista do aeroporto. No desembarque, Ronaldo viu uma porção de jornalistas na porta do avião e perguntou à cantora se havia algum VIP a bordo:

– É tudo para mim – informou ela.

Feliz, ele concluiu que todo o aparato se devia ao êxito da bossa nova no exterior. Maysa pediu para segurar o braço dele, desceram e, ao chegarem ao chão, ela, cercada de jornalistas, declarou:

– Chamei vocês para anunciar o meu casamento com Ronaldo Bôscoli.

"Não sei como não caí duro pra trás. Naquele momento, não consegui abrir a boca. Emudeci e sumi", narrou ele em seu livro. Nara só foi tomar conhecimento de tudo no dia seguinte, lendo os jornais. Ronaldo tentou falar com ela pelo telefone, mas não conseguiu porque o aparelho era imediatamente desligado quando sua voz era reconhecida. Na hora do almoço do pessoal da revista *Manchete*, onde trabalhava, Ronaldo colocou em prática um plano capaz, segundo pensava, de quebrar todas as resistências de Nara Leão: pediu ao embaixador Pascoal Carlos Magno – um homem respeitado, intelectual de valor, com inestimáveis serviços prestados à cultura, especialmente com o seu

Teatro dos Estudantes, responsável pelo lançamento de alguns dos maiores atores e diretores do teatro brasileiro, escritor, e, além de tudo, diplomata, habituado, portanto, a participar das negociações mais complicadas – para conversar com Nara pelo telefone e convencê-la de que tudo não passara de um ato de imensa irresponsabilidade de Maysa, pois nada havia ocorrido entre eles na viagem. Pascoal aceitou a missão. Num telefonema de 20 minutos ele argumentou muito e repetiu exatamente o que Ronaldo Bôscoli sugeriu que ele falasse (João Luís de Albuquerque, que testemunhou tudo, ficou com a convicção de que Nara ouviu perfeitamente bem a voz de Ronaldo soprando para Pascoal, tal a ênfase com que falava). No fim de tudo, Pascoal Carlos Magno botou o telefone no gancho e deu o seu parecer:

– Você perdeu uma grande namorada.

Mas Ronaldo ainda tinha esperança. Horas depois, encheu-se de coragem e telefonou. Ela atendeu:

– Nara, aqui quem fala é Ronaldo Bôscoli.

– Quem é Ronaldo Bôscoli? – perguntou ela, desligando o telefone antes que ele respondesse.

4

À esquerda

No show *Opinião*, que seria apresentado a partir de fins de 1964, Nara Leão revelava ter feito um teste numa gravadora, antes de ser cantora profissional. Dizia ela: "Eu não gostava de cantar em público. Só resolvi mesmo ser cantora depois de abril de 1964. Gostava só de cantar com a turma da bossa nova. Às vezes, a gente ficava três dias virando sem parar, cantando com raiva do bolero. Um dia, uma gravadora insistiu muito para eu fazer um teste. Não queria, mas insistiram. Fui. Cheguei lá, fiquei esperando quatro horas. Não fui embora porque eu queria que tudo acontecesse comigo, para ver como eram as coisas. Eu estava no mundo só de testemunha. Aí, entrei no estúdio e cantei uma das músicas de que mais gosto, *Insensatez*, de Tom". Depois da fala da Nara, entrava o compositor Zé Kéti, fazendo o papel do executivo da gravadora: "Coração, coração, minha filha. Você não é má, minha filha. Mas você, tão bonitinha, tão gostosinha, se você caprichar, joga sua voz pro nariz, que fica sensual. Isso é que interessa, filha. Voz de cama, entende? Eu te ajudo, te promovo. Vai pra minha casa, põe a voz no nariz e vamos dar um treino".

Numa entrevista ao jornalista Zuza Homem de Melo, ela voltou ao assunto, esclarecendo que o teste foi feito na gravadora Columbia, a convite do maestro e trombonista Astor Silva, que então atuava na direção artística da gravadora: "Cantei *Insensatez* e ele achou a música muito comprida, muito chata, que tinha que colocar a voz no nariz e cantar Maysa, boleros. Peguei meu violão e fui embora".

Ao contrário do que foi algumas vezes escrito, o fim do romance com Ronaldo Bôscoli não levou Nara Leão a romper também com a bossa nova. Tal rompimento ocorreria mais tarde. Durante algum tempo, continuou promovendo reuniões em sua casa e chegou até a conceder uma entrevista ao próprio Ronaldo Bôscoli, publicada na revista *Fatos & Fotos* em fins de 1961. Na entrevista, intitulada "Nara, tristeza em dó menor", Ronaldo concedeu a ela o título de "Garota 62" e afirmou que "foi na casa dessa moça que nasceu o movimento chamado bossa nova". Sobre as reuniões na casa dela, lembrou que Nara "nunca foi de falar muito" e que, "com seus olhos de menino medroso, ficava no canto, procurando apagar-se, como que distante daquilo tudo". Depois de informar que ela "agora vai fazer 20 anos", que, quando não está tocando violão, "pinta horas a fio" e que estuda na Escolinha de Arte de Augusto Rodrigues, entregou a palavra a Nara, que falou como se abordasse o problema vivido pelos dois: "Tenho meus draminhas, que não são tão grandes, mas que são meus. Sei que sofrer passa. Ter sofrido é que não passa nunca. Minha tristeza, por isso, não tem época. E é por isso também que não pretendo casar-me agora. Tenho de aprender a ser sozinha".

Não são muitos os registros das atividades musicais de Nara nos meses que se seguiram ao rompimento com Ronaldo Bôscoli. Sabe-se que se apresentou em São Paulo, num show de bossa nova da Faculdade de Arquitetura da Universidade Mackenzie. O futuro empresário da noite Ricardo Amaral, então colunista social da *Última Hora* de São Paulo, assistiu ao show e assinalou que João Gilberto "apresentou ao público Nara Leão, menina da sociedade carioca, irmã da senhora Danuza Wainer, que pertence ao grupo da chamada bossa nova. Nara e João fizeram do público o que bem entenderam. Foram os verdadeiros donos da noite". Assim, não seria surpreendente que ela acabasse submetida a um teste na Columbia. Surpreendente, na verdade, seria o comportamento do diretor artístico Astor Silva, se é que o texto escrito por Zé Kéti, no show *Opinião*, corresponda ao que realmente ocorrera na gravadora. Além de grande músico, Astor era um homem educado, querido por todos os colegas, um cavalheiro, enfim. Quem o conheceu não pode imaginá-lo num papel em que chegava muito próximo do cafajeste. Até mesmo suas restrições a *Insensatez* são surpreendentes, pois gravara bossa nova com a sua orquestra e fora convidado para escrever os arranjos do primeiro *long-play* de Carlos Lyra na Philips, o que só não ocorreu por causa da sua transferência para a Columbia, sendo, por isso, substituído no disco pelo maestro Carlos Monteiro de Souza.

Em 1962, Nara Leão era um dos nomes citados entre os que participariam do famoso show de bossa nova em novembro no Carnegie Hall, em Nova York, mas sua disposição para apresentar-se em público não chegaria ao ponto de ocupar um dos palcos mais prestigiados do mundo. Numa conversa com Silvinha Telles, as duas decidiram recusar o convite, deixando o espetáculo entregue apenas à corrente masculina da bossa nova. Mas sua carreira dava sinais de que estava começando. Em dezembro daquele ano, ela cantava em Salvador, na Associação Atlética da Bahia, e teve seu nome citado pelo colunista social do *Diário de Notícias*, Sílvio Lamenha (por sinal, uma das figuras mais interessantes da sociedade baiana da época), que registrou a apresentação como "uma pausa musical com a exótica Nara, opala rara entre as mais raras".

Marcada por um acentuado sentido de autocrítica, como a definiu o futuro marido Cacá Diegues, Nara Leão também não aceitou atuar como atriz no filme *Os cafajestes*, dirigido pelo seu novo namorado, o moçambicano Ruy Guerra. Não entrou no filme mas, graças ao namoro, ganhou uma nova legião de amigos, começando pelos cineastas ligados ao Cinema Novo, como Glauber Rocha, Nélson Pereira dos Santos e Cacá Diegues. E mais: sendo uma época em que a política era uma das maiores preocupações da juventude universitária, acabou envolvida pelo debate ideológico, adotando as posições de esquerda defendidas pelos jovens intelectuais, entre os quais o próprio Ruy Guerra, um marxista permanentemente disposto ao proselitismo. Não só ao proselitismo político: "Rui me fez ler livros muito importantes, como *O segundo sexo*, de Simone de Beauvoir", disse Nara Leão ao jornalista Flávio Eduardo de Macedo Soares, de *O Jornal*. Muita gente pensa que foi Carlos Lyra o principal responsável pelo ingresso dela na militância política mas, quando restabeleceram as relações entre eles (não se falavam desde o episódio da gravação do disco na Philips), a moça já estava devidamente instruída de que o fundamental era lutar contra as injustiças sociais. "Quem politizou Nara foi o Cinema Novo", disse Carlinhos Lyra ao autor deste livro.

Lyra ingressou no Partido Comunista Brasileiro (PCB) quando passou a ser uma espécie de diretor musical do Teatro de Arena de São Paulo, a convite do diretor e autor teatral Chico de Assis. Já namorava as idéias de esquerda, influenciado por um aluno da sua academia de violão, Nélson Lins de Barros, um dos "tenentes" dos anos 20 e um dos chefes da Revolução de 1930. Portanto, Carlos Lyra já estava familiarizado com as idéias de esquerda quando chegou a São Paulo para atuar no Teatro de Arena, o primeiro grupo teatral a debater os problemas brasileiros nas peças que apresentava. Jovens e talentosos autores e atores, como Gianfrancesco Guarnieri e Oduvaldo Viana Filho (o saudoso Vianinha), e brilhantes diretores como Augusto Boal e José Renato integravam ao mesmo tempo o Teatro de Arena e a base do PCB a que Carlinhos se filiou e onde encontrou outros grandes nomes do teatro brasileiro: entre outros, Flávio Rangel, Chico de Assis, Juca de Oliveira, Cleide Yáconis e Stênio Garcia. Logo que chegou a São Paulo, começou a compor uma "missa agrária" com Gianfrancesco Guarnieri, mas o trabalho não foi concluído (salvou-se apenas o que serviu de introdução para a música de maior sucesso do show *Opinião*, *Carcará*, de João do Vale e José Cândido: "Glória a Deus, Senhor das alturas/E viva eu de amarguras/Nas terras do meu senhor").

Em 1960, ocorreu uma divisão no Teatro de Arena, levando Oduvaldo Viana Filho e Chico de Assis a transferir para o Rio de Janeiro a encenação da peça *A mais-valia vai acabar, seu Edgar*, escrita por Vianinha e que seria dirigida por Chico. Convidado pelo diretor a fazer a música do espetáculo, Carlinhos voltou para o Rio com instruções do Partido Comunista de ajudar na criação do Centro Popular de Cultura (CPC), com o qual Vianinha e Chico também estavam comprometidos. A peça, que contava com 35 personagens, foi encenada no teatro de arena da faculdade de arquitetura da Universidade do Brasil. No elenco, entre muitos outros, os atores Hugo Carvana e Joel Barcelos. As intenções políticas do texto, claras a partir do título da peça, ficavam ainda mais evidentes na apresentação escrita pelo autor: "A mais-valia é o fenômeno econômico que desencadeia a lei do valor que caracteriza a sociedade desumana em que vivemos. Na mais-valia e na lei do valor estão contidos o desemprego, o utilitarismo, a individualização, o mundo segundo nossa consciência. Na mais-valia está encravada a progressiva pauperização do proletariado, a estagnação das forças produtivas, o desfalecimento e o abandono".

Com a fundação do CPC, instalado na sede da União Nacional dos Estudantes (UNE), na praia do Flamengo, sendo, por isso, conhecido como o CPC da UNE,

Carlos Lyra tratou de incluir a música popular na tarefa de "conscientizar" o povo, missão já desempenhada pelos esquerdistas do teatro e do cinema. Abaixo a música "alienada", que não se ocupa da realidade brasileira! Abaixo o sorriso, o amor e a flor! Abaixo a bossa nova, com a sua visão burguesa da sociedade! Noel Rosa é eterno porque cantou a operária da fábrica, o guarda-noturno, as figuras do povo! Carlinhos, o teórico da música participante, foi apoiado por Vinicius de Moraes (seu parceiro em muitas músicas, entre as quais o hino da UNE) e Sérgio Ricardo, dois dos mais destacados nomes da bossa nova e que já eram conhecidos pela militância na esquerda, e por Nara Leão (O autor destas linhas, na época responsável por uma página de música popular do *Jornal do Brasil* e membro do PCB, levou – por sugestão de Oduvaldo Viana Filho – os sambistas Cartola, Nélson Cavaquinho, Ismael Silva e Zé Kéti para participar dos shows do CPC, convencido de que aquela platéia de estudantes burgueses precisava conhecer a verdadeira música do povo. Foi assim que Carlinhos conheceu Cartola, Ismael Silva e Nélson Cavaquinho (Zé Kéti, que viria a ser seu parceiro no *Samba da legalidade*, era seu conhecido desde a filmagem de *Gimba*). Promoveu várias reuniões em sua casa com os sambistas e gravou uma fita com as músicas deles. Essa fita teria muita importância na gravação do primeiro *long-play* de Nara Leão para a gravadora Elenco).

A estréia de Nara em disco também foi uma iniciativa de Carlos Lyra. Na gravação de seu terceiro LP, intitulado *Depois do carnaval*, de 1962, convidou-a para dividir com ele a interpretação de *É tão triste dizer adeus* e *Promessas de você*, ambas com letras de Nélson Lins de Barros, o autor do texto da contracapa e para quem a expressão *sambalanço*, criada pelo parceiro, servia "para delinear, dentro do movimento, aquele sentido nacionalista que procura elevar o nível da música popular brasileira dentro de suas próprias fontes". Na gravação de duas faixas, Nara mostrou-se segura e afinada. Estava pronta para gravar o seu próprio disco.

Quem tinha idéias diametralmente opostas às do CPC era Ronaldo Bôscoli, que adorava falar mal de Carlos Lyra – "aquele *comuna*" – quando encontrava amigos comuns. Carlinhos, por sua vez, também não perdoava o antigo parceiro, contemplado por adjetivos como "reacionário", "melífluo", "mau-caráter" e muitos outros. Porém o mais contundente algoz público de Bôscoli nada tinha a ver com a disputa ideológica. Era o cronista e compositor Antônio Maria, que iniciava um romance com Danuza Leão, estava ardentemente apaixonado por ela e era muito carinhoso com Nara Leão. Escreveu várias notas no "Jornal de Antônio Maria", publicado diariamente em *O Jornal*, ridicularizando as letras de Ronaldo Bôscoli. Para se ter uma idéia do teor das notas, aqui vai uma delas: "E as letras de Ronaldo Bôscoli? Qualquer psiquiatra que as examine dará o diagnóstico na perna: esquizofrenia. Claro, vai nisso minha prodigiosa má vontade com o menor e o pior. Mas, sem exagero, não há quem submeta a letra de *Canção que brinca no ar* ao exame de um psiquiatra (ou psicanalista ou psicólogo) de sua predileção. Ele diria que uma palavra não tem nada a ver com a outra e que juntas não fazem sentido. Nem ao menos o sentido da beleza, que poderia ser vaga ou até mesmo subjetiva". Depois disso, Ronaldo escalou Antônio Maria na lista dos seus inimigos, castigando-o com piadas que geralmente abordavam a sua gordura.

E o que pensaria Ronaldo Bôscoli dos rumos tomados pela ex-namorada? Eis o que narrou no livro *Eles e eu – memórias de Ronaldo Bôscoli*: "Assim, acabaram as reuniões no apartamento do dr. Jairo. Pelo menos pra turma que andava comigo e que passou a acompanhar Maysa. Porque Nara, incrivelmente, se aproximou de Carlinhos Lyra que, por essa época, estava brigado comigo, e criou a ala bossa nova 'politizada'. Com ele, Nara iniciou uma mudança total de imagem e estilo. Muito influenciada também pelo novo namorado, Ruy Guerra. Aliás, com ele, ela acabou por quebrar a cara totalmente. Começou a dizer que tinha encontrado um cara sério, não-alienado, não-burguês como eu e, aí... Bem, quebrou a cara. O Ruy Guerra, com sua postura comunista, se repartiu bem entre várias mulheres e, ao mesmo tempo, traiu Nara muito mais do que eu. Ela pirou e foi fazer análise. Nessa análise, se eu tenho uma carona de 10%, o Rui tem uns 80%. Mas, enfim, acho que nunca mais me encontrei. E nem ela".

Nara Leão foi a escolhida por Vinicius de Moraes e Carlos Lyra para dividir com eles a apresentação das músicas da peça *Pobre menina rica*, escrita pelos dois e que pode não ser o maior espetáculo musical já montado no país, mas certamente foram raros os que reuniram tantas músicas bonitas. A peça conta a história de um grupo de mendigos que fez de moradia um terreno baldio, localizado ao lado de um prédio, em cuja cobertura morava uma linda menina rica. E o mendigo chefe apaixonou-se por ela.

Em vários pronunciamentos, Nara Leão apontou 28 de março de 1963, dia da primeira apresentação do espetáculo *Trailer*, com as músicas da peça *Pobre menina rica* na boate Au Bon Gourmet, em Copacabana, a data da sua estréia como cantora profissional, embora no show *Opinião* tenha afirmado que só resolveu ser cantora depois do golpe militar de 1964. Dirigido por Aloysio de Oliveira e com Eumir Deodato – que ainda não completara 20 anos de idade – na direção musical, Nara cantava não só as músicas da peça como outras assinadas por Vinicius de Moraes. Flávio Ramos, proprietário da boate, revelou a Ruy Castro – que registrou a informação em seu livro *Chega de saudade – a história e as histórias da bossa nova* – que, ao saber da participação da filha no show, Jairo Leão não fez por menos: "Ah, quer dizer que vai virar vagabunda?".

O espetáculo foi bem recebido pela imprensa, assim como a atuação da cantora. Na *Última Hora*, a cronista Teresa Cesário Alvim (tia do ainda inédito compositor Chico Buarque de Holanda, que, alguns anos depois, seria o predileto de Nara) escreveu: "Nara Leão tem boa voz para cantar samba e um charme excepcional. Os amigos que esperavam com ar condescendente aplaudir um pouco a menina, só porque Vinicius e Carlinhos a estavam prestigiando, tiveram uma surpresa. Ela foi quase tão aplaudida quanto os dois. Nara está lançada". Mister Eco, na *Última Hora*, aproveitou a presença da cantora para expor as suas restrições aos intérpretes da bossa nova: "Não compreendo, jamais compreendi e não aceito explicações por que todo cantor de bossa nova tenha forçosamente que boquejar ao invés de cantar. (...) Refiro-me a Nara Leão, moça muito afinadinha, de bom timbre e dedilhando um violão promissor. Mas com a voz no tom do travesseiro, Nara tem o seu grande momento em *Berimbau*, cuja música é de Baden Powell. Não se deu conta de que se tratava de uma estréia, a sua estréia, principalmente, e cantou firme, serena, com a segurança de uma veterana. Tolhida, todavia, travada, com a voz de passarinho mal saído do ninho. Coragem, moça! Contrarie os cânones da bossa nova e dê liberdade à sua voz. Não se assuste. Você tem as ferramentas". O pior comentário saiu para Ruy Guerra, na coluna do cronista social do *Diário Carioca*, Jean Pouchard: "A nota destoante era o trajo usado pelo sr. Ruy Guerra para uma noite de estréia. No seu país de origem (ele é português), jamais seria permitida a entrada de alguém, naqueles trajos de mendigo. É bem verdade que o Au Bon Gourmet permite a entrada em roupa esporte, mas isto não dá direito ao sujeito de ir maltrapilho somente para ser diferente. Além do mais, a unanimidade dos presentes estava em trajo passeio, pois era uma noite de estréia". Nara incorporou a nota em seu álbum de recortes com uma observação escrita a caneta: "Imbecil".

O show permaneceu três semanas em cartaz. Muito gripada, Nara Leão faltou a uma das apresentações. Na noite anterior, os três artistas trabalharam com gripe, o que levou Vinicius de Moraes a comentar ao microfone: "Se contarem bem, temos em cena mais de 100 graus de febre". Antiboêmia, por excelência, o show não era um trabalho inteiramente prazeroso para ela. Numa entrevista ao jornalista João Luís de Albuquerque, da revista *Manchete*, revelou que o seu maior problema era vencer o sono, que vinha todas as noites, antes do show: "Não estava habituada a ficar acordada até tarde. Depois do sono, o pior é ter de conversar com quem não conheço, após o espetáculo. Não é por esnobismo que saio todas as noites da boate logo depois do show. Já conheço bastante gente, e acho que em número suficiente".

Terminada a temporada, ela foi a São Paulo receber o Prêmio Saci, atribuído pelo jornal *O Estado de S. Paulo* a Ruy Guerra pela direção do filme *Os cafajestes*. Naquele dia, Rui estava na Bahia filmando *Os fuzis*. Em junho, cantou no programa *Ponto Rio*, da dupla Mièle-Bôscoli, na TV-Excelsior. Dias depois, foi a Recife apresentar-se na TV Jornal do Comércio. Em agosto, ela própria escreveu um texto para a revista *O Cruzeiro*, pretendendo desfazer uma versão que a acompanhou até fim da vida: "Não é verdade que a bossa nova nasceu na minha casa. Não nasceu e não poderia nascer na casa de ninguém". Em outro trecho, escreveu o que pensava sobre o movimento: "A bossa nova, que se apresentava como um movimento renovador – e foi até determinado m momento – tornou-se caduca, acadêmica". Também em agosto, a *Última Hora* de São Paulo registrou uma conversa de Nara com o diretor de teatro Augusto Boal, em que aproveitou para espinafrar cruelmente Ronaldo Bôscoli. Disse ela: "Você pode não acreditar, mas tem muita gente que escreve uma canção inteirinha na base de uma frase como esta: 'Lá se vai mais um dia assim'. Precisa continuar, mas não consegue imaginar nada que preste. Escreve: 'E a vontade que não tenha fim'. Como não pode acabar aí, escreve tudo que vem à cabeça: 'Vou chegar ao fim/Essa onda cresceu/Morreu a seus pés/E olhar pro céu, que é tão bonito/E olhar para esse olhar perdido/Nesse mar azul'. Então, o compositor descobre que já esgotou todos os temas marinhos e que ainda não disse nada. Mesmo assim, não se perturba e vai em frente: 'Outra onda nasceu/Calma, desceu sorrindo/Lá vem vindo'. E fica nisso. Para variar um pouquinho, tem uma idéia luminosa: 'Vai subindo uma lua assim/É a camélia que flutua, nua, no céu'. E lá vêm mais luas, camélias nuas, quartos crescentes e quartos minguantes, tristezas e sofrimentos, mas tudo da boca pra fora. Não é mole, não, Boal, letra de Ronaldo Bôscoli é fogo!".

Mais uma nova etapa na carreira de Nara Leão teve início naquele agosto de 1963, quando entrou no estúdio Rio-Som, na rua do Senado, na parte antiga do centro do Rio de Janeiro, para gravar o seu primeiro LP na Elenco, gravadora criada por Aloysio de Oliveira. O convite para o disco foi feito nos primeiros meses do ano, quando a Elenco ainda se organizava. Em menos de trinta dias, Nara estava com as músicas já escolhidas, mas teve de esperar muito tempo para que Aloysio se convencesse de que era o repertório ideal. Ele não aceitava aquelas músicas, principalmente os sambas de Cartola, Nelson Cavaquinho e Zé Kéti, conflitantes com a sua imagem de garota de Copacabana. Deveria dar preferência, isto sim, à bossa nova, pois, por mais que ela protestasse, seria sempre chamada de "musa da bossa nova". Mas, convicta de que as músicas escolhidas eram as mais indicadas, não abriu mão de nenhuma delas (pensou em gravar *Amor proibido*, de Cartola. Segundo confidenciou na época ao autor destas linhas, porém, não teve coragem de cantar o verso "servi de pasto em sua mesa"). O que Aloysio não percebia é que entrava em ação a impressionante intuição de Nara Leão para descobrir o novo em matéria de música popular. Em toda a sua carreira, nunca saiu atrás de qualquer novidade: sempre foi original, antecipando-se às modas. A intuição de Nara, naquele momento, indicava que a bossa nova clássica era um bonito capítulo de nossa música e que um outro capítulo estava chegando com compositores formados pela própria bossa nova, mas com outra visão da música. A batida de João Gilberto era dele e de mais ninguém. Os que vieram depois beberam dele o necessário e foram em frente com os seus estilos, aproveitando recursos da música tradicional e criando outros. Tudo isso viria a acontecer com Edu Lobo, Marcos Valle, Chico Buarque de Holanda, Caetano Veloso, Paulinho da Viola, Gilberto Gil e vários outros (a extraordinária geração dos anos 60), mas quem deu a saída foi Nara Leão.

O seu disco na gravadora Elenco foi o primeiro da linha musical que passaria a ser identificada como MPB. Ou o primeiro de "outras bossas que virão por aí", como escreveu Sérgio Porto. Por sinal, Nara achava que fora o mesmo Sérgio Porto o primeiro a atribuir-lhe o papel de "musa da bossa nova".

Como toda inovação, o LP, que recebeu o título de Nara, deu margem a equívocos, como a afirmação generalizada de que ela foi "para o outro lado". Poucos perceberam que se tratava de um passo à frente. É a velha mania de preferir o rótulo ao conteúdo: como ela gravou Zé Kéti, Cartola e Nelson Cavaquinho, teria "aderido" ao samba tradicional. O próprio Aloysio de Oliveira, no texto da contracapa, chamou a atenção para "as tendências puramente regionais" de algumas faixas, referindo-se, provavelmente, às músicas da dupla Edu Lobo (ainda chamado de Eduardo Lobo) e Ruy Guerra, *Canção da terra* e *Réquiem para um amor* que, na verdade, inauguravam um estilo que Edu adotaria em várias outras obras. Era o seu estilo. Lá estavam pela primeira vez dois afro-sambas da parceria Baden Powell-Vinicius de Moraes, *Berimbau* e *Consolação*, e *Naná*, do maestro Moacir Santos, ainda sem a letra que receberia de Mário Teles e que Nara cantou em forma de *scat singing*, como havia feito na abertura do filme *Ganga Zumba*, então em fase de montagem pelo seu diretor, Cacá Diegues. Foi a única faixa orquestrada por Moacir Santos, pois todas as outras receberam arranjo do maestro Lindolfo Gaya. Baden Powell participou com o seu violão em *Vou por aí*, dele e de Aloysio de Oliveira. Carlos Lyra compareceu com três músicas: *Marcha da quarta-feira de cinzas* (cuja letra parecia anunciar o golpe militar de abril de 1964), *Maria Moita* (ambas com Vinicius de Moraes) e *O morro – Feio não é bonito* (com Gianfrancesco Guarnieri), este um típico samba participante, segundo os padrões do CPC da UNE. Os dois maiores sucessos do disco foram *O sol nascerá* (Cartola e Élton Medeiros) e *Diz que fui por aí* (H. Rocha e Zé Kéti). Ao contrário do que disse Aloysio de Oliveira numa entrevista ao jornalista Tárik de Souza, *Diz que fui por aí* não é um "samba estilizado, uma bossa nova". Este samba nasceu na escola de Samba Portela, com a primeira parte composta por Hortêncio Rocha, para ser cantado na quadra da escola. Um samba de quadra (ou samba de terreiro, como era chamado na época) que já era do conhecimento de muita gente quando Zé Kéti resolveu compor a segunda parte. *Diz que fui por aí* só assumiu ares de "samba estilizado, uma bossa nova" na gravação, graças ao violão de Geraldo Vespar, que usou uma harmonia jamais adotada no acompanhamento de um samba de escola de samba. Trata-se de um trabalho que confere à gravação uma permanente característica de música moderna e isso se deve a Lindolfo Gaya e a Geraldo Vespar. *Luz negra*, o belo samba de Nélson Cavaquinho e Amâncio Cardoso, tem uma história curiosa: Amâncio, músico de profissão, fez a letra, Nélson Cavaquinho, que muitos chamam de "o poeta do samba", compôs a música. Na contracapa do disco, o nome de Amâncio Cardoso foi substituído por um misterioso (ou misteriosa) Hiraí Barros.

O disco, enfim, anunciava as tendências da música brasileira nos anos 60, com as pitadas políticas em algumas letras. Vinicius, em *Berimbau*, dizia que "O dinheiro de quem não dá/É o trabalho de quem não tem"; em *Maria Moita*, além do protesto feminista – "É deitada, em pé/Mulher tem é que trabalhar" – distinguia as classes sociais: "O rico acorda tarde, já começa a rezingar/O pobre acorda cedo, já começa a trabalhar". Em *Canção da terra*, Ruy Guerra escreveu que "Sem ter terra pra plantar/Meu pai morreu" e que "Quem manda na terra tudo quer", repetindo, de outro jeito, a reivindicação pela reforma agrária na lei ou na marra: "Por bem não vai".

Nara saiu em fins de fevereiro de 1964, no segundo suplemento da Elenco, ao lado do LP gravado nos Estados Unidos, *Antonio Carlos Jobim, the composer of Desafinado, plays*. Nara e Tom participaram do show que Aloysio de Oliveira promoveu na boate Meia-Noite, no Copacabana Palace, para lançar o primeiro suplemento – os discos *Vinicius de Moraes e Odete Lara* (Odete ficou tão interessada em tornar-se uma profissional da música que tratou de aprender a tocar violão com a própria Nara Leão), *Balançamba* (com Lúcio Alves), *A bossa nova de Roberto Menescal*, *Baden Powell swings with Jimmy Pratt*, *Bossa, balanço, balada* (com Silvinha Telles) e *Chris Connor at the Village Gate* – em outubro de 1963. Descrevendo o show em sua coluna em *O Jornal*, Flávio Eduardo de Macedo Soares registrou: "Seguiu-se Nara Leão com o seu clássico *Maria* Moita. Nara, não há dúvida que é a vocalista da bossa nova, e provou isso irrefutavelmente nessa apresentação. Enquanto o conjunto de Menescal lhe fazia um acompanhamento discreto no fundo, sua voz foi tomando corpo perto do final e terminou num verdadeiro clímax, arrancando aplausos fortíssimos da audiência. O que Nara transmite é inteligência, simplicidade e tanta coisa nova, que acreditamos que, em si, ela é uma revolução. E linda de se ouvir". Os discos de Nara e Tom Jobim foram lançados no dia 27 de fevereiro, no *Zum Zum*, numa festa que foi até o dia amanhecer. Nara vestia um modelo *habillé* preto e exibia um belo colar de ouro.

Alguns dos mais importantes comentaristas de música ocuparam-se do LP *Nara*. A começar por Sérgio Porto, o Stanislaw Ponte Preta da *Última Hora*, para quem o disco era "cuidadosíssimo, como acontece com todo disco produzido por Aloysio de Oliveira" e ela era "uma cantora despretensiosa e de muito bom gosto musical, a ponto de incluir autores como Cartola, Nélson Cavaquinho e Zé Kéti no seu repertório", concluindo que seu "jeitinho displicente de cantar pode mesmo se transformar em outra bossa que vem por aí". Mister Eco, na mesma *Última Hora*, abriu seu comentário confessando que sempre olhou "o canto dessa moça com reserva, porque a chamam de 'musa da bossa nova'". Ao ouvir o disco, porém, as coisas mudaram: "E me veio a surpresa de encontrar Nara Lerão cantando música boa, consistente, sem o vazio das letras estapafúrdias que caracterizam a bossa nova, letras que não dizem nada (exceção para Vinicius de Moraes e que, por isso mesmo, criaram a fauna dos 'avançados' e dos 'geniais'. [...] Escrevo estas linhas para me redimir. Fiz mal em ter protelado o prazer de ouvir este disco de Nara Leão, que, como o de Sérgio Ricardo, é um retorno ao bom senso. Penitencio-me e envio meus parabéns a Aloysio de Oliveira e a Nara Leão. Gostaria mesmo que Aloysio perguntasse a Nara se ela não se sente melhor assim: cantando música". Já Sílvio Túlio Cardoso, de *O Globo*, não gostou tanto: "Nara Leão é uma cantora 'mansa'. Tão 'mansa' que seu fraseado chega a sugerir, num momento ou noutro, uma certa monotonia". Para ele, a monotonia só não tomou conta do disco porque Aloysio de Oliveira – "o mais hábil e o mais milagroso dos nosso produtores fonográficos" – soube tomar as providências para que isso ocorresse: "O fraseado geralmente bruxuleante, acentuadamente mortiço de Nara teria de ser reavivado, revigorado, sacudido. E o resultado é este: a 'mansidão', o fraseado ocasionalmente tépido da jovem cantora foi substituído na maioria das frases por um *approach* mais vivo, mais atuante, mais sugestivo. É claro que Aloysio de Oliveira não poderia transformar Nara – cujo temperamento artístico sugere clausura e introspecção – numa Elza Soares, numa cantora extrovertida. Mas que o meio-termo foi alcançado com os melhores resultados, isto é inegável". Deu ao disco três estrelas e meia, o que não deixa de ser uma boa cotação, já que o máximo eram cinco estrelas. Poucos dias depois da crítica, Sílvio Túlio Cardoso divulgou a lista dos LPs mais vendidos e, em nono lugar, estava o de Nara Leão. Na frente dela, entre outros, Rita Pavone, Trini Lopez, Johnny Mathis, Françoise Hardy e Roberto Carlos.

Era uma fase de estréias. No dia 20 de novembro, Nara estreava a temporada de *Pobre menina rica* no teatro da Maison de France. Foram oito apresentações que tiveram o ator Napoleão Muniz Freire no lugar de Vinicius de Moraes. Em janeiro de 1964, deu início a uma temporada solo na noite carioca, cantando na boate Bottle's, no Beco das Garrafas, em Copacabana, o reduto dos músicos ligados ao jazz e à bossa nova. Era acompanha pelo Bossa Trio (Doum na bateria e no berimbau, Gusmão no baixo e Carlinhos no piano) e pela violonista Rosinha de Valença, que começava a sua carreira. O show foi também bem recebido pela imprensa. No *Diário de Notícias*, Fernando Lobo escreveu: "O que há de mais bonito dentro da noite é a presença de Nara Leão e o samba bonito que ela canta, de autoria de Zé Kéti: 'Se alguém perguntou [*sic*] por mim/Diz que fui por aí'". No *Correio da Manhã*, no qual um colunista afirmou que se tratava de um show que merecia "ser visto mais de uma vez", Nara deu uma entrevista em que se revelou "inteiramente favorável" à política do primeiro-ministro Nikita Kruchev, da União Soviética. Disse também que pretendia estudar ciências sociais e que fora convidada para ser modelo, mas não aceitou.

Com o disco gravado na Elenco vendendo muito bem – estaria em quarto lugar em abril, na lista divulgada por Sílvio Túlio Cardoso – e concedendo entrevistas aos jornais e às emissoras de TV, Nara Leão era uma das cantoras de maior destaque nos primeiros meses de 1964. Em fins de fevereiro, o cunhado Antônio Maria registrou em sua coluna que ela "abjurou a bossa nova" e reproduziu, em seguida, algumas declarações suas, como a de que "os letristas da bossa nova escreveram letras sem o menor sentido. Então, fui procurar os compositores que dizem o que querem e encontrei o samba tradicional, que contém a verdadeira essência da música popular brasileira". E concluiu: "Inventaram para mim uma personalidade artificial. Não sou musa de nada nem de ninguém. Quiseram fazer de mim a Juliette Greco da bossa nova".

Criado às vésperas do golpe de 1964, o Comando dos Trabalhadores Intelectuais (CTI) recebeu imediatamente o apoio de Nara. Sua assinatura era uma das primeiras, ao lado de personalidades como Di Cavalcanti, Ênio Silveira, Jorge Amado, Édison Carneiro, Barbosa Lima Sobrinho, Oscar Niemeyer, Paulo Mendes Campos, Nélson Werneck Sodré, Carlos Lyra, Nélson Pereira dos Santos, Flávio Rangel, Oduvaldo Viana Filho e outros. O CTI destinava-se a "apoiar as reivindicações específicas de cada setor cultural, fortalecendo-as dentro de uma ação geral, efetiva e solidária; e participar da formação de uma frente única nacionalista e democrática com as demais forças populares arregimentadas na marcha por uma estruturação melhor da sociedade brasileira". O golpe militar de 1º de abril impediu o funcionamento do CTI e deixou Nara Leão perplexa, pois participava da convicção generalizada na esquerda de que o Brasil caminhava inexoravelmente para as reformas de base promovidas pelo presidente João Goulart. Muitos dos seus amigos se abrigaram em embaixadas e outros estavam escondidos, já que, mal os militares golpistas se instalaram no poder, a polícia política efetuou inúmeras prisões de esquerdistas e de políticos ligados ao governo deposto.

Sendo assim, "mais que nunca, é preciso cantar", como dizia a letra da *Marcha da quarta-feira de cinzas*. E lá foi ela participar do show *O remédio é bossa*, que Valter Silva, o Pica-pau, montou na Escola Paulista de Medicina no dia 23 de abril, sob o patrocínio das Casas Eduardo. Foi um espetáculo grandioso, que contou com o conjunto Os Cariocas, Pedrinho Mattar Trio, o conjunto de Roberto Menescal, o Zimbo Trio, o Copa Trio, além de Silvinha Telles, Vera Brasil, Paulinho Nogueira, Jair Rodrigues, Antonio Carlos Jobim, Marcos Valle, Elis Regina, Oscar Castro Alves, Quarteto em Cy, Alaíde Costa e Vinicius de Moraes. No show, Nara Leão cantou *Opinião*, de Zé Kéti, pela primeira vez em público. Foi aplaudidíssima nos primeiros versos do samba:

Podem me prender
Podem me bater
Podem até deixar-me sem comer
Que eu não mudo de opinião

Além de fazer sucesso no show, Nara também se destacou por liderar um movimento contra a direção do hotel Danúbio, de propriedade do deputado Ubirajara Keutnedjian, que se recusou a receber como hóspedes o pianista

Dom Salvador e o baterista Doum, ambos negros. Valter Silva anunciou que processaria o hotel com base na lei Afonso Arinos, que estabelecia como crime toda manifestação de racismo. No dia seguinte, ao estrear uma temporada na boate Zum Zum, no Rio de Janeiro, Silvinha Telles arrancou aplausos do público com a imitação de Nara Leão, cantando *Diz que fui por aí*. Também foram imitadas Consuelo Leandro, Araci de Almeida e Judy Garland. Sentada na platéia, Nara riu muito com a imitação e puxou os aplausos. Saiu da boate e foi para a casa de Odete Lara participar de um jantar também oferecido à atriz francesa Brigitte Bardot e ao namorado Bob Zagury. Também compareceram ao jantar Tom Jobim, Dorival Caymmi e Carlos Lyra. Todos cantaram para Brigitte.

Os compromissos não paravam. Abril ainda não terminara e Nara Leão estava em São Paulo, dando início a uma temporada de uma semana na boate Djalma, ao lado do violonista catarinense Luís Henrique e do conjunto paulista Aldo Trio. O show começou com a casa quase vazia, o que foi atribuído por Jô Soares, que assinava na *Última Hora* paulista uma coluna intitulada "Show & Gente", à falta de divulgação. Segundo ele, "apenas os mais fanáticos, depois de muito esforço, conseguiram saber que a moça ia se apresentar juntamente com Luís Henrique, num dos melhores shows que o Djalma produziu. É mesmo uma pena que a menina tenha vindo de tão longe para começar tão incógnita, num momento em que todo mundo estava aguardando a sua vinda, depois do sucesso que está fazendo no Rio, querida pelos modernos e pelos sambistas tradicionais". Jô voltou ao assunto no dia seguinte, numa crônica intitulada "Nara, a genial". Escreveu ele: "Nunca tinha visto a moça cantar pessoalmente e devo confessar que fiquei impressionadíssimo. Além de sua voz de doçura, timbre extraordinário e afinação perfeita, Nara tem uma presença personalíssima em cena. Senta-se timidamente em frente ao microfone, cabelos lisos caídos na frente, uma elegância e postura quase medieval. Ninguém consegue falar nem cochichar enquanto Nara canta. Sente-se que ela está transmitindo uma coisa importante. Não canta só por cantar. Dosa cada verso, que diz com precisão matemática. Enfim, é muito bom. Ninguém deve perder Nara Leão, atualmente uma das melhores coisas da nossa música".

Ela estava em São Paulo, no quarto do hotel, quando a campainha tocou. Abriu a porta e encontrou dois homens, que se apresentaram: "Sou João Araújo, da gravadora Philips, e este é Adail Lessa, chefe do setor de divulgação da filial paulista da gravadora. Viemos até aqui porque temos um projeto de disco para você na Philips. Não precisa dizer nada agora, mas gostaríamos de ter uma conversa com você". Nara olhou para os dois com ar desconfiado e disse: "Vamos conversar depois". No dia seguinte, voltaram a encontrar-se num restaurante e João Araújo não parou de falar.

– Eu estava tão avassalador no meu plano de levá-la para a Philips – recordou João – que ela quase não falou.

Legalmente, não haveria problema, já que Aloysio de Oliveira não exigia que os artistas da Elenco assinassem contrato. Estavam todos livres, inclusive Nara Leão, para gravar em qualquer outro lugar. A primeira preocupação dela foi com Aloysio. O que ele acharia?

– Isso não é problema. Somos muito amigos – respondeu João, repetindo: "isso não é problema" para todas as restrições apresentadas por Nara. Se ainda estivesse namorando Ruy Guerra, ela pediria a ajuda dele para tomar uma decisão, mas estavam rompidos havia algum tempo. O rompimento, aliás, ocorreu numa noite em que Nara, depois do show no Bottle's, pegou um táxi e, segundo ela, o motorista entrou equivocadamente no Bairro Peixoto. Na rua onde Rui morava, Nara o viu abraçado a uma mulher caminhando em direção ao edifício em que morava. O carro teria mesmo entrado no Bairro Peixoto por acaso? Eis uma dúvida que só ela poderia esclarecer.

Sem o antigo namorado para ajudá-la a decidir sobre a sua saída da Elenco, ela mesma abriu o jogo, dizendo a João Araújo que seu grande temor, ao trocar uma pequena gravadora brasileira por uma gigantesca multinacional, era o de perder o direito de produzir seus discos com liberdade para selecionar as músicas e de escolher livremente a forma de gravá-las. "Sem essa liberdade, não gravo", disse ela. "Isso também não é problema. Você terá toda liberdade", garantiu João Araújo.

Considerando-se vitorioso em sua missão, João voltou ao Rio e tratou de conversar com Aloysio de Oliveira. Foi novamente tão avassalador que o presidente da Elenco se limitou a aceitar a transferência, desde que este fosse o desejo da cantora. Poucos dias depois, ela assinava contrato com a Philips. Mas, antes de entrar no estúdio de sua nova gravadora, era uma das cantoras de um disco da RGE com a gravação ao vivo do show denominado "O fino da bossa", realizado no dia 25 de maio e promovido pelo Centro Acadêmico XI de Agosto, da Faculdade de Direito de São Paulo. Além dela, participaram do show Wanda Sá, Jorge Benjor (ainda chamado de Jorge Ben), Sérgio Mendes, Marcos Valle, Rosinha de Valença, Os Cariocas, Édison Machado, Valter Vanderlei, Zimbo Trio, Claudete Soares, Alaíde Costa e outros.

Em junho, entrava num Caravelle da Cruzeiro do Sul para fazer a sua primeira viagem ao Norte do país e apresentar-se em Belém, no Iate Clube e na TV Marajoara, sob o patrocínio das lojas RM. Numa conversa com os jornalistas paraenses, anunciou a sua intenção de gravar *Asa branca*, de Luís Gonzaga e Humberto Teixeira. Diante do espanto dos repórteres – uma moça de Copacabana gravando um baião nordestino – disse que não haveria problema com a gravadora: "Eu mesma oriento minhas gravações. Quando resolvi incluir Zé Kéti, Nélson Cavaquinho e Cartola no meu primeiro LP, botaram a mão na cabeça", disse. Rômulo Maiorana, o dono da cadeira Liberal, de rádio, TV e jornal, perguntou se ela era *subversiva*, palavra muito usada depois do golpe militar e que era aplicada para identificar todo aquele que não concordava com o regime. Nara respondeu:

– Se cantar músicas que falam dos dramas do povo, dos seus problemas e das suas tristezas, angústias e alegrias é ser subversiva, acho que não escapo dessa classificação primária. Prefiro, porém, ser chamada de apaixonada pela alma brasileira, de procurar as raízes da verdadeira música do Brasil.

Levava tão a sério a tarefa de "procurar as raízes da verdadeira música do Brasil" que, de Belém, resolveu visitar várias capitais do Nordeste na volta para o Rio de Janeiro, pesquisando as músicas locais. Comprara um bom gravador e estava disposta a investir o que fosse necessário para desenvolver a sua carreira. Afinal, a profissão já lhe proporcionava uma renda capaz de lhe dar conforto e independência, tanto que, pouco antes de sua ida ao Pará, comprara da irmã Danuza o seu primeiro automóvel, um fusca. A última etapa da viagem de volta foi Salvador, onde Nara imaginava recolher um sem-número de músicas, especialmente sambas de roda. Estava empolgada com o trabalho da dupla Baden Powell-Vinicius de Moraes, responsável por peças antológicas a partir de temas do folclore baiano. Mas, a grande descoberta em Salvador foi a de um grupo de jovens muito talentosos, destacando-se Caetano Veloso e Gilberto Gil, ambos com 21 anos, e Maria Bethânia, na flor dos seus 17 anos. Eles cantaram para Nara Leão e mostraram a gravação de um show que realizaram no teatro

Vila Velha, intitulado *Nova bossa velha, velha bossa nova*. Em seu livro *Verdade tropical*, Caetano informou que o encontro foi promovido pelo produtor musical Roberto Santana e lembrou que, na época, "embora a essa altura ela ainda não fosse um sucesso de massas, na Bahia nós conhecíamos sua lenda". Mas Nara não se limitou a garimpar as músicas dos baianos. Empolgada com Maria Bethânia, que estava sendo preparada para se apresentar sozinha num show no Vila Velha, sugeriu que ela incorporasse ao seu repertório várias músicas de sambistas cariocas, incluindo as que figurariam no seu primeiro disco na Philips, *Opinião* e *Acender as velas*, ambas de Zé Kéti. Caetano registrou em seu livro "o desprendimento de Nara", acentuando "sua maneira espiritualmente aristocrática de ser prática e objetiva, as delicadas cintilações de seu antiestrelato". De Salvador, a cantora foi direto para São Paulo, para se apresentar na televisão. Chegando ao hotel, sua primeira preocupação foi ouvir as gravações feitas na Bahia. E descobriu, decepcionada, que nada havia sido gravado. O fracasso tecnológico custou-lhe a perda do lançamento de *É de manhã*, de Caetano Veloso, uma frustração que revelou aos amigos mais próximos. A música foi lançada meses depois por Maria Bethânia no show *Opinião*.

Em setembro, Nara hesitou muito em aceitar um convite formulado pela empresa franco-brasileira Rhodia para fazer parte do show de lançamento de sua coleção denominada *Brazilian Style*. O show percorreria algumas cidades brasileiras e depois iria até o Japão e à Europa. A hesitação tinha um fundamento político: não seria uma manifestação de "alienação" sair por aí falando de moda num momento em que o país mergulhava cada vez mais numa ditadura? Nara conversou com alguns amigos que atuavam na oposição ao regime e foi aconselhada a aceitar o convite. Uma coisa não tinha nada a ver com a outra. E aceitou. Assim, no dia 27 de setembro, participava do primeiro show da Rhodia, ao lado do pianista Sérgio Mendes, do baixista Tião Neto e do baterista Édison Machado, no antigo hotel Quitandinha, então chamado de Santapaula Quitandinha Clube. Depois, o grupo rumou para o Nordeste, começando por Salvador, onde ela posou para uma reportagem da revista *Jóia* vestindo os modelos da coleção *Brazilian Style*, da Rhodia. As roupas caíram muito bem naquele corpo de 1,60 metro de altura, 52 quilos, manequim 42. O número dos seus sapatos era 36. Nara apresentou-se na boate Xangô, no hotel da Bahia, e concedeu uma entrevista ao jornal baiano *A Tarde*, na qual disse, entre outras coisas, que seus compositores prediletos eram Baden Powell e Zé Kéti e que repudiava o título de "musa da bossa nova", que lhe era atribuído: "Musa, não. Talvez eu seja a muda da bossa nova". Quando a caravana passou por Natal, Nara repetiu um compromisso que havia cumprido quando voltava de Belém: visitou Luís da Câmara Cascudo, em busca de mais informações sobre a música folclórica nordestina.

5

Opinião

No Japão, teria corrido tudo bem se Sérgio Mendes não se recusasse a acompanhar Nara Leão ao piano, quando ela resolveu cantar *Opinião* durante um desfile de moda. Provavelmente – quem sabe? – achou que os japoneses iriam entender a letra e chegariam naturalmente à conclusão de que a história de morro cantada por Zé Kéti nada tinha a ver com um evento tão requintado e embelezado por belas mulheres como Mila Moreira, a modelo principal, e Iara Pinto, filha do importante pintor Silva Pinto. Vai ver, Sérgio Mendes já sabia que Nara, ingenuamente, queria fazer a cabeça das modelos, fazendo proselitismo político nos intervalos de desfile e nas horas de lazer. Na sua pregação, sugeria às moças deixarem de lado futilidades como roupas, moda etc. e se preocuparem com coisas mais sérias como a miséria do povo. Enfim, uma subversiva infiltrada nas passarelas. Mas Nara cantou *Opinião*, acompanhando-se ao violão e contando com a ajuda de Tião Neto e Édison Machado. Aos amigos, Nara comentou que Sérgio fez poucas e boas para prejudicá-la durante suas apresentações. Chegava a tocar a introdução de certas músicas no tom combinado e mudar de tom quando ela começava a cantar. Por isso, a cantora não deixou mais de apresentar-se sempre com o seu violão, já que conhecia muito bem os tons de cada música.

Nem tudo, porém, foi chateação na viagem. Na volta, a cantora passou alguns dias em Nova York, quando soube da existência de três nomes da música americana com os quais se identificou imediatamente: Pete Seager, Joan Baez e Bob Dylan, todos eles colocando as suas músicas a serviço da luta pelos direitos civis e contra o racismo. Tomou conhecimento de Joan Baez ao ouvir um disco que tocava numa loja no aeroporto, na volta para o Brasil, e tratou de comprá-lo imediatamente. Trouxe na bagagem vários discos dos seus novos ídolos e a mágoa pelo comportamento de Sérgio Mendes no Japão. Tão magoada estava que não respondeu a um convite dele para uma série de apresentações nos Estados Unidos. Disse apenas que o máximo que lhe poderia acontecer numa excursão àquele país seria cair no gosto dos norte-americanos. Sendo assim, seria obrigada a morar nos Estados Unidos, o que não a entusiasmava nem um pouco. Mas Sérgio não desistiu.

O rompimento de Nara Leão com a bossa nova, apesar de tantas vezes anunciado, alcançou a sua maior repercussão quando abriu o verbo numa entrevista concedida, em outubro de 1964, ao jornalista Juvenal Portela, da revista *Fatos & Fotos*. Disse ela: "Chega de bossa nova. Chega disso, que não tem sentido. Chega de cantar para dois ou três intelectuais uma musiquinha de apartamento. Quero o samba puro, que tem muito mais a dizer, que é a expressão do povo, e não uma coisa feita de um grupinho para um grupinho. E essa história de dizer que a bossa nova nasceu na minha casa é uma grande mentira. A turma se reunia aqui e também em muitos outros lugares. Não tenho nada, nada mesmo com um gênero musical que, sinto, não é meu nem é verdadeiro. Se estou me desligando da bossa nova? Há algum tempo fiz isso, mas ninguém quis acreditar. Espero que agora compreendam que nada mais tenho a ver com ela. A bossa nova me dá sono, não me empolga. Pode ser que, no passado, eu tenha sido uma tola, aceitando aquela coisa quadrada, que ainda tentam me impingir. Tenho um convite de Sérgio Mendes para, por iniciativa do Itamarati, fazer uma excursão aos Estados Unidos. Mas, como posso aceitar? Vão me obrigar a cantar *Garota de Ipanema* e, pior, em inglês. Essa gente quer me forçar a fazer aquilo que não quero. Bolas, por que cantar sempre a mesma coisa?".

Na semana seguinte, *Fatos & Fotos* procurou músicos comprometidos com a bossa nova para saber o que pensavam da entrevista de Nara Leão. Estavam decepcionados com ela, é claro, mas merece destaque o depoimento do pianista Luisinho Eça. Não era o amigo mais íntimo de Nara entre os entrevistados, mas parecia ser o que melhor a conhecia. Acertou inteiramente na sua previsão. Eis o que disseram:

Silvinha Telles – "Por mais que queira sonhar, Nara é autêntica bossa nova, que ainda é a forma mais prática para a gente dizer o que sente. Ela está subestimando a inteligência do público ao dizer que, na bossa nova, é preciso repetir um punhado de vezes para se fazer entender. A bossa nova é a música da época em que todo mundo mora em apartamento. Todos nós esperamos a volta de Nara ao redil".

Aloysio de Oliveira – "Não sei qual é o povo de Nara Leão. *Garota de Ipanema* é música para todos. Quer queira, quer não, ela é uma típica cantora de apartamento que quer negar a existência do amor-flor-mar como motivo musical. Isso seria negar o que o mundo inteiro quer. Seria negar até Caymmi. Ninguém deseja mudar Nara. Ela é que deseja passar pelo que não é".

Ronaldo Bôscoli – "Feio, não é bonito o que ela está fazendo conosco. Nara é muito jovem para entender que ninguém pode negar o seu passado. Se ela renega a bossa nova, renega a si própria e está sendo ingrata com quem tanto a promoveu. Para notar sua incoerência, basta lembrar que viajou quatro continentes cantando *Garota de Ipanema* em inglês. Portanto, foi ela quem espalhou a 'mentira' da bossa nova pelo mundo. E ganhou bom dinheiro".

Antonio Carlos Jobim – "A música é muito grande. Clássica e popular. Só de samba existem mil espécies, como o de roda da Bahia e o cosmopolita de Noel Rosa. Todas essas manifestações são válidas e, dentro de cada uma, há um material de primeira ordem. Admito tudo, desde recolher folclore até fazer música eletrônica. Só não gosto quando qualquer forma de música é usada para agredir alguém. Autenticidade? Autênticos são o jequitibá e a avenca. Mas não é autêntico o jequitibá ser avenca e vice-versa".

Roberto Menescal – "Quando Nara souber o que é música pura e conseguir transmiti-la, todos seremos músicos puros e iremos para o céu. Enquanto isso não acontece, continuamos nos apartamentos fazendo bossinha nova para vender".

Luiz Eça – "Não há jovem de valor que, em certo momento de sua vida, não se rebele contra tudo e contra todos. Para mim, Nara tem razão em algumas coisas. Mas daí a passar aos extremos, à radicalização, vai grande diferença. Sinto que Nara está um pouco enganada, o que se deve à sua pouca idade.

Não creio que essa sua briga com a bossa nova seja muito importante. Importante seria a juventude preocupar-se com a verdadeira cultura musical. No Brasil, fala-se muito e produz-se pouco. Não digo isso apenas para Nara, mas para muita gente que anda por aí. Quanto a ela, moça que muito estimo, acho que ainda mudará várias vezes de opinião".

De todas as manifestações contrárias à posição de Nara, a única que mereceu resposta foi uma crônica escrita pelo jornalista José Carlos de Oliveira na *Fatos & Fotos*. Ele abriu a crônica dizendo que a cantora não o levasse a mal, mas ela "foi muito malvada com o pessoal da bossa nova", acrescentando: "Isso não se faz, meu anjo". Depois de confessar que compreendia e até aplaudia "o seu súbito amor pelo samba de morro", afirmou que, sem a bossa nova ela, "provavelmente, não estaria gravando disco e sendo ouvida pelo povo". Linhas adiante, elogiou a sua interpretação, que levava o ouvinte a sentir que ela estava perto, que sua voz era quase uma carícia, como se a cantora "estivesse sentadinha, descalça, cantando e tocando violão para nós". E revelou: "Olha, Nara, sem querer, confessei que você é minha namorada secreta. Todos temos uma namorada secreta, e você é a minha. Quando ouço você cantando, e penso em você, toda portátil, com aquele narizinho inacreditavelmente apropriado para o seu tipo, e com essa voz cheia de dengo e doçura e tão inteligente, tão Ipanema, digo comigo mesmo: 'Não há a menor dúvida. Essa moça é minha namorada'. Ou, pelo menos, se os deuses fossem justos, todo cidadão deveria ter uma namorada chamada Nara, capixaba e delicada feito você. Mas os deuses não são justos ou, pelo menos, não são perfeitos: a nós, pobres mortais, eles só concedem uma Nara a cada geração. No máximo, podemos contemplá-la na capa do disco". Depois da declaração de amor, Carlinhos de Oliveira voltou a abordar a polêmica, argumentando que, "a voz do morro é uma voz aberta, generosa, molenga e imperiosa", diferente, portanto, do fio de voz da bossa nova, para cantar qualquer melodia bem baixinho, sussurrando". E mais: "Você não ilude ninguém, Nara, pois qualquer coisa que você cante vem cheia de mar, de flor, de Copacabana. Qualquer coisa que você cante nos transmite uma imagem bastante nítida: você é o espírito de Ipanema, aquela alegria tristonha que só há em Ipanema está na sua voz e no seu jeito". Concluindo, o cronista defendeu dois amigos: "E, além do mais, Vinicius e Tom não se enquadram no retrato que você traçou. São vários, sempre renovados, só o balanço está sempre com eles. E há muitos outros que não considero mencionar, muitos outros representantes de uma escola nova do samba, que encantam aqui, em Nova York ou em qualquer outro lugar. Você é um deles. Não adianta ser malvada, pois esse balanço, essa pequena voz, esse jeitinho, tudo isso é pura bossa nova, ainda que você comece a cantar uma ópera".

Em carta a Carlinhos de Oliveira, Nara se confessou "muito honrada", pois jamais imaginou receber uma crônica dele "recebendo um carinhoso carão". Aproveitou para dizer a quem "com tanta ternura" a elegeu sua namorada, que achava Tom "um dos nossos grandes compositores", tanto que incluiria no seu próximo disco a "lindíssima *Derradeira primavera*", dele e de Vinicius. "Isso para não falar de Baden, Vinicius, Carlinhos Lyra e muito mais". Procurou explicar o que se passava com ela: "O que me aborrece são duas histórias: uma, a de que a bossa nova nasceu em minha casa. Ficaria muito feliz se pudesse me convencer de que fui elemento importante nesse movimento de renovação da nossa música popular. Mas o certo é que se juntou ao talento de alguns mais o surto de desenvolvimento industrial e econômico do país, dando um resultado positivo: renovação em todos os setores artísticos (bossa nova, Cinema Novo etc.). Passou o tempo em que era vergonhoso ser brasileiro, e o sentimento de brasilidade nasceu em cada um de nós, com a necessidade de uma arte mais nossa. Talvez esta seja a história da bossa nova. Mas os tempos mudaram, e agora se vê que o povo quer falar mais claro através da sua música. Estou com ele. A segunda história é a de que canto samba de morro para ser diferente ou por sofisticação. Respondo a isso trazendo aqui o tema de um show que estou ensaiando com Zé Kéti e João do Vale para o novo Teatro de Arena, que se inaugura em dezembro, no *shopping center* de Copacabana: o que liga e identifica as pessoas não são apenas os problemas que elas têm, mas a maneira de encará-los e de reagir tanto aos seus quanto aos problemas dos demais. Por isso, acho perfeitamente normal que eu cante aquelas músicas, embora não tenha nascido no morro ou no Nordeste. Se não fosse assim, Carlinhos, só os franceses poderiam encenar peças francesas, só os ingleses poderiam apresentar peças inglesas. O fato é que não quero me limitar a nenhum gênero de música, bossa nova ou bossa velha. Quero cantar o que esteja de acordo com a minha maneira de pensar e de sentir.

Posso mudar de novo, quem sabe? Há um mundo a descobrir. Espero que você me entenda melhor e fique menos zangado comigo".

Nara confessaria aos amigos, pouco depois, que se arrependera pelo tom contundente da entrevista. Preocupou-se principalmente com Vinicius de Moraes e Antonio Carlos Jobim. Procurou os dois para explicações, mas notou que Tom, apesar de cortês, não escondia uma boa dose de ressentimento.

No dia 15 de outubro de 1964, Antônio Maria morreu. Na crônica publicada exatamente no dia de sua morte, escreveu o nome da ex-cunhada (havia rompido seu romance com Danuza. E sofreu muito. Seus amigos diziam que ele morreu de amor) numa historinha que inventara e que relatava um drama conjugal provocado por uma entrevista de Vinicius de Moraes. A história terminava com a mulher pegando o carro e indo para a rua. "No rádio, Nara mandava: 'Quem de dentro de si não sai/Vai morrer sem amar ninguém'". Vida que segue. No dia 18, a cantora recebeu uma homenagem de vários sambistas na gafieira Estudantina. Uma casa que passou a receber um grande público, graças ao sucesso do Zicartola, que ficava nas proximidades. Depois que o Zicartola encerrava o seu show, os freqüentadores iam para a Estudantina dançar. A festa em homenagem a Nara Leão teve o apoio das revistas *Manchete* e *Fatos & Fotos*, razão pela qual contou com a presença de membros da família Bloch – entre os quais, o próprio presidente da empresa, Adolfo Bloch, além de Arnaldo Niskier e Justino Martins, diretores das revistas. Várias outras personalidades compareceram, como o vice-governador do então Estado da Guanabara, Rafael de Almeida Magalhães, o craque do futebol, Nilton Santos, o cronista Rubem Braga, o humorista Millôr Fernandes e o crítico musical Mário Cabral. A divulgação da festa foi feita em notas publicadas nos jornais e num prospecto contendo um texto bem ao estilo da propaganda de eventos nas gafieiras cariocas:

SALVE O SAMBA! SALVE! NOITE DE ALEGRIA E ENCANTAMENTO!

A Estudantina Musical, tradicional recanto boêmio da cidade de São Sebastião do Rio de Janeiro, reabrirá seus salões magnificamente emoldurados, no próximo dia 28 de outubro. Onde, a partir das 22 horas, haverá espetacular noite de samba. Nesse encontro de alegria e amizade desfilarão: Zé Kéti com a sua rapaziada do conjunto A Voz do Morro, Nélson Cavaquinho, Cartola, Nara Leão, Geraldo das Neves da Mangueira, o valoroso pessoal da Escola de Samba São Clemente com a sua inigualável bateria, suas pastoras e passistas, inclusive o fantástico Pereira, o homem-mola do samba, também Vitor e sua dama, Calixto, o homem dos pratos da grande Império Serrano. E muitos outros cartazes populares prestigiarão a memorável noitada. Todos ao encontro da paz e da alegria na próxima quarta-feira, no glorioso Estudantina Musical, na praça Tiradentes, 75, sobrado.

A comissão antecipadamente agradece e desde já anuncia farta distribuição de bebidas, docinhos e salgadinhos".

Nara Leão não foi a única homenageada naquela noite. O grande Nélson Cavaquinho, que cantou *Degraus da vida*, *Notícia* e *Eu fui criança* (também conhecida como *Fui no Tororó*), fazia 54 anos, merecendo por isso uma saudação especial de todos os presentes. Participaram também Zé Kéti, João do Vale, Élton Medeiros, Paulinho da Viola, Jair do Cavaquinho e Cartola. No fim, cercada pelos sambistas, Nara cantou *Acender as velas*, *Diz que fui por aí* e dividiu com João do Vale a interpretação de sua música *Sina de caboclo*, um dos grandes sucessos das noites do Zicartola.

No início de novembro, a Philips lançou o disco *Opinião de Nara*, cuja gravação foi iniciada em São Paulo, no estúdio da rádio Gazeta, com Erlon Chaves ao piano, Tião Neto no baixo e Édison Machado na bateria e concluído no estúdio Phonogram, na avenida Rio Branco, no Rio, em cima do cinema Cineac. A contracapa do disco dava Armando Pitigliani como produtor, mas, entrevistado para este livro, Armando informou que recebera o disco praticamente pronto, não se lembrando de qualquer detalhe sobre ele. Foi um disco que justificava o que Roberto Menescal disse tantas vezes: Nara era a maior vocação para a produção de discos entre todos os cantores e cantoras que conheceu.

Repetiu a fórmula do primeiro LP, misturando sambas de Zé Kéti (*Opinião* e *Acender as velas*) com músicas dos compositores considerados modernos (Edu Lobo, Baden Powell, Sérgio Ricardo, Tom Jobim e Vinicius de Moraes), acrescentou João do Vale e *Na roda de capoeira*, do folclore baiano, e deu início a um hábito que manteria durante toda a sua carreira, que era o de incluir pelo menos uma faixa de música antiga em cada disco. Em *Opinião de Nara*, gravou a marcha *Malmequer*, de Newton Teixeira e Cristóvão Alencar, música lançada para o carnaval de 1941. Escolhido o repertório, cercou-se de amigos, entre os quais o jornalista Jânio de Freitas, autor do *layout* e da foto da capa, e o cineasta Glauber Rocha, que deu vários palpites na gravação, sendo ele o responsável pela sugestão de abrir a faixa *Opinião* com batidas de tambores, querendo lembrar ao ouvinte que vivíamos tempo militares. Além dos sambas de Zé Kéti, as faixas com *Sina de caboclo* (João do Vale e J. B. de Aquino) – um grito pela reforma agrária – e *Esse mundo é meu* (Sérgio Ricardo e Ruy Guerra) davam tempero político ao LP. "Este disco nasceu de uma descoberta importante para mim: a de que a canção popular pode dar às pessoas algo mais que a distração e o deleite. A canção popular pode ajudá-las a compreender melhor o mundo em que vivem e a se identificarem num nível mais alto de compreensão", escreveu Nara Leão na contracapa, acrescentando que compositores como Zé Kéti, João do Vale e Sérgio Ricardo, entre outros, "revelam que, além do amor e da saudade, pode o samba cantar a solidariedade, a vontade de uma vida nova, a paz e a liberdade". Concluiu: "E quem sabe se, cantando essas canções, talvez possamos tornar mais vivos na alma do povo idéias e sentimentos que o ajudem a encontrar na dura vida o seu melhor caminho".

O dramaturgo Oduvaldo Viana Filho ouviu o disco antes do seu lançamento. Entusiasmou-se tanto que viu nele a fonte para um show que marcaria a estréia do teatro em Copacabana, que ele e sete companheiros do tempo do Centro Popular de Cultura queriam inaugurar ainda em 1964. Seria um espetáculo envolvendo Nara Leão, João do Vale e Zé Kéti. Os dois compositores aceitaram o convite imediatamente, mas Nara encerrava o seu contrato com a Rhodia, apresentando-se em várias cidades do interior paulista. Vianinha estava tão confiante na sua idéia que acabou descobrindo a cidade em que a cantora se apresentava naqueles dias e telefonou para ela. Para a sua satisfação, ela aceitou alegremente o convite. Foi aí que a coisa pegou fogo. No saguão do hotel em que estavam hospedados, Nara comunicou sua decisão a Sérgio Mendes, que reagiu como se fosse agredi-la fisicamente. Funcionários do hotel chegaram a intervir para que ele se acalmasse. Ele já havia assinado o contrato para exibir-se nos Estados Unidos e contava com Nara Leão para acompanhá-lo. Soltou todo o seu palavreado para atingi-la. Ela era, no mínimo, uma traidora. Mas, se cantar nos Estados Unidos não era nem de longe uma aspiração, muito menos seria agora, depois do convite de Oduvaldo Viana Filho.

Se o LP *Opinião de Nara* entusiasmou pessoas como Vianinha, a outros desagradou inteiramente. O crítico Sílvio Túlio Cardoso, por exemplo, detestou o disco e não resistiu ao trocadilho: "Positivamente, não conseguimos *afinar* com Nara Leão. Embora reconheçamos ter ela feito visíveis progressos no que se refere a desembaraço, para não falarmos no assunto tonalidade". Sua cotação para o disco foi de duas estrelinhas e meia. Dias depois, ao publicar a relação dos discos mais vendidos, se viu obrigado a informar que *Opinião de Nara* estava em segundo lugar, na frente de nomes como os de Wilson Simonal, Trini Lopez, Roberto Carlos e Henry Mancini. Perdia apenas para o LP de Carlos Alberto, o vitorioso cantor de boleros.

Voltando do interior paulista, Nara foi homenageada na casa de samba Zicartola. Naquela noite, cantou ao lado de Cartola, Zé Kéti, João do Vale, Nélson Cavaquinho e Ismael Silva, os grandes compositores que, diariamente, se apresentavam na casa. Nara recebeu a Ordem da Cartola Dourada, uma condecoração inventada por Hermínio Belo de Carvalho como justificativa para apresentar no Zicartola alguns dos maiores nomes da música popular brasileira. Receberam o mesmo diploma figuras como Araci de Almeida, Elizeth Cardoso, Ciro Monteiro, Ataulfo Alves, Heitor dos Prazeres, Antonio Carlos Jobim, Dorival Caymmi, Moreira da Silva, Haroldo Lobo e muitos outros.

Opinião estreou dia 11 de dezembro no teatro de arena do shopping center da rua Siqueira Campos, em Copacabana. O shopping e o teatro pertenciam ao político Arnon de Mello, filho do antigo ministro do Trabalho de Getúlio Vargas, Lindolfo Collor, e pai do futuro presidente Fernando Collor de Mello. Muita gente se surpreendeu quando ele, um dos comandantes civis do golpe militar de abril, concordou em alugar o teatro a um grupo de oito militantes do antigo Centro Popular de Cultura da UNE e membros do Partido Comunista Brasileiro, que acabariam constituindo o grupo Opinião. O texto do show foi elaborado por três integrantes do grupo, Armando Costa, Oduvaldo Viana Filho e Paulo Pontes, e a direção ficou por conta de Augusto Boal. A direção musical foi entregue a Dori Caymmi, ainda chamado de Dorival Caymmi Filho, e os músicos eram Roberto Nascimento (violão),

Alberto Hekel Tavares (flauta) e João Jorge Vargas (bateria). Os três atores em cena, Nara Leão, Zé Kéti e João do Vale, eram também personagens, pois a idéia dos autores era exatamente mostrar o que havia de comum entre uma típica mocinha da Zona Sul, um personagem dos subúrbios cariocas e um nordestino, que encontraram na música as suas atividades profissionais. Nara vestia-se com uma camisa de listras pretas, vermelhas e brancas, mangas arregaçadas, calça Lee de veludo gelo e tênis cor de tijolo. O primeiro texto a ela destinado defendia sua opção musical: "Não acho que, porque vivo em Copacabana, só possa cantar determinado tipo de música. Se cada um só pudesse cantar o lugar onde vive, que seria do Baden Powell, que nasceu numa cidade chamada Varre-Sai? Ando muito confusa sobre as coisas que devem ser feitas na música brasileira, mas vou fazendo. É mais ou menos isto: quero cantar todas as músicas que ajudem a gente a ser mais brasileira, que façam todo mundo querer ser mais livre, que ensinem a aceitar tudo, menos o que pode ser mudado". Quando saíram as primeiras críticas, ela dizia nas entrevistas: "Não conheço qualquer proibição contra uma moça de Copacabana cantar samba de morro. Entendo essa música, gosto dela e não tenho culpa de ser da Zona Sul". A verdade é que Nara deu tudo de si em defesa do seu papel no show. Orientada pelo diretor Augusto Boal, lia e relia várias vezes as letras das músicas que cantava, procurando encontrar o que havia "por trás de cada verso". Nara, como Zé Kéti, João do Vale e muitas outras pessoas, deu as suas contribuições aos autores para a elaboração do texto do show. Uma de suas contribuições mais marcantes foi também um dos maiores sucessos do show: *Guantanamera*, um poema de José Marti que ganhou música de Pete Seager, até então inteiramente desconhecido no Brasil.

Opinião foi um magnífico espetáculo. Se os seus autores não foram inteiramente bem-sucedidos na pretensão de mudar o país, mudaram, sem dúvida, o teatro musical brasileiro. Era algo inteiramente novo, e seria difícil dizer quem mais inovou, se os autores ou o diretor. A crítica foi quase toda favorável. Mário Cabral, na *Tribuna da Imprensa*, escreveu: "No trio central, destaca-se logo Nara Leão. Surpreende a revelação da versatilidade de quem já se afirmara como intérprete ao violão e agora se mostra também atriz, de máscara expressiva, e cujo fiozinho de voz, não sei por que sortilégio, agora se robustece, sobretudo no registro grave". No *Jornal do Brasil*, Yan Michalski, o mais importante crítico teatral da imprensa carioca na época, também chamou a atenção para a atuação da cantora: "Nara Leão revela-se como uma verdadeira estrela. Quem viu a sua tímida apresentação em *Pobre menina rica*, na Maison de France, ficará impressionado com o seu enorme progresso, tanto no que diz respeito à sua presença cênica, agora excepcionalmente forte, quanto ao seu material vocal e à sua técnica. Alguns momentos de Nara Leão nos fazem quase lamentar que a sua carreira de cantora esteja tão firmemente delineada, pois acreditamos que a sua contribuição como atriz poderia ser útil ao teatro brasileiro".

A oposição também era forte, o que levou a *Tribuna da Imprensa* a estabelecer um debate com jornalistas ligados à música popular. Salviano Cavalcanti de Paiva, crítico de cinema e conhecedor de música, foi incisivo: "Ora, não sejamos imbecis. Passarinho trina? Pois eis o óbvio: Nara Leão canta. Ninguém, neste momento, nesta fase da vida brasileira, canta melhor para as amplas platéias". O autor destas linhas e o crítico e historiador Lúcio Rangel também se pronunciaram favoravelmente. "Nara Leão é uma artista que canta composições de Zé Kéti, de Cartola, de Nélson Cavaquinho. Por definição, quem canta esse tipo de música é sambista e não há como fugir dessa constatação", afirmou Lúcio. Entre o pessoal do contra, destacava-se o crítico José Ramos Tinhorão, que fazia mais restrições ao show do que propriamente a Nara Leão. Para ele, *Opinião* era uma dessas manifestações pequeno-burguesas com a ingênua pretensão de ser revolucionária. Violento era Sérgio Bittencourt, que escrevia no *Correio da Manhã*: "Não posso aceitar, por mais boa-praça que ela seja, uma srta. Nara Leão, egressa da mais impura e espessa camada bossa-novista, que resolve surgir cantando, desonestamente, samba de uma honestidade a toda prova. Não posso agüentar a desafinação sem graça dessa moça sem legitimidade, sem conteúdo, sem curso de admissão. [...] A voz, a entonação da voz, a desafinação da voz é a inconsistência da voz de certa camarilha da propalada bossa nova". Enfim, apesar do grande êxito de *Opinião*, Nara teve de enfrentar não só algumas críticas desagradáveis como as ameaças vindas de setores ligados ao regime militar. Ao receber os repórteres da revista mineira *Alterosa* em sua casa, perguntou: "Vocês são da polícia? Aqui em casa todos acham que, num dia desses, a polícia vem me prender". O temor era procedente: na madrugada de 13 para 14 de janeiro de 1965, extremistas de direita emporcalharam a fachada do Teatro de Arena com desenhos de foice e de martelo e com palavrões. E todos sabiam que os terroristas eram inteiramente apoiados pela polícia política. Houve noites em que Nara interrompia o show para discutir com pessoas que passavam o tempo todo provocando os artistas, com uma especial preferência por ela, mocinha da Zona Sul preocupada com as injustiças sociais. Portanto, a pergunta feita aos repórteres da *Alterosa* tinha cabimento. Na entrevista, Nara confessou que cantava "sem voz" não por charme, mas por não ter voz mesmo, e que gostaria de ter uma voz "escandalosamente forte", como a de Nelson Gonçalves.

"A cidade só fala em Nara. A cidade todinha está correndo para o Arena para ver Nara. Para escutar Nara. Para aplaudir Nara, para pedir autógrafos a Nara", escreveu Barreto Brasil no *Jornal dos Sports*. Barreto era o coronel Jocelin Brasil, expulso da Aeronáutica depois do golpe militar de 1964 por ser um homem de esquerda e que encontrou no jornalismo a solução para a sua sobrevivência econômica. Entre os jornalistas era conhecido como Brigadeiro. Escrevia principalmente sobre esportes e, eventualmente, fazia comentários sobre o movimento cultural do Rio de Janeiro. Brigadeiro quis saber como ela recebia os ataques de Sérgio Bittencourt: "O que você quer que eu faça? Deixa o rapaz falar. Ele vive disso. Ele continua falando e eu, cantando. Depois, se eu fosse pesar, você sabe. Tem o Salviano (Cavalcanti de Paiva), mais o [Reinaldo] Jardim, o Sérgio Cabral e o Carlinhos de Oliveira. É ou não é?".

A informação do Brigadeiro era correta: a cidade só falava em Nara Leão. A coluna "Informe JB", do *Jornal do Brasil*, registrou a criação no Rio de Janeiro de uma "esquerda narista". Uma jovem cantora com tanto sucesso não poderia deixar de despertar um tipo de curiosidade tão comum entre os leitores de jornal: estaria ficando rica? Procurada pelos jornalistas, revelou que, somando o que recebia no teatro, na televisão, em shows e na venda de discos, seus rendimentos mensais estavam em torno de um milhão de cruzeiros. Nélson Rodrigues encontrou nas finanças da cantora um bom tema para, numa das suas crônicas esportivas em que pouco falou de esportes, provocar mais uma vez seu amigo e escritor Otto Lara Resende, que acumulava três empregos. Escreveu Nélson: "Outro dia, vinha eu dobrando uma esquina, quando alguém me puxa. Era um sujeito embuçado, que me cochichava sombriamente a novidade: 'O Otto está ganhando mais que a Nara Leão'. Anteontem, encontrei o Cláudio Melo e Souza.

Antes do cumprimento. Do boa-noite, ele baixa a voz: 'O Otto está ganhando mais que a Nara Leão'. Ontem, passei na casa do Hélio Pelegrino. Assim que me viu, ele anunciou com sua voz de barítono de igreja: 'O Otto está ganhando mais do que a Nara Leão.' Era demais. E então, com o Hélio à luz de uma tocha, fizemos a soma de todos os empregos do ficcionista: da Procuradoria, da televisão, do *Jornal do Brasil*. Numa impressão profunda, o Hélio balbuciou: 'É a ociosidade mais bem remunerada do Brasil'. Mas o grave não é que ganhe tanto. O espantoso é que fature mais que a Nara Leão".

Estaria tudo bem se a cantora não fosse obrigada, no dia 29 de janeiro, a abandonar o show *Opinião*, por recomendação do médico (e autor teatral) Pedro Bloch. Não conseguia mais cantar, por causa de um problema na garganta que atormentaria a sua carreira de cantora até 1978, quando o barítono e professor de canto Eládio Perez Gonzalez fez uma surpreendente descoberta: a cantora Nara Leão não era contralto, mas soprano, razão pela qual sacrificava muito a sua garganta, principalmente nas apresentações públicas, escolhendo para as sua músicas tons inteiramente inadequados. E o show *Opinião* – duas sessões diárias nos fins de semana, casa superlotada, um sistema de som que não era dos melhores e muita poeira no teatro – serviu de primeiro aviso de que algo sério acontecia com a sua garganta. O show foi interrompido por alguns dias.

Quem apareceu no teatro num desses dias foi o cronista Carlinhos de Oliveira, que desejava entrevistar a cantora. Segundo contou depois no *Jornal do Brasil*, "automóveis paravam e vinham ouvir na bilheteria a informação desalentadora: 'Nara está doente. Talvez sábado esteja boa'. Ou então substituída por Dulce Nunes. Ou então por Susana de Moraes. Mas o americano, que também correra atrás de nós, só sabia dizer obstinadamente: 'Where is Nara?'". É bom que se saiba que Nara não se limitava a cantar no teatro. Continuou apresentando-se na televisão e em shows para os quais era convidada nos dias de folga. Um desses shows foi a inauguração da boate do clube Las Vegas, na Barra da Tijuca, onde cantou ao lado de Zé Kéti.

Durante vários dias, não se ouviu falar de Nara Leão. Seus amigos sequer telefonavam, para não incomodá-la, pois sabiam que uma das recomendações de Pedro Bloch era a de que não falasse muito. Por isso, foi com surpresa que o poeta Ferreira Gullar recebeu um telefonema de Danuza Leão:

– Por que você não vai visitar a Nara?

– Estou meio atrapalhado – desculpou-se ele.

Danuza insistiu:

– Nara precisa muito de você. Vai lá, rapaz! Ela está muito doente.

O telefonema de Danuza deixou o poeta um tanto quanto confuso. "Ela me deu a entender que o problema da Nara era eu", disse Ferreira Gullar ao autor destas linhas. O que estaria havendo? Eles se conheceram meses atrás, quando ela gravava o disco *Opinião de Nara*. Gullar tinha um emprego no Banco Nacional de Minas Gerais, onde trabalhava também o jornalista Jânio de Freitas, que, na época, namorava Danuza Leão. Gullar, Jânio e Raimundo Wanderley, o Dico, integravam um grupo nomeado pelo banqueiro José Luís Magalhães Lins para selecionar os pedidos de financiamento para projetos culturais (o banco foi um dos maiores financiadores do Cinema Novo). Convidado por Nara para fazer o layout e as fotografias do seu disco, Jânio de Freitas levou Gullar para assistir às gravações, dando início à amizade do poeta com a cantora... Afinidade política foi o que não faltou, pois ele era o presidente do Centro Popular de Cultura e ela, influenciada por Carlos Lyra, estava levando para o disco alguns dos princípios do CPC, expressos no repertório escolhido e no texto que escreveu na contracapa.

Depois da gravação do disco, Ferreira Gullar e Nara Leão encontraram-se algumas vezes no Zicartola e passaram a se ver diariamente quando ela foi fazer o show *Opinião*. Conversavam muito e várias vezes ela deu carona a ele em seu Volkswagen. Sendo um dos grandes intelectuais do país, um homem de esquerda e um excelente conversador, ninguém melhor do que Gullar para dizer as coisas que Nara gostaria de ouvir naqueles dias.

Quando ele chegou à casa dela, depois do telefonema de Danuza, Nara já estava bem melhor da garganta. E surpreendeu Gullar com uma proposta feita com a voz firme:

– Vou largar o show e pretendo fazer uma viagem com você para o Norte e Nordeste. Eu canto e você dirige.

– Que é isso, Nara? Não posso viajar de uma hora para outra. Sou jornalista e tenho família.

– Que família? Larga a família, ora!

Casado com Teresa Aragão e pai de três filhos, ele reagiu, dizendo o que lhe parecia ser o mais sensato:

– Vamos devagar, Narinha. Não posso viajar assim. Sou jornalista e trabalho na sucursal de *O Estado de S.Paulo* como copidesque. Ganho minha vida e sustento minha família fazendo isso.

– Esse negócio de ganhar a vida não tem problema. A gente resolve. Você vai ganhar muito mais trabalhando comigo – rebateu ela.

– Narinha, vamos esfriar a cabeça – disse ele, encerrando a conversa e inventando uma desculpa para se retirar.

Ele deixou o apartamento da avenida Atlântica sem saber o que pensar de tudo aquilo. Nara era uma jovem bonita, charmosa, delicada, "sedutora mesmo", como a definiu o próprio Gullar (ela gostava de contar que passou boa parte de sua adolescência e da sua juventude sem entender o significado da palavra *mulherão*, utilizada pelos homens para definir certas mulheres. "Foi assim até ver Sofia Loren no cinema. Fiquei sabendo o que era um *mulherão*", dizia). De fato, Nara Leão era muito atraente, mas a verdade é que jamais passara pela cabeça de Ferreira Gullar a hipótese de ter um caso de amor com ela. Embora perturbado pela proposta recebida, ele voltou aos seus afazeres no teatro e no jornal, até que, dias depois, ao chegar em casa, assustou-se com a cena que viu ao abrir a porta: lá estava Nara brincando com os seus filhos.

– Estou te esperando – disse ela, interrompendo a brincadeira.

E saíram para uma nova rodada de conversa, durante a qual Gullar insistiu que era impossível aceitar a idéia de viajar com ela.

– Está com medo, rapaz? Vamos embora! Quero você!

Mais uma vez, ele disse não, mas a verdade é que seus sentimentos em relação a Nara estavam mudados. A mosca azul passou a rondá-lo, deixando-o em dúvida, numa situação, enfim, que poderia ser muito bem definida em seus versos famosos: "Uma parte de mim pesa, pondera, outra parte delira". Fora do show *Opinião*, Nara aparecia no teatro, depois do espetáculo, para encontrar Ferreira Gullar e sair de carro com ele para conversas que, muitas vezes, iam até o dia amanhecer. Na entrevista ao autor destas linhas, ele fez questão de acentuar que não houve sexo na relação com Nara. "Nunca avancei o sinal porque não estava apaixonado por ela e qualquer atitude minha nesse sentido pareceria oportunismo. Não ficaria com a consciência tranqüila. Seria uma coisa escrota, pois iria estimular uma coisa sem qualquer perspectiva", disse ele. Restou uma relação que os jovens que viriam anos depois poderiam classificar de "amizade colorida". Como eram vistos sempre juntos, muita gente – principalmente Teresa Aragão, mulher de Gullar – achava que se tratava de um caso de amor. Até que um dia, numa festa em Ipanema, Nara recusou um convite dele para dançar. Pouco depois, ele a viu dançando uma música atrás da outra com o cineasta Cacá Diegues. Qualquer expectativa de um caso de amor envolvendo os dois acabou naquela noite. Nara estava namorando Cacá. Mas ela demorou a deixar de exercer um fascínio no poeta, tanto que inspirou alguns poemas, entre os quais "Uma voz", publicado no livro *Dentro da noite veloz*:

Sua voz quando ela canta
Me lembra um pássaro, mas
Não um pássaro cantando:
Lembra um pássaro voando

O poema "Pela rua", também incluído em *Dentro da noite veloz*, foi outro inspirado em Nara Leão:

A cidade é grande
Tem quatro milhões de habitantes e tu és uma só.

A desconfiança de que havia alguma coisa entre os dois é que levou ainda algum tempo para desaparecer. Tanto que, no casamento de Nara Leão com Cacá Diegues, os amigos se assustaram com a chegada de Ferreira Gullar. Amigo do casal, ele achou que era seu dever comparecer. Cumprimentou os dois e foi cumprimentado pelos amigos pelo seu "desprendimento". O cineasta Leon Hirszman foi um dos que se encantaram com o gesto: "Você é um camarada do caralho", elogiou. Mas Nara e Gullar ficaram amigos para o resto da vida e ela sempre o procurou quando enfrentava qualquer tipo de dificuldade, como veremos adiante.

Voltando ao show *Opinião*, o pessoal do teatro ficou muito preocupado com a saúde de Nara Leão. Afinal, era o primeiro espetáculo do grupo – mais tarde batizado de Grupo Opinião – e nenhum deles tinha dinheiro para pagar as dívidas contraídas com a ocupação do teatro e com a própria produção do show. Sem Nara, como dar andamento à carreira do espetáculo? De fato, pensaram em Dulce Nunes, também uma típica garota da Zona Sul carioca, mas acabaram optando por Susana de Moraes, filha de Vinicius de Moraes, namorada de Oduvaldo Viana Filho e mais familiarizada com as atividades teatrais. Foi um desafio que Susana aceitou por solidariedade ao grupo, mas com a condição de ser substituída assim que fosse encontrada uma cantora para ocupar definitivamente o lugar de Nara. O nome dessa cantora foi sugerido pela própria Nara Leão: aquela jovem que conhecera na Bahia, chamada Maria Bethânia. O pessoal do teatro entrou em contato com Bethânia, mas a família dela, temerosa de mandá-la sozinha para o Rio de Janeiro, impôs como condição que viajasse em companhia do irmão, o compositor Caetano Veloso. Se o papel foi um desafio para Susana de Moraes, maior ainda foi para Maria Bethânia, que nada sabia do show. "Quando fui convidada para fazer o show *Opinião*", disse ela a Zuza Homem de Melo, numa entrevista para o livro *Música Popular Brasileira*, "não conhecia ninguém. Não conhecia nem João do Vale, nem Zé Kéti, nem as músicas deles. Achava Nara Leão a deusa da minha vida e, quando disseram que eu iria substituí-la, quase morro de felicidade. [...] O espetáculo era uma pedreira. Foi um susto pra gente, quando soubemos que Nara fazia duas sessões sábado e domingo. Como é que ela pôde?".

Maria Bethânia ganhou a admiração do público, desde o dia em que os produtores do espetáculo promoveram a sua apresentação para uma platéia de convidados. No show, revelou a extraordinária atriz que se manifesta toda vez que canta em público. A sua interpretação de *Carcará*, de João do Vale e José Cândido, emocionava a platéia de tal maneira que, quase sempre, era obrigada a cantar novamente. Sabendo que o espetáculo era hostilizado pela extrema direita, o jornalista Isaac Piltcher encontrou uma forma bem-humorada de definir o desempenho da cantora em *Carcará*: "A letra da música nada tem de subversivo. Mas, seu eu fosse da polícia política, prenderia Maria Bethânia". Realmente, naquele clima de confronto com o regime implantado no país, a interpretação dela soava como um comício em praça pública.

Menos de um mês de repouso, além do tratamento recomendado por Pedro Bloch, foi o suficiente para recuperar a garganta de Nara Leão. Parte do mês de março foi dedicada à gravação do LP *O canto livre de Nara*, para o qual se dedicou com afinco, chegando a marcar sessões de gravação que iam das oito horas da manhã às oito da noite. O repertório do disco foi selecionado na mesma base dos discos anteriores: sambas de Zé Kéti (*Malvadeza Durão* e *Nega Dina*), duas faixas de João do Vale (*Carcará* e *Uricuri*, ambas com a parceria de José Cândido), uma de bossa nova (*Minha namorada*, de Carlos Lyra e Vinicius de Moraes), três da moderna música brasileira (*Canto livre*, de Bené Nunes e Dulce Nunes, *Aleluia*, de Edu Lobo e Ruy Guerra, e *Corisco*, de Sérgio Ricardo e Glauber Rocha, sendo esta com sabor bem mais tradicional, mas que se enquadrava nas tendências da nova MPB), duas de músicas antigas (*Não me diga adeus*, de Luís Soberano, Paquito e J.C. da Silva, e *Suíte dos pescadores*, de Dorival Caymmi), uma do folclore nordestino (*Incelença*) e uma novidade, a parceria do sambista Zé Kéti com o bossa-novista Carlinhos Lyra no *Samba da legalidade*. A direção musical ficou por conta de Luiz Eça, que também atuou como pianista, a direção de estúdio com Armando Pitigliani e Jânio de Freitas ficou mais uma vez encarregado das fotografias e da arte da capa. Luisinho Eça convocou Bebeto, seu companheiro de Tamba Trio, para tocar contrabaixo e flauta, além de Ohana para a bateria e Dori Caymmi (ainda chamado de Dorival Caymmi Filho) para tocar violão. As cordas – violinos, violas e violoncelos – tiveram o comando de Peter Daulsberg. Na contracapa, o poeta Ferreira Gullar escreveu que Nara Leão acrescentava "à sua função de cantora a de intérprete dos problemas e das aspirações do seu povo", acentuando que ela não se prendia "a preconceitos nem formalismos", que ela descobriu ser possível e ser "preciso tornar realidade a idéia de que todos os homens são iguais", contribuindo para isso "tanto quando canta o sofrimento do lavrador como quando interpreta um velho samba de amor". Gullar, que se equivocou ao informar que *O canto livre* era o segundo disco de Nara (na verdade, era o segundo gravado na Philips, mas o terceiro da sua carreira), concluiu que a cantora "nos ensina, com a sabedoria de sua mocidade, que amor, paz, trabalho e liberdade são sinônimos de vida".

A garganta parecia não dar mais trabalho quando Nara Leão aceitou o convite formulado pelo diretor teatral Flávio Rangel para participar do espetáculo *Liberdade, liberdade*, do próprio Flávio e de Millôr Fernandes, que sucederia o show *Opinião* no Teatro de Arena. A cantora dividiria o palco com os atores

Paulo Autran, Teresa Raquel e Oduvaldo Viana Filho. A direção musical ficaria por conta de Oscar Castro Neves e o conjunto musical teria Roberto Nascimento no violão, Ico Castro Neves no contrabaixo, Carlos Guimarães na flauta e Francisco Araújo na bateria. A produção seria do Grupo Opinião, nome com que foi batizado o grupo integrado por Oduvaldo Viana Filho, Ferreira Gullar, Paulo Pontes, Armando Costa, Teresa Aragão, João das Neves, Denoy de Oliveira e Pichin Pla. Ou seja: a fina-flor do teatro brasileiro estava envolvida com o espetáculo, o que já seria suficiente para seduzi-la, se não houvesse um motivo ainda mais forte: era mais uma iniciativa do Teatro de Arena contra o obscurantismo que tomava conta do país cada vez com mais força. Segundo o autor e diretor Flávio Rangel, *Liberdade, liberdade* seria "um comício estetizado". Anos depois, confessou, que foi umas coisas mais bonitas da sua vida. Paulo Autran, já considerado na época um dos monstros sagrados do teatro brasileiro, também nunca escondeu o seu entusiasmo pela peça, por meio da qual "se sentiu útil pela primeira vez". Segundo ele, *Liberdade, liberdade* abriu a sua cabeça "a respeito de política", pois, até então, "achava que política era uma coisa para políticos, essa idéia alienada que muita gente tem até hoje". Tudo bem, mas, para atuar no espetáculo, Nara era obrigada a impor certas condições. Por exemplo, sua participação se limitaria à temporada carioca. Em caso de viagem, ela seria substituída. Condição aceita. E a garganta? Suportaria uma nova incursão pelo teatro? Foi dito a ela que a sua participação seria bem menor do que a que lhe foi atribuída no show *Opinião*. E Paulo Autran recomendou que tomasse aulas de colocação de voz com Lilia Nunes, que fora sua professora.

Nara levou o texto para casa e, três dias depois, já estava ensaiando, pois os produtores pretendiam promover a estréia nos primeiros dias de abril de 1965. De fato, todo o elenco se empenhou para que *Liberdade, liberdade* chegasse ao público o mais rápido possível, mas os tempos não eram de liberdade. A censura da polícia estadual reteve o texto durante vários dias, uma eternidade para os produtores, já que cada dia de atraso significava prejuízo financeiro. Ficou-se sabendo depois que a demora foi provocada por um embaraço em que a censura se meteu: ela queria realizar alguns cortes, pois sabia que a peça era uma clara manifestação de oposição ao regime, mas temeu o ridículo, pois *Liberdade, liberdade* era uma soma de textos de personagens como Jesus Cristo,

Abraham Lincoln, Winston Churchill, Franklin Roosevelt, que se somavam à contribuição de Millôr. Como vetar os textos de autores tão ilustres? O secretário de Segurança do então Estado da Guanabara, coronel Gustavo Borges, tentou ele mesmo adotar uma definição no lugar dos censores, preocupado em que fossem liberadas frases e piadas contra os inimigos da liberdade, mas não chegou a qualquer conclusão. Pensou até em entregar o texto ao próprio governador do Estado, Carlos Lacerda, autor de uma peça de teatro denominada *O rio*, mas acabou liberando a peça, sem cortes, no dia 19 de abril. No dia anterior, foi realizado o ensaio geral com a presença de personagens como Vinicius de Moraes, Otto Lara Resende, Hélio de Almeida (ex-ministro da Viação do governo João Goulart), José Honório Rodrigues, Antônio Houaiss, Ênio Silveira, Moacir Félix, Fernando Pedreira, Luciano Martins, Armando Nogueira e outros representantes da intelectualidade carioca, entre os quais o arquiteto Lúcio Costa, que raramente comparecia a eventos como aquele. O diretor Flávio Rangel manifestou a sua preocupação, durante o ensaio, com o ranger das cadeiras na platéia. O ruído produzido era tão forte que, algumas vezes, ficava difícil para o público ouvir o que os atores falavam. Flávio chegou a pedir a ajuda dos arquitetos Lúcio Costa e Sérgio Bernardes, que não viam outra solução que não fosse a substituição das cadeiras. Mas a solução acabou sendo encontrada por Millôr Fernandes: mais ou menos cinco minutos depois de iniciada a apresentação da peça, Oduvaldo Viana Filho dirigia, de maneira severa, a seguinte advertência ao público: "E aqui, antes de continuar esse espetáculo, é necessário que façamos uma advertência a todos e a cada um. Neste momento, achamos fundamental que cada um tome uma posição definida. Sem que cada um tome uma posição definida, não é possível continuarmos. É fundamental que cada um tome uma posição. Seja para a esquerda, seja para a direita. Admitimos mesmo que alguns tomem uma posição neutra, fiquem de braços cruzados. Mas é preciso que, cada um, uma vez tomada a sua posição, fique nela! Porque se não, companheiros, as cadeiras do teatro rangem muito e ninguém ouve nada". O público ria muito e aplaudia o texto de Millôr Fernandes.

A estréia foi marcada para o dia 21 de abril, dia em que se homenageia Tiradentes. Os provocadores de direita não demoraram muito a se manifestar, voltando a pichar frases anticomunistas na fachada do teatro. Preocupado, o pessoal do

Grupo Opinião pediu a ajuda de um policial amigo, que passou a freqüentar diariamente o teatro. Numa noite, Denoy de Oliveira desconfiou de um espectador que acabar de entrar no banheiro e chamou a atenção do policial, que revistou o sujeito, com quem encontrou uma barra de ferro debaixo da camisa. Numa outra noite, um homem interrompeu aos berros a fala de Paulo Autran, que reagiu com calma e classe, merecendo por isso os aplausos do público. A coisa esteve feia na noite em que, no fim do espetáculo, era lida a lista das fontes em que foi baseado o texto. A leitura foi interrompida por um discurso de um espectador, mais tarde identificado como Gianni Pareto, industrial e comerciante:

– Vocês se esqueceram de falar no muro de Berlim, no massacre da revolução húngara, nos crimes do mundo comunista. Esta é uma peça facciosa para enganar a opinião pública. No mundo comunista vocês não poderiam falar em liberdade. Aqui há liberdade para vocês falarem de forma tendenciosa, omitindo a vergonha do muro de Berlim, os massacres e o terror dos soviéticos. É uma farsa comunista para enganar a juventude.

O discurso era a senha para que cerca de 50 pessoas – entre as quais um oficial da Aeronáutica fotografado pela *Tribuna da Imprensa* –, armadas de cassetetes e barras de ferro, tentassem depredar o teatro. Os participantes do quebra-quebra identificaram-se como membros de uma organização até então desconhecida e que tinha o nome de Liga da Democracia Radical (Lider). Felizmente, o teatro não foi destruído, graças à presença de repórteres e fotógrafos, que inibiu a ação dos direitistas.

Apesar do ódio dos defensores da ditadura militar, *Liberdade, liberdade* contou com casa cheia quase todas as noites. A crítica teatral aprovou o espetáculo, mas Yan Michalski, do *Jornal do Brasil*, cujos comentários eram os mais esperados por atores, diretores, autores, todos os demais profissionais de teatro, enfim, além dos espectadores, não gostou da atuação de Nara Leão. Depois de elogiar Paulo Autran e Teresa Raquel, Yan assinalou que "Nara Leão está menos feliz, desta vez, do quem em *Opinião*", atribuindo a culpa, "em grande parte, à direção, que não soube integrar a cantora ao espetáculo, deixando-a como uma espécie de corpo estranho dentro do conjunto. O charme e a musicalidade de Nara não deixam de estar presentes, mas a sua voz frágil e as marcações estéticas que lhe foram reservadas fazem com que a sua participação resulte bastante apagada".

Mas outros nomes do teatro igualmente respeitáveis aprovaram a presença da cantora. O colunista Hélio Fernandes registrou em sua coluna na *Tribuna da Imprensa* que o autor teatral João Bitencourt considerava Nara Leão "a grande presença humana de *Liberdade, liberdade*".

A garganta da cantora comportou-se tão bem na nova temporada teatral que ela aceitou o convite de Aloysio de Oliveira para participar de um show na boate Zum Zum, ao lado do compositor Edu Lobo e do pianista Luiz Eça. Uma semana depois da estréia de *Liberdade, liberdade*, ela estava na cobertura do escritor Rubem Braga, em Ipanema, ensaiando o show do Zum Zum. Não foi necessário ensaiar muito porque Nara e Luisinho Eça já estavam entrosados em relação ao repertório, quase todo extraído do disco *Canto livre*. Assim, durante cerca de um mês, a correria fez parte da rotina de Nara: terminada a peça no teatro, ela corria para o camarim, tirava o vestido preto com que se apresentava e vestia um Courrèges em renda rosa do show do Zum Zum.

Sem dúvida, Nara Leão estava na moda. Apresentando-se todas as noites em duas temporadas de sucesso e procurada diariamente pelos jornalistas, passou a ser alvo das críticas de artistas tão satisfeitos com o regime militar que resolveram montar um espetáculo intitulado *Reação*. Pretendia dar, à sua maneira, uma boa resposta à *Opinião* e *Liberdade, liberdade*. É verdade que não eram tão numerosos, tanto que chegaram a apelar para que Edu Lobo, Dori Caymmi e Gracinha Leporace se integrassem ao grupo, mas não foram atendidos. A liderança do movimento era de Roberto Jorge, um jovem ligado aos círculos artísticos por ser filho de atriz e por participar da montagem de alguns shows. Tendo o jornalista Renato Sérgio na parceria da elaboração do roteiro, foi ele também o diretor do show, que recebeu o apropriadíssimo título de *Reação* e estreou no teatro Princesa Isabel no dia 25 de maio de 1965. A produção era de Orlando Miranda, proprietário do teatro, e, no palco, apresentavam-se os compositores Marcos Valle e Chico Feitosa e uma cantora chamada Luísa, ficando o acompanhamento musical a cargo do conjunto 3D Trio, liderado pelo pianista Antônio Adolfo. O autor mais citado pelos roteiristas foi Sérgio Bitencourt, responsável pelas mais violentas críticas a Nara Leão na imprensa. O restante do texto apenas confirmava o antigo conceito de que uma das mais escandalosas maneiras de se revelar direitista é confessar-se apolítico. Em nome da neutralidade na política,

Roberto Jorge e Renato Sérgio atacaram o texto de *Opinião* e *Liberdade, liberdade*, além de *Arena conta Zumbi*, de Gianfrancesco Guarnieri, apresentado no Teatro de Arena de São Paulo, dizendo coisas assim: "Não achamos direito impingir idéias pessoais ou partidárias, principalmente usando-se a música para isso". Marcos Valle e seu irmão Paulo Sérgio compuseram especialmente para o espetáculo o samba *A resposta*, que Marcos cantava, com uma letra dirigida a Nara Leão, a menina da Zona Sul preocupada com a situação do homem do campo, e, de um modo geral, aos defensores das letras engajadas:

Se alguém disser que teu samba
Não tem valor
Porque ele é feito somente
De paz e de amor
Não ligue não
Que essa gente não sabe o que diz
Não pode entender
Quando um samba é feliz
O samba pode ser feito de céu e de mar
O samba bom é aquele que o povo cantar
De fome basta que o povo na vida tem
Pra que lhe fazer cantar isso também?
Mas é que é tempo de ser diferente
E essa gente
Não quer mais saber de amor
Falar de terra na areia do Arpoador
Que pelo pobre na vida não faz um favor
Falar de morro morando de frente pro mar
Não vai fazer ninguém melhorar.

A crítica não gostou. O jornalista e empresário de shows Nei Machado revelou em sua coluna no *Diário de Notícias* que advertiu os responsáveis por *Reação*: "Vocês não têm razão de combater a arte e a música engajadas, se também fazem o mesmo, entrando violentamente pela direita". Recebeu a seguinte resposta: "Somos reacionários contra qualquer extremismo da esquerda ou da direita". A mais veemente espinafração partiu do crítico Yan Michalski, no *Jornal do Brasil*: "É feio, muito feio mesmo querer ganhar cartaz e dinheiro à custa do trabalho e do prestígio alheios. Ora, é evidente que se não fosse o sucesso recentemente alcançado por *Opinião*, os intérpretes desse infantil *Reação* nunca teriam acesso a um palco, pois não possuem ainda, obviamente, as mais elementares noções do *show business* que justifiquem sua exibição num teatro. Mas a ética e a autocrítica não parecem ser os pontos fortes de *Reação*. Eles existem graças a *Opinião*, mas só existem para atacar *Opinião*, sempre de maneira gratuita e primária e, freqüentemente, com grosseria, que eles parecem confundir com ironia. Este crime contra a ética é apenas o primeiro de uma longa série de desatinos cometidos pelos 'meninos de Ipanema' (são eles mesmos que assim se intitulam com indisfarçável orgulho) nesse lamentável espetáculo onde a má-fé se rivaliza com a ingenuidade, o primarismo com a pretensão, a incompetência com a falta de lógica. [...] Os meninos afirmam que a guerra na música popular deve acabar, pois é prejudicial para todos. Ora, são eles próprios que tentam deflagrar uma guerra com o seu irresponsável 'show-resposta', resposta a uma pergunta que ninguém se lembrou de lhes fazer. [...] Em resumo, *Reação* vale como uma expressiva consagração dos talentos de Augusto Boal, Zé Kéti, João do Vale, Nara Leão e Maria Bethânia".

A posição adotada pelos irmãos Marcos e Paulo Sérgio Valle no show *Reação* não durou muito tempo. Apresentados inicialmente como os pioneiros na composição do "samba de praia" – uma expressão que não pegou –, incorporaram-se, logo adiante, à chamada música engajada. Lançaram, primeiramente, *Terra de ninguém*, uma canção em defesa da reforma agrária que fez muito sucesso na voz de Elis Regina e que trazia alguns versos que poderiam perfeitamente ter saído da célula de música popular do Partido Comunista Brasileiro:

Mas um dia vai chegar
Que o mundo vai saber
Não se vive sem se dar
Quem trabalha é que tem direito de viver
Pois a terra é de ninguém

Outro grande sucesso da dupla, *Viola enluarada*, viria a seguir, fazendo uma enfática defesa da participação do pessoal da música na política:

A mão que toca um violão
Se for preciso faz a guerra
Mata o mundo
Fere a terra.

6

A subversiva

O segundo semestre de 1965 foi dedicado às apresentações na televisão e aos shows pelo Brasil, além das inevitáveis entrevistas (Nara Leão continuava muito procurada pelos jornalistas). Um dos shows deu início às atividades de uma das melhores – senão a melhor – casas noturnas já instaladas em Porto Alegre, a Encouraçado Botekim, de propriedade do boêmio Rui José Sommer. Nara cantou acompanhada pelo violinista Roberto Nascimento, que havia trabalhado em *Opinião* e *Liberdade, liberdade*, e teve ajuda de músicos do Rio Grande do Sul, entre eles o baterista Mutinho. Segundo o jornal gaúcho *Diário de Notícias*, as apresentações da cantora "custaram milhões" (seu cachê pela temporada foi de 4 milhões de cruzeiros).

Em agosto, ela voltou ao estúdio para fazer mais um disco e, em setembro, a Philips lançou o *long-play* com a gravação ao vivo do show *Opinião*. Esta foi cheia de incorreções, mas de grande valor documental. A data registrada no disco, 23 de agosto de 1965, foi um dos erros. Já fazia quase oito meses que Nara se afastara do show e, no dia registrado como o da gravação, ela estava no estúdio fazendo o seu próximo disco e o elenco de *Opinião* viajava pelo Brasil tendo Maria Bethânia como cantora. A gravação, na verdade, fora feita em janeiro, quando Nara Leão ainda atuava no show, ao lado de Zé Kéti e João do Vale.

Em novembro de 1965, Nara surpreendeu o público com uma entrevista ao repórter Paulo Henrique Amorim, da revista *Manchete*, manifestando a sua falta de entusiasmo pela profissão que adotara. "Talvez eu não cante mais", disse ela, confessando que não agüentava a vida de cantora profissional. "No começo, quando eu saía na rua e ouvia alguém dizendo 'olha lá a Nara', confesso que sentia uma grande satisfação. Hoje, não sei quantos telefonemas recebo diariamente, sendo vários deles desaforados. Quando se é obrigada a cantar *Carcará* em cada show, senão o público se decepciona, quando não se pode mudar a franjinha, porque as meninas usam o mesmo penteado, as mesmas roupas, enfim, quando você sente que está sendo massacrada pelo público, que não tem mais vontade própria, que se despersonalizou, só mesmo largando tudo", desabafou. Pretendia fazer uma viagem de férias para Nova York e depois para a Europa, encontrando Danuza e os "três sobrinhos maravilhosos" em Paris (a irmã levara os filhos para ver o pai, o jornalista Samuel Wainer, que vivia na França como exilado). Nara só não disse a Paulo Henrique Amorim que na viagem a Nova York pretendia também encontrar seu namorado, o diplomata João Augusto (Zoza) Médicis, que servia na legação brasileira junto à ONU.

A viagem, marcada inicialmente para fins de novembro, só teve início em janeiro. A Philips lançou em fevereiro de 1966, quando Nara estava viajando, o disco gravado em agosto, *Nara pede passagem*, mais uma preciosidade em matéria de repertório. O título foi extraído do samba *Pede passagem*, de Sidney Miller, o excelente compositor que fazia a sua estréia em disco. Sidney fora um dos integrantes do grupo de jovens compositores e cantores que, no show *Samba pede passagem*, apresentado no já chamado teatro Opinião, atuava ao lado de artistas como Araci de Almeida, Ismael Silva, Baden Powell, Raul de Barros, o regional do Canhoto (Dino no violão de sete cordas, Meira no de seis, Poiares na flauta, Gilberto no pandeiro e Canhoto no cavaquinho), o conjunto MPB-4 e dois grupos de sambistas, um deles com a participação de compositores da Escola de Samba Estação Primeira de Mangueira – Padeirinho, Zagaia e Leléu –, além de Bidi, da Imperatriz Leopoldinense. No conjunto de jovens, denominado Grupo Mensagem, figuravam, além de Sidney Miller, o compositor Luís Carlos Sá, a cantora Soninha (Sônia Maria Ferreira de Medeiros Albuquerque, que, anos depois, integraria o Quarteto em Cy) e o futuro cineasta Paulo Tiago, todos iniciantes. *Samba pede passagem* foi um espetáculo montado às pressas para que o teatro Opinião tivesse o que apresentar no seu palco, já que a censura vetara integralmente a peça *Brasil pede passagem*, baseada em textos diversos de escritores brasileiros. Ao receber o texto da peça, o censor perguntou aos integrantes do grupo Opinião:

– O Brasil pede passagem para onde? Para Moscou?

Nara Leão foi ver *Samba pede passagem*, adorou a música de Sidney Miller e, ao conhecer outras músicas dele, elegeu-o como um dos seus compositores favoritos.

Outro destaque de *Nara pede passagem* foi a gravação de três das inúmeras obras-primas de Chico Buarque de Holanda: *Olé olá*, *Pedro Pedreiro* e *Madalena foi pro mar*. Chico estivera na casa da cantora com uma fita com tudo o que havia composto até então. "Fui procurá-la porque alguém me disse que ela queria conhecer as minhas músicas". Disse o compositor ao autor dessas linhas, sem se lembrar de quem sugeriu o encontro. O fato é que nasceu ali uma amizade para toda a vida e uma parceria de grande sucesso na década de 1960. Baden Powell e Vinicius de Moraes estão presentes em *Nara pede passagem* com o clássico *Amei tanto*, samba anteriormente gravado por Ciro Monteiro. Aliás, não foi o único samba já gravado por Ciro: *Deus me perdoe*, de Lauro Maia e Humberto Teixeira, fora lançado por ele em janeiro de 1946. Pela primeira vez, Nara cantou um samba-enredo em disco, o belo *Palmares* (Anescar, Noel Rosa de Oliveira e Walter Moreira), apresentado pela Escola de Samba Acadêmicos do Salgueiro no carnaval de 1960. Raros cantores haviam gravado sambas-enredo até então. Do show *Rosa de Ouro*, de Hermínio Belo de Carvalho, gravou *Recado* (Paulinho da Viola e Casquinha), *Quatro crioulos* (Élton Medeiros e Joacir Santana) e *Pecadora* (Jair do Cavaquinho e Joãozinho). Este último, de dois compositores da Escola de Samba Portela, acabou batizando um dos seus autores, que passou a ser chamado de Joãozinho da Pecadora. *Amo tanto*, de Macalé (outro compositor lançado por Nara), completa o disco.

Nos Estados Unidos, além de encontrar o namorado, Nara viu shows de Bob Dylan, em Nova York, e de Pete Seager, em Nova Jersey. Na Europa, visitou Paris, Nice, Cannes, Roma e Gênova. Na volta, Danuza Leão, que retornara antes dela, alugou um apartamento no anexo do Copacabana Palace para um coquetel em homenagem à irmã, com a presença de cerca de 50 amigos, entre eles jornalistas e pessoas ligadas à música, ao cinema e ao teatro. Nos comentários sobre a reunião, os jornalistas registraram afirmações feitas pelas duas, como a de Danuza definindo Nara Leão: "Tímida, sensível, às vezes mal-humorada. Acredita nas pessoas, na vida e na psicanálise. Acho que gosta mais do seu analista do que de mim. Precisava ser vaidosa e ir mais ao Le Bateau [boate da moda em Copacabana]". Nara, por sua vez, achava Danuza "bacaníssima"; já ela própria, "nem tanto". Foi uma época em que, muito assediada por jornalistas, falava de tudo. Para ela, Clementina de Jesus (que acabara de estrear como cantora profissional, aos 62 anos de idade, apresentando-se no antológico espetáculo *Rosa de Ouro*), era "a cantora mais genial do mundo". Sobre Elis Regina (vencedora do Festival de Música Popular Brasileira, promovido pela TV Excelsior, cantando *Arrastão*, de Edu Lobo e Vinicius de Moraes), fez uma afirmação reveladora de que não eram das melhores as relações entre as duas: "Não sei que graça ela vê na vida. Ri o tempo todo". Falando de futebol, declarou-se botafoguense e admiradora de Garrincha e do goleiro Manga. Pensava até em ver a Copa do Mundo de 1966, na Inglaterra. Cogitava também passar alguns dias em Santo Amaro, Bahia, a convite de Maria Bethânia. A José Carlos de Oliveira, que, mais uma vez, a procurou para uma entrevista na revista *Fatos & Fotos*, reiterou a sua admiração pelo cantor Roberto Carlos, destacando, particularmente, a música *Quero que tudo vá para o inferno*, "de um ritmo contagiante, que convida para dançar". Aos jornalistas que ainda não conheciam deu último disco, informou: "Encontrei um rapaz, Chico Buarque de Holanda, que é um compositor maravilhosamente afinado com o meu temperamento e minhas idéias. Gosto do modo como ele trata a melodia. No último *long-play*, canto, entre outros, um excelente samba dele, *Pedro Pedreiro*".

A jornalista Gilda Muller, da revista *O Cruzeiro*, quis saber se ela já pensara algum dia "em jogar tudo para o alto". Nara disse que sim, que muitas vezes imaginou parar de cantar. "Mas o 'tutu' falou mais alto", repetiu. Ser ou não ser cantora foi uma dúvida que manteve durante muitos anos. Gostava de cantar, mas a profissão não lhe agradava, especialmente pelas constantes invasões da sua privacidade por parte do público e da imprensa. De qualquer maneira, o "tutu" acabava falando mais alto. Afinal, jamais imaginara que, com 23 anos, seria proprietária de um fusca e de um apartamento em Ipanema, próximo ao Jardim de Alah, cuja decoração entregou à galeria de arte Petit Galerie. Pouco depois, compraria o apartamento 302 do número 210 da avenida Delfim Moreira, no Leblon.

Era também muito procurada por companheiros de idéias, pedindo a sua presença em manifestações públicas ou a sua assinatura em manifestos. Sem falar nos inúmeros compositores oferecendo músicas onde quer que aparecesse. Quando não conseguiam falar com ela, recorriam a outros meios, como ocorreu com o militante sindical Nélson Pereira Mendonça, que procurou o jornal *Última Hora* para mostrar um "samba antiimperialista", alertando para a cobiça estrangeira na Amazônia, composto durante o período em que fora preso pela ditadura. Mas o samba, intitulado *Rio mar*, não chegava a ser uma obra-prima, como indicava a letra da primeira parte: "Rio mar é rio mar/Não serás nunca estrangeiro/Pois, se Deus é brasileiro/Brasileiro hás de ficar".

Havia um convite do diretor teatral Augusto Boal para participar de um show ao lado de Maria Bethânia, Edu Lobo e Chico Buarque de Holanda. "O grupo é bom e a idéia é fazermos um espetáculo polêmico, afirmativo", disse ela, acrescentando que ainda não decidira sobre o convite. Mas não foi necessário fazer qualquer show para envolver-se em polêmica. A partir de uma entrevista concedida ao *Diário de Notícias*, em maio de 1966, Nara Leão passou a ser a personagem principal das páginas políticas dos jornais brasileiros. Na entrevista, além de pedir a retirada dos militares do poder, punindo-os com a cassação dos seus direitos políticos, defendeu nada menos do que a extinção das forças armadas. "Uma vez que os militares podem entender de canhão ou de metralhadora e nada pescam de política", disse ela, a Presidência da República deveria ser entregue "a um civil, que nacionalizaria as empresas, possibilitaria a formação de técnicos, o melhor nível de vida do operariado e o desenvolvimento econômico do país". Justificou o fim das forças armadas, dizendo que "não servem para nada, como foi constatado na última 'revolução', quando o deslocamento das tropas foi prejudicado por alguns pneus furados. Numa guerrilha moderna, o nosso exército não serviria para nada". Depois de lembrar a advertência do senador americano Robert Kennedy de que o Brasil poderia transformar-se num "novo Vietnã", se a situação não melhorasse, afirmou que o exército gasta "muito dinheiro, quando o Brasil precisa mais de escolas, professores, técnicos e hospitais". Insistiu na necessidade de um novo governo, que se encarregaria de "anistiar os cassados pelo atual regime" e punir os responsáveis pelo golpe de 1964. "Quem está mandando é que deveria ser cassado", recomendou, embora confessando-se pessimista com tal possibilidade, pois os militares dificilmente deixariam o poder, o que a levou a prever que o país teria "muitos anos de subdesenvolvimento". Título do *Diário de Notícias* para a matéria: "Nara é de opinião: esse Exército não vale nada".

Relatório do serviço secreto do então Ministério da Guerra, intitulado "Apreciação", esperava "forte repercussão" da entrevista entre os militares, achando que, certamente, seria "explorada pela facção anti-revolucionária". Quanto ao comportamento do exército, sugeriu três alternativas ao ministro da Guerra, general Artur da Costa e Silva: a) o próprio ministério responder ao artigo, "focalizando a atuação do exército na conjuntura do país". O relatório alertava, porém, que tal resposta poderia "criar polêmica"; b) responder indiretamente, por meio de artigo em que se focalizasse a atuação do exército, "através de articulista identificado com a revolução"; c) verificar os antecedentes de Nara Leão e difundir pela imprensa.

Alguns setores militares achavam que o exército deveria ser mais rigoroso na resposta. Recomendavam a prisão imediata da cantora, enquanto outros, menos extremados, defendiam a abertura de processo judicial contra ela. Os jornalistas credenciados no ministério consideravam como a saída mais provável a prisão de Nara, já que ela era cunhada do jornalista Samuel Wainer, "notório inimigo da revolução", e, além disso, "esteve sob investigação" e "farto documentário sobre a cantora em apreço" já teria sido enviado para o Ministério da Justiça. Era um momento delicado do regime militar, com o general Costa e Silva já escolhido pela chamada linha dura das forças armadas como sucessor do marechal Castelo Branco, contra a opinião deste, que, pelo menos publicamente, manifestava temor pela implantação de uma duradoura ditadura militar no país.

Assustada com tudo aquilo, Nara Leão consultou Ferreira Gullar e recebeu a recomendação de não fazer novas declarações contra os militares. Muito procurada pelos jornalistas, distribuiu nota à imprensa para dizer que não teve "a menor intenção de incitar os civis contra os militares". Numa entrevista concedida, dias depois, ao *Jornal do Brasil*, confessou que desejava "deixar bem claro" que nunca teve "vocação para Joana d'Arc". Procurado pelos repórteres, Jairo Leão disse que sempre deu "inteira liberdade de pensamento e de expressão" às filhas e que, sendo maior de idade, Nara "tem direito de ter os seus próprios pontos de vista". Achava que ela não seria processada por "apenas dizer o que pensava". Ele fora convidado a comparecer ao Palácio Duque de Caxias, onde funcionava o ministério da Guerra, para conversar com Mário Andreazza, o chefe de gabinete do ministro. Andreazza tentou convencê-lo a fazer a filha desmentir a entrevista ou se retratar pelo que dissera. Jairo recusou a cumprir tal missão.

Impressionada com a repercussão de sua entrevista, achava aquilo tudo exagero, inclusive as manifestações de solidariedade, que chegavam em forma de telefonemas (um deles da atriz Bibi Ferreira), de cartas e das visitas diárias cada vez mais numerosas. Numa noite, foi surpreendida em casa com a chegada de cerca de 150 artistas e intelectuais, que se aglomeraram na calçada para prestar-lhe solidariedade. Lá estavam, entre outros, Antônio Calado, Ênio Silveira, Hélio Pelegrino, Tônia Carreiro, Ferreira Gullar, Odete Lara, Helena Inês, Susana de Moraes, Isolda Cresta, Fernanda Montenegro, Flávio Rangel, Joaquim Pedro, Mário Lago, João do Vale, Edu Lobo e Antônio Carlos Fontoura. Todos aderiram a um abaixo-assinado dirigido ao marechal Castelo Branco, pedindo que Nara Leão não fosse pressa.

Alguns dos jornalistas mais importantes do país também se manifestaram em seus jornais. O cronista Rubem Braga foi um deles: "Nara simplesmente foi procurada por um repórter, que estava fazendo uma enquete sobre as eleições presidenciais e outros assuntos do momento. Digo isto porque eu mesmo fui procurado e me lembro que entre as perguntas estava uma sobre anistia, outra sobre se o futuro presidente deveria ser civil ou militar. Fui mais prudente do que a moça Nara: prometi mandar as respostas e não mandei. Minha prudência, diga-se de passagem, foi puramente ocasional, e se chamaria preguiça. [...] Acho apenas que as autoridades do exército deveriam pensar melhor e desistir de um processo, que será, na melhor hipótese, antipático e inútil". Para Millôr Fernandes, o exército não perdoava Nara Leão porque ela revelara "o que consideram o segredo militar". Stanislaw Ponte Preta (Sergio Porto) transcreveu uma conversa entre dois homens, que terminava assim:

"– Eu não gostaria nunca de enfrentar um leão.

– Nem eu. Até mesmo de um leão amestrado eu não gostaria de chegar perto. Mesmo que ele estivesse preso numa corrente.

– Compreendo. Mesmo um leão amestrado mete medo. Mas a Nara Leão!

– É verdade. A Nara Leão, palavra de honra, eu não entendo".

Moacir Werneck de Castro que, desde o golpe militar, assinava as suas crônicas com o pseudônimo Miguel Neiva, mandou para ela um bilhete aberto: "Você é uma menina de atitudes claras. Deus a conserve assim. Você tem uma visão geral das coisas e por isso sua aceitação pelo público não está na dependência dos caprichos da moda. O Brasil precisa de gente como você, que não é boneca de microfone, mas pensa nos problemas da arte". José Carlos de Oliveira não poderia faltar: "A cantora Nara Leão prega a supressão do exército e, por isso, o Ministério do Exército se sente ameaçado em sua segurança. Quem processá-la é capaz de crer que eu sou capaz de demolir o Pão de Açúcar". O *Jornal do Brasil* levou o assunto à página de editorais e aproveitou para criticar o jornal concorrente: "Quem leu a entrevista da conhecida cantora verifica logo que ela foi vítima da extravagância de um repórter". Mário Martins aproveitou para condenar o golpe militar de 1964: "Entre as mil razões pelas quais eu não topo as ditaduras, disfarçadas ou ostensivas, está o fatal eclipse da inteligência que se observa em seus principais centros de decisão. A denúncia contra a doce Nara Leão confirma esse estado mental, vulgarmente chamado de burrice chapada". Já Gustavo Corção, o articulista que defendia sempre a ditadura militar, só poderia condenar a cantora: "A verdade manda dizer o seguinte: foi o exército, pela voz dos seus dirigentes, que se ergueu em defesa da lei natural, dos direitos do homem e das tradições cristãs".

O caso repercutiu até no exterior. O diário *El Mundo*, de Buenos Aires, publicou uma reportagem que ocupou quase uma página inteira sob o título "Quien es Nara Leão, la procesada de Rio". Mas nada deixou Nara tão feliz quanto a manifestação do poeta Carlos Drummond de Andrade, que se dirigiu ao marechal Castelo Branco por meio de um poema publicado no *Correio da Manhã* e que foi devidamente recortado pela cantora, enquadrado e colocado na sala de sua casa:

Meu honrado marechal,
Dirigente da nação,
Venho fazer-lhe um apelo:
Não prenda Nara Leão.

Soube que a Guerra, por conta,
Lhe quer dar uma lição.
Vai enquadrá-la – esta é forte –
Artigo tal... não sei não.

A menina disse coisas
De causar estremeção?
Pois a voz de uma garota
Abala a revolução?

Nara quis separar
O civil do capitão?
Em nossa ordem social
Lançar desagregação?

Será que ela tem na fala,
Mais do que charme, canhão?
Ou pensam que, pelo nome,
Em vez de Nara, é leão?

Se o general Costa e Silva,
Já nosso meio-chefão,
Tem pinta de boa-praça,
Por que tal irritação?

Ou foi alguém que, do contra,
Quis criar amolação
A seu Artur, inventando
Este caso sem razão?

Que disse a mocinha, enfim,
De inspirado pelo cão?
Que é pela paz e amor
E contra a destruição?

Deu seu palpite em política,
Favorável à eleição
De um bom paisano – isso é crime,
Acaso, de alta traição?

E, depois, se não há preso
Político na ocasião,
Por que fazer da menina
Uma única exceção?

Ah, marechal, compre um disco
De Nara, tão doce, tão
Meigamente brasileira,
E remeta ao escalão.

Que, no palácio da Guerra,
Estuda, de lei na mão,
O que diz uma cantora
Dentro da (?) constituição.

Ao ouvir o que ela canta
E penetra o coração,
O que é música de embalo
Em meio a tanta aflição.

O gabinete zangado,
Que fez um tarantantão,
Denunciando Narinha,
Mudava de opinião.

De música precisamos
Para pegar o rojão,
Para viver e sorrir,
Que não está mole, não.

Nara é pássaro, sabia?
E nem adianta prisão
Para que a voz que, pelos ares,
Espalha a sua canção.

Meu ilustre general,
Dirigente da nação,
Não deixe, nem de brinquedo,
Que prendam Nara Leão.

Depois de telefonar para o poeta agradecendo, Nara comentou com os amigos:
– Vale a pena comprar qualquer barulho para ganhar um poema desses.

7

A banda

O ministro da Justiça, o senador gaúcho Mem de Sá, considerou desnecessária a abertura de um processo contra Nara Leão. Sua posição acabou prevalecendo, para irritação dos militares mais extremados e até de alguns membros do governo. Seu argumento foi o de que tal processo seria prejudicial à imagem do regime. Sendo assim, ela tratou de dar continuidade ao seu trabalho. O primeiro compromisso foi um show na boate Cangaceiro, em Copacabana, ao lado do conjunto MPB-4 e do baterista Édison Machado, programado pela casa noturna logo depois de uma temporada em que brilharam os cantores Clementina de Jesus e Moreira da Silva. Os textos do show ficaram por conta de Ferreira Gullar e a direção foi entregue a Guilherme Araújo.

No início do espetáculo, o MPB-4 cantava os primeiros versos de um samba de Nélson Cavaquinho: "Quem diz não mente/Na mão de um fraco/Sempre morre um valente", enquanto uma voz gravada recitava versos de Gullar:

Ter medo de Nara Leão não dá pé.
Homem que se preza
Não tem medo de mulher.
Nara, eu conheço ela,
Não mete medo a ninguém.

Ela apenas se comove
Com coisas que a vida tem.
Com certas coisas se espanta
E, se dá pé de cantar, canta
O que as pessoas espanta.
É a verdade que canta,
Coisas más ou coisas boas,
Ou do campo ou da cidade.
São coisas da realidade
E dos sonhos das pessoas.
Moço, não se meta
Com essa tal Nara Leão,
Que ela anda armada
Com uma flor e uma canção.

Nara aparecia em cena com uma flor na mão, cantando *Olé olá* (Chico Buarque). Em seguida, *Pede passagem* (Sidney Miller) e continuava apresentando, entre outras músicas, *Juca* (Chico Buarque), *Samba da legalidade* (Zé Kéti e Carlos Lyra), *Malmequer* (Nilton Teixeira e Cristóvão de Alencar), *Funeral de um lavrador* (Chico Buarque e João Cabral de Melo Neto), *Carcará* (João do Vale e José Cândido), *Rolou tiro* (Geni Marcondes e Denoi de Oliveira), *Favela* (Padeirinho e Jorginho Peçanha) e *Este mundo é meu* (Sérgio Ricardo). A voz em *off* entrava depois de *Malmequer*, grande sucesso do carnaval de 1940 ("Nara apenas se comove com as coisas que a vida tem./Com certas coisas se espanta/E se der pé cantar, canta"), e de *Rolou tiro* ("O que às pessoas espanta/É a verdade que se canta/As coisas más e boas do campo ou da cidade/São coisas da realidade/Ou dos sonhos das pessoas"). A última música do show foi *Manhã de liberdade*, de autoria de Marco Antônio Menezes, um jovem de 20 anos de idade, e Nélson Lins de Barros, um musicólogo de 46, parceiro de Carlos Lyra, um dos teóricos do Centro Popular de Cultura, Membro do Conselho de Música Popular do Museu da Imagem e do Som, secretário geral do Centro Latino-Americano de Pesquisas Físicas, que morreria meses depois, vítima de enfarte cardíaco. *Manhã de liberdade* vencera o concurso promovido pelo teatro Opinião, em que todas as músicas concorrentes deveriam ter como tema a liberdade, um bem que se tornava cada vez mais raro na época.

A crítica recebeu muito bem o show. Resumindo o que foi escrito na imprensa, ficamos com um trecho do comentário do inevitável José Carlos de Oliveira: "Narinha abandona decididamente as canções de penumbra e abre aquela pequena voz que Deus lhe deu. Com aquela voz, qualquer outra cantora seria simplesmente lamentável. Mas a namoradinha de todos nós brilha com intensidade, cantando uma série de melodias extraordinárias. A boate estava superlotada; o espetáculo é muito longo. Quando tudo terminou, ninguém ficou contente. O encanto de Nara, sua simplicidade, a certeza com que escolheu seu estilo, suas canções e suas idéias, tudo isso pouco a pouco se torna legendário. Vou exagerar um pouquinho, mas só um pouquinho: Nara Leão é o feminino do Pelé. É a imagem ideal da moça moderna, liberada de seus conflitos e confusões, mercê de uma inflexível vontade e de uma generosidade inata. Somos todos um bando de idiotas, pois até agora nenhum de nós se lembrou de pedir Narinha em casamento. Ou então pediram e ela disse não, o que é um modo idiota de pedir".

É provável que Carlinhos tenha se referido às músicas de protestos ao adotar a expressão "canções de penumbra". Como é provável também que Nara Leão lhe tenha confidenciado que estava cansada de carregar o estigma de cantora de música de protesto. Ela queria cantar tudo o que lhe agradasse, até mesmo músicas de protesto. *Funeral de um lavrador*, o poema de João Cabral musicado por Chico Buarque de Holanda, por exemplo, o que havia de mais contundente em matéria de protesto em música, levou Nara Leão várias vezes às lágrimas quando cantava. E era uma das músicas cantadas durante o show na boate Cangaceiro. Mas ela também se emocionava com músicas sem qualquer conotação política, como a velha marcha-rancho *Malmequer*. Por isso, foi com grande alegria que recebeu o convite de Chico Buarque de Holanda para participar do Festival da Música Popular Brasileira em 1966, a ser promovido pela TV Record, cantando *A banda*, encantadora marchinha, cheia de lirismo e com sabor interiorano e evocativo. Embora já estivesse comprometida em defender outra música, *O homem*, de Millôr Fernandes, Nara achou que não havia qualquer problema em cantar duas músicas. A propósito, Chico Buarque também queria fugir do rótulo de compositor de protesto. Embora ainda no início da sua vitoriosa carreira, já estava marcado como um autor de músicas engajadas não só pelas composições – *Pedro Pedreiro*, por exemplo – como pela sua posição política de homem de esquerda e de oposição ao regime militar imposto em 1964.

A banda seria cantada inicialmente apenas por Chico Buarque de Holanda. Mas Manuel Carlos, um dos responsáveis pela transmissão do festival pela TV, achou que a apresentação ficaria melhor se Chico dividisse a interpretação com Nara Leão. Manuel Carlos queria que Chico iniciasse cantando, como se estivesse apresentando a música, até entregá-la a Nara. *A banda* concorrera com 2.634 músicas, ficando entre as 36 classificadas, que foram divididas em 3 grupos de 12. De cada grupo, o júri selecionou 4, sobrando um total de 12 para a final. Antes mesmo do dia da apresentação das 12 finalistas, o público estava dividido entre *A banda* e *Disparada*, de Téo de Barros e Geraldo Vandré. A *Revista do Rádio* pediu aos seus leitores que preenchessem o cupom, votando na sua música preferia. *A banda* obteve mais do que o dobro de votos atribuídos a *Disparada*: 35.743 a 17.865. Agora, Nara estava ao lado da corrente musical apolítica, já que *Disparada*, não obstante os seus inegáveis méritos musicais, tinha em seu favor um inspirado arranjo de Téo Barros, uma excelente interpretação de Jair Rodrigues e o trabalho de Gerando Vandré num belo exemplo de letra panfletária.

A disputa entre *A banda* e *Disparada* apaixonou o país inteiro e, em particular, o auditório da TV Record, ocupado pelos torcedores das duas músicas. Muitas vezes, o telespectador teve dificuldade de ouvir o que diziam Sônia Ribeiro e Randal Juliano (Blota Júnior, marido de Sônia e principal apresentador da emissora, estava impedido de atuar pela lei eleitoral, pois era candidato a deputado estadual), os apresentadores do festival, por causa da gritaria no auditório. Não havia a menor dúvida de que *A banda* era a música preferida pelo público, apesar de não haver em todo o festival cantores mais antifestivalescos do que Nara Leão e Chico Buarque. Eram de uma fragilidade só, diante, por exemplo, do vigor com que Jair Rodrigues, acompanhado do Quarteto Novo e do Trio Maraiá, interpretava *Disparada*. É provável, porém, que o jeito tímido e delicado dos dois tenha sido o mais adequado para uma música com tanta delicadeza. Na última noite, Nara apresentou-se de saia e blusa, gola olímpica, tudo em brocado prateado e tecido aluminizado, e sapato baixo. Chico envergou um *smoking*. Por 9 votos a 3, a comissão julgadora

(Roberto Freire, Mário Lago, Júlio Medalha, Paulo Vanzolini, Franco Paulino, César Camargo Mariano, Roberto Corte Leal, Luís Guedes, Raul Duarte, Sílvio Túlio Cardoso, Denis Brian e Alberto Medauar) preferiu *A banda*. Ao tomar conhecimento do resultado, Chico Buarque procurou o coordenador geral do festival, Solano Ribeiro, para sugerir que o resultado fosse um empate entre *A banda* e *Disparada*. Uma bela sugestão, sem dúvida, mas era preciso discuti-la com os integrantes do júri. Havia um problema: o que dizer ao público para justificar tanta demora na divulgação do resultado? Enquanto não se resolvia, o apresentador Randal Juliano comunicou ao público que o júri tinha uma dúvida e que, por isso, seriam reapresentadas as sete músicas mais votadas. A sugestão de Chico Buarque acabou prevalecendo e *A banda* e *Disparada* ficaram em primeiro lugar. Em seguida, *De amor e paz* (Luís Carlos Paraná e Adauto Santos), *Canção para Maria* (Paulinho da Viola e Capinam), *Canção de não cantar* (Sérgio Bitencourt) *e Ensaio geral* (Gilberto Gil). *Um dia*, de Caetano Veloso, ganhou o prêmio de melhor letra.

No dia seguinte, a Philips (Companhia Brasileira de Discos) dava início à distribuição do compacto simples com a gravação de *A banda* com Nara Leão (Chico Buarque era contratado de outra gravadora, a RGE). Do outro lado do disco, *Ladainha*, de Gilberto Gil e Capinam. Toda a produção foi distribuída nas lojas e não demorou muito para se formarem filas de compradores, a maioria dos quais voltando para casa sem o disco. No terceiro dia após o lançamento, a gravadora se viu obrigada a divulgar uma nota, que foi transcrita em jornais de todo o país e repetida nas emissoras de rádio e televisão, desculpando-se com os consumidores que não encontravam o disco. Dizia a nota: "Em razão do extraordinário sucesso alcançado pelo disco (selo Philips) *A banda*, gravado por Nara Leão, artista exclusiva da Companhia Brasileira de Discos, informamos àqueles que não puderam ainda adquirir nas lojas habituais essa espetacular gravação que sua prensagem está sendo efetuada em regime de fabricação contínua. Até segunda-feira próxima, acreditamos ter suprido todos os nossos revendedores para que possam atender à procura, que atinge o ritmo de dois mil discos por hora. Aproveitamos o ensejo desta comunicação para compartilhar com todo o público brasileiro a imensa satisfação de ver ressurgir a verdadeira música brasileira, da qual sempre fomos admiradores e incentivadores".

Durante cerca de dez dias, oito máquinas da fábrica da gravadora funcionaram exclusivamente na prensagem do disco. Em três dias, as vendas chegaram a 50 mil e acabariam superando a recordista de vendas da Philips, a gravação de *Strangers in the night*, com Frank Sinatra, que venderam 55 mil em três meses. O cálculo de João Araújo, diretor artístico da gravadora, era de que, em 15 dias, *A banda* estaria ultrapassando a marca de 90 mil discos vendidos. O maestro alemão Helmuth Zacharias, no Rio de Janeiro para participar do júri do Festival Internacional da Canção Popular, disse que chegou a pensar que a música de Chico Buarque era o hino nacional brasileiro. Várias histórias circularam dando conta do sucesso do disco. Até a polícia mineira tinha a sua história: Benedita do Amaral, uma bicheira condenada pela justiça e que a polícia não conseguia encontrar para prender, também queria comprar o disco com *A banda*. Acabou presa por policial que se fingiu de vendedor de discos. Nélson Rodrigues escreveu que Chico Buarque de Holanda era a única unanimidade nacional. Não era; o general Rodrigo Otávio, comandante da 7ª Região Militar, proibiu que as bandas de música de todas as unidades subordinadas a ele tocassem *A banda*.

O sucesso mudou a vida de Nara Leão e Chico Buarque de Holanda. Os convites aos dois ou a cada um deles para shows choviam de todo o país. Era uma programação agradável no início, mas, a partir de um certo momento, intolerável. Nara chegou a pensar novamente em abandonar a carreira, num show em Belo Horizonte, quando um número incalculável de pessoas tentava tocá-la e segurá-la pela roupa. Chico Buarque queria esconder-se, para não ser achado pelos empresários. Falando dessa fase, numa entrevista, dois anos depois, à jornalista Celina Luz, do *Jornal do Brasil*, Nara lembrou que, apesar "do dinheiro, das honras e da glória", sua solidão era grande: "Meus sábados e fins de semana em geral eram passados entre as quatro paredes de um quarto de hotel. A relação com o público era impessoal e, quando acabava o espetáculo, eu ficava só. Aceitei até onde pude agüentar. Não me sentindo compensada, parei". Deu conseqüência à sua decisão comunicando-a ao empresário Marcos Lázaro. Namorando Cacá Diegues, já pensava em casamento e em ter filhos. O empresário reagiu com energia, achando absurda a idéia de abandonar a carreira exatamente quando atingia o auge. Mas ela estava tão decidida que Marcos Lázaro acabou cedendo, desde que ela cumprisse os contratos já assinados. E não eram poucos. Gravar, sim, mas viajar o tempo todo, nunca mais.

A banda foi a primeira faixa do lado A do novo LP de Nara Leão, *Manhã de liberdade*. Mais um show de repertório da cantora, apesar da ausência de *Quem dá mais?*, de Noel Rosa, cujo arranjo já estava pronto quando Nara passou a temer que o público não entendesse este trecho da letra: "O Vasco paga o lote na batata/E, em vez de barata/Oferece ao Russinho uma mulata". Em dúvida, consultou Chico Buarque de Holanda, que, segundo ela, também achou que o trecho não seria entendido. Trata-se, enfim, de um dos raros equívocos cometidos por Nara e Chico em matéria de comunicação musical.

Em compensação, a cantora promoveu algumas estréias no disco. Franklin Dario, autor de *Ana vai embora*, um dos estreantes, era uma figura curiosa. Foi um dos compositores participantes do festival promovido pelo teatro Opinião com músicas que tivessem a liberdade como tema, e chamou a atenção pela impressionante originalidade das suas letras e melodias. Quando Nara recolhia músicas para o seu disco seguinte, lembrou-se dele, mas ninguém sabia onde ele andava. Sabia-se apenas que morava numa cidade do ABC paulista, mas qualquer tentativa de encontrá-lo estava destinada ao fracasso, porque, naquela altura, ele estava longe, incorporado no exército de Israel e defendendo o país na guerra contra os árabes. *Ana foi embora* foi uma das músicas do disco atingidas pela ação da censura, que proibiu Nara de cantar o seguinte trecho: "A mãe Benedita/Deu-lhe beijos e um conselho/Filha, não deite com homem/Não faça o lençol vermelho/Antes de casar". Outra faixa que mereceu a ação da censura foi *Funeral de um lavrador*. Os censores não foram tão atrevidos a ponto de cortar versos de João Cabral de Melo Neto, mas proibiram a divulgação da música pelo rádio. Também estrearam em disco Carlos Elias, da Escola de Samba Portela, autor de *Canção da primavera* (que entrou na vaga de *Quem dá mais?*), e Denoi de Oliveira, parceiro de Ferreira Gullar em *Como dois e dois são quatro* e de Geni Marcondes, Ferreira Gullar e Oduvaldo Viana Filho na *Canção do bicho*, música da peça *Se correr o bicho pega, se ficar o bicho come*, apresentada pelo teatro Opinião. Autor de *A banda* e *Funeral de um lavrador*, Chico Buarque também contribuiu para o disco com *Morena dos olhos d'água* (Nara assim apresentou Chico a Carlos Elias: "Este aqui é meu compositor cativo"). Outras músicas do LP: *Favela* (Padeirinho e Jorginho), *Manhã de liberdade* (Marco Antônio e Nélson Lins de Barros), *Menina de Hiroxima*

(Luís Carlos Sá e Francisco de Assis), *Ladainha* (Gilberto Gil e Capinam) e *Faz escuro mas eu canto* (Monsueto e Tiago de Melo). Na contracapa, Ferreira Gullar escreveu que "Nara indaga e responde através da música, dos sambas e das canções que escolhe para o seu repertório tão variado e, não obstante, de tão rara coerência. Essa coerência se define no interesse pela autêntica música popular que fale do povo, de sua vida, de seus sofrimentos, alegrias e inspirações. E essa música existe, sempre existiu, muito embora os cantores não se interessassem por ela. Nesse sentido, Nara abriu um caminho na nossa música que, felizmente, foi adotado por outros cantores e compositores".

Como sempre, o disco obteve boa crítica e, inevitavelmente, uma crítica desfavorável de Sílvio Túlio Cardoso, de *O Globo*, que detestava Nara Leão como cantora e tinha horror da esquerda, corrente política que, segundo ele, escolhera Nara como porta-voz. "A única qualidade que encontramos em Nara é a sua boa dicção. Pelo menos, entende-se o que ela diz. Só isso", escreveu Sílvio Túlio, para quem o fraseado da cantora era "débil, anêmico, franzino, minguado, raquítico, como anêmica, raquítica e minguada" era a sua voz. Quanto ao repertório, ela pelo menos selecionava "sempre entre o que há de melhor na chamada 'música participante', nas canções de protesto e números com mensagem socialista". Enfim, "a esquerda festiva arranjou um arauto, um pregoeiro muito fraquinho".

A TV Record que, desde a sua fundação, era líder de audiência em São Paulo, reforçou a liderança na década de 1960, quando decidiu ocupar seu horário nobre com programas musicais e contratou a fina-flor da geração de cantores, compositores e instrumentistas que começava a se projetar, sem deixar de prestigiar os veteranos, para os quais foi criado o programa *Bossaudade*, apresentado por Elizeth Cardoso e Ciro Monteiro. Elis Regina já tinha o seu programa, assim como Roberto Carlos e Wilson Simonal, todos com grande audiência. E o sucesso do festival levou a emissora a criar, em fins de 1966, um programa intitulado *Pra ver a banda passar*, apresentado por Nara Leão e Chico Buarque de Holanda. A produção foi entregue a Manuel Carlos.

Pra ver a banda passar começou muito bem, com audiência no nível de *O fino da bossa*, de Elis Regina, e do programa da jovem guarda liderado por Roberto Carlos. Na estréia foi apresentado ao vivo, sendo gravado dali em diante. Lá estava a bandinha de Altamiro Carrilho tocando *A banda*, ao lado de

Araci de Almeida, que cantou *Juca*, de Chico Buarque, e levou o auditório superlotado a pedir bis. Participaram também Elza Soares, Zé Kéti com o conjunto A Voz do Morro, o Zimbo Trio, o MPB-4 e Geraldo Vandré. Nara cantou, entre outras músicas, *As tears goes by*, do repertório do conjunto Rolling Stones. Chico apresentou-se de *smoking* e Nara com um vestido azul que deixava os seus famosos joelhos de fora. Uma beleza de programa, mas teria sido bem melhor se não fosse a falta de jeito de Nara e Chico na função de apresentadores. Manuel Carlos, que brincava com os dois dizendo que eram os "maiores desanimadores de auditório do Brasil", chegou a recorrer ao reforço do apresentador Blota Júnior, mas *Pra ver a banda passar* teve uma carreira de pouco mais de seis meses. A propósito, quem quase mudou de rumo na época foi Roberto Carlos. Ele era muito pressionado por produtores de TV, jornalistas e até pelos colegas, que o consideravam um excelente cantor e que merecia um repertório melhor. O iê-iê-iê, como era chamado o tipo de música que cantava, era tido como menor. Roberto ficou tão impressionado pelas opiniões alheias que chegou a pedir a Nara Leão para ajudá-lo a selecionar repertório. Mas, ao saber de tudo aquilo, a Columbia, sua gravadora, tratou de acabar com qualquer pretensão de mudança. "Você está maluco?", perguntou Roberto Corte Real, diretor artístico da gravadora. Roberto Carlos nunca mais pensou no assunto.

Nara e Chico não eram grandes apresentadores, mas não deixavam de ser duas das maiores atrações de shows em todo o Brasil. Viviam viajando. Iam a São Paulo apenas para gravar o programa. Numa das suas viagens, Nara apresentou-se na TV Jornal do Comércio, de Recife, e, depois, no clube da Jangada, em João Pessoa, onde um espectador lhe fez um pedido revelador de que, se a canção de protesto não era capaz de abalar os alicerces da ditadura, havia, pelo menos, penetrado na chama da sociedade de consumo: "Agora, canta alguma coisa subversiva pra nós". Em Natal, para onde foi em seguida, foi contemplada com um par de meias francesas, acompanhado de um cartão com os dizeres: "Para cobrir os mais lindos joelhinhos da televisão brasileira, aceite esta lembrança de um admirador anônimo". Aliás, eram muitos os brasileiros cuja admiração pela cantora ia além da voz e do repertório. Era raro o dia que não chegava uma carta de amor em casa ou na gravadora. Um desses missivistas chamava-se Roberto Souza, funcionário do Banco do Nordeste no Rio de Janeiro. Além das cartas, enviou a letra de uma balada de sua autoria, mas não recebeu qualquer resposta. Sentindo-se desprezado, escreveu para o cronista José Carlos de Oliveira, contando as suas mágoas. Comentário do jornalista: "Eu também já andei arrastando a asa na direção de Narinha, quando era menos tímido, e ela não me deu a mínima pelota. Consolemo-nos mutuamente, Roberto. Componhamos juntos uma balada intitulada *Os dois corações desconsolados que Nara Leão desprezou*. Talvez assim ela se manque e escolha, entre nós dois, o seu eleito". Carlinhos e Roberto Souza podiam tirar o cavalo da chuva porque Nara namorava o cineasta Cacá Diegues e estava apaixonada por ele, apesar de um incidente que quase estragava tudo. Logo após o festival, Cacá, que se encontrava no exterior, telefonou para Nara pedindo que ela procurasse apartamento. Era uma maneira sutil de pedi-la em casamento, mas ela não entendeu assim. Achava que ele quweria fazê-la de empregada, não levando em conta nem os inúmeros compromissos profissionais que tinha de cumprir. Foram necessários vários dias de explicações para que fosse tudo esclarecido.

E as viagens continuavam, do Norte ao Sul: esteve em Manaus, para cantar no Atlético Rio Negro e no SESC-Senac, sob o patrocínio do guaraná Baré, e participou, na semana seguinte, do II Arqui-Samba, em Porto Alegre, onde também estavam Chico Buarque, o Quarteto em Cy, Oscar Castro Neves e o Bossa Jazz Trio (Amílson Godói, Jurandir Meireles Duarte e José Roberto Sarsano). O Arqui-Samba era promovido pelo diretório acadêmico da faculdade de arquitetura. Os artistas se apresentavam no cine Cacique e alguns deles eram também programados pelo Encouraçado Botekim. Numa crônica publicada em *O Estado de S. Paulo*, em outubro de 1987, o escritor gaúcho Caio Fernando Abreu recordou essa viagem: "Economizei um mês para comprar a entrada. Valeu: vestido lamê prateado, trazido por Danuza de Paris (deu no jornal), os joelhos (ah, os joelhos) de fora, ela cantou *Funeral de um lavrador*. Ela estava meio comunista na época. Eu também, você sabe, faculdade de filosofia, grupos de trabalho, aquelas coisas. Deu tudo certo: fiquei apaixonado". Na semana seguinte, Nara estava em Curitiba, ao lado de Chico Buarque de Holanda, cantando no Clube Curitibano.

Era muita viagem para quem detestava a vida de cantora profissional. Cacá Diegues que, antes mesmo de namorar Nara Leão, ouvia as reclamações dela, pois eram muito amigos, tornou-se com o namoro o seu grande confidente. "Ela tinha um enorme prazer em gravar discos. Adorava ouvir as músicas que lhe eram oferecidas, chamar os compositores para cantarem para ela, saía em busca de músicas, ficava horas e horas no estúdio gravando, mas as apresentações em público eram muito sofridas. Às vezes, sofria de chorar. Quanto maior o sucesso, maior o sofrimento. Detestava excursionar, ficar no hotel, ser reconhecida na rua, enfim, essas coisas que ocorrem com os artistas. Era um sofrimento que nunca entendi direito. Lembro-me das crises de choro de que era acometida na volta das excursões. Às vezes, ela me telefonava do hotel em plena crise. Era uma coisa que nem ela sabia explicar direito", disse Cacá Diegues em depoimento para este livro.

Embora não estivesse disposta a gravar exclusivamente músicas de protesto, era difícil para Nara Leão manter-se afastada da política. Uma portaria do Ministério da Justiça, de número 966, instituiu a censura ao disco mesmo depois de gravado (até então, os censores preocupavam-se apenas com as letras das músicas que iriam ser gravadas). Nara foi uma das primeiras a protestar contra o ato do governo. Dias depois, seu nome era um dos 51 signatários – Vinicius de Moraes e Alceu Amoroso Lima entre eles – de um manifesto protestando contra "a censura antidemocrática" imposta a Mário Martins e ao crítico de arte Mário Pedrosa, candidatos do MDB ao Senado e à Câmara dos Deputados nas eleições de 1966, retirados da televisão quando usavam o horário regulamentar da propaganda eleitoral gratuita. Por essas e por outras, o regime militar perdia o apoio da classe média das grandes cidades, que já andava preocupada com os rumos da economia. O país mergulhava numa fase de depressão, em conseqüência da política econômica adotada pelo ministro do Planejamento, Roberto Campos. Mesmo aqueles que participaram nas manifestações ao golpe – a marcha da família com Deus pela democracia, por exemplo – começavam a demonstrar a sua contrariedade também em relação às ameaças crescentes às liberdades individuais. Esse estado de coisas levou o compositor Zé Kéti a compor uma marchinha carnavalesca que Nara Leão teria gravado se não fosse vetada pela censura. Dizia a letra:

Marchou com Deus pela democracia
Agora chia, agora chia

Você perdeu a personalidade
Agora fala em liberdade
Oh, seu Oscar, o que é que há?
Ai, ai, ai, dona Aurora
Mas por que é que a senhora chora?

Antes de ser submetida à censura, a marchinha iria participar de um concurso de músicas carnavalescas de 1967, promovido pela TV Tupi do Rio de Janeiro, mas o diretor artístico da emissora, José Bonifácio Sobrinho, o Boni, lembrou Zé Kéti que João Calmon, diretor geral dos Diários e Emissoras Associados, organização proprietária da TV Tupi, fora simplesmente um dos principais organizadores da "Marcha da família com Deus pela democracia". Por causa disso, o compositor inscreveu outra marcha no festival, *Mascarada*, que viria a ser um dos maiores sucessos de todos os tempos do carnaval brasileiro. Felizmente, a censura não teve nada contra *Mascarada*. Mas tinha muito contra a música popular brasileira, o teatro, o cinema, a televisão e o rádio. Só depois do Ato Institucional Número 5, iria atingir com toda a violência os livros e a imprensa escrita. Zé Kéti percebeu a diferença de tratamento antes do AI 5 e fez um samba em que assumiu a posição do leitor de jornal, imaginando, ingenuamente, que iria ludibriar a censura. Um trecho do samba que ele sonhava ser gravado por Nara Leão:

Foi o jornal que disse
Que a vida subiu 400%
Eu digo que leio
Não digo que vejo
Porque o que vejo
Não posso dizer
Só acho que o povo precisa comer

Foi o jornal que disse
Que morrem 500 crianças por dia
Eu digo que leio
Não digo que vejo

Porque o que vejo
Não posso dizer
Só acho que a infância precisa viver.

Nara Leão fora convidada para conhecer a decoração do Copacabana Palace para o baile de sábado de carnaval. O convite teve como pretexto o tema da decoração, "A banda da folia", baseado no sucesso da música *A banda*. A cantora esteve lá, viu a decoração, mas não compareceu ao baile, que teve entre os seus convidados a atriz italiana Gina Lollobrigida.

O teatro é que, de vez em quando, cobiçava Nara. Com o lançamento do disco com trechos da peça *Liberdade, liberdade*, pelo menos duas importantes figuras do teatro brasileiro, Oduvaldo Viana Filho e Augusto Boal, idealizaram espetáculos com a presença da cantora. Vianinha pretendia fazer um show intitulado *A mulher hoje em dia*, com a participação de Nara e das atrizes Odete Lara, Norma Bengell, Helena Inês e Susana de Moraes. Carmem Silva, a maior autoridade brasileira da época em feminismo, já havia aceitado o convite de Vianinha para funcionar como consultora do espetáculo. Augusto Boal, por sua vez, idealizou uma versão do clássico *Romeu e Julieta* para ser apresentada no Teatro de Arena de São Paulo, com Chico Buarque de Holanda e Nara Leão nos papéis principais. Mas a cantora entrara no estúdio para gravar o seu próximo disco e só podia aceitar convites para shows rápidos e, de preferência, no Rio de Janeiro. Apresentou-se na Associação Sholem Aleichem da Cultura e Recreação, clube judaico localizado no bairro carioca de Botafogo, ao lado da cantora Helena de Lima e do MPB-4, e fez um fim de semana no Café Concerto Casa Grande. Quem apareceu no Casa Grande foi Chico Buarque, que subiu ao palco e cantou com ela sua mais recente composição, *Quem te viu, quem te vê*. A presença de Chico, acompanhado da atriz Marieta Severo, serviu para confirmar os boatos de que estavam de namoro firme. Ao lado de outros artistas, Nara e Chico participaram também de um show em benefício das crianças excepcionais, promovido pela II Feira da Bondade. No início de maio de 1967, os dois apresentaram o último *Pra ver a banda passar*. A cantora ficou triste com o fim do programa, mas entendeu que e TV Record teve as suas razões. "Era gostoso, musicalmente bom, mas tenho que admitir que não era popular.

Se o patrocinador não consegue projetar a imagem do produto, é justo que tire o corpo fora", disse ela ao jornalista Adones de Oliveira, da *Folha de S. Paulo*. Quem comemorou o fim de *Pra ver a banda passar* foi o colunista Jean Mèlle, do jornal *Notícias Populares*, que detestava a "moça sem voz e sem talento".

Além das atividades profissionais, Nara estudava música com Geni Marcondes e tomava banho de parafina para emagrecer, principalmente, as pernas. Duas enfermeiras alemãs administravam o tratamento, que consistia em besuntar o corpo da cliente com parafina fervente e, depois, cobri-la durante cerca de 30 minutos com seis cobertores de lã. Além de estudar música e de tomar banhos de parafina, continuava a dar entrevistas. Uma delas foi feita por Walter Negrão, da revista *Cláudia*, para quem ela revelou a existência de um admirador que lhe mandava flores todas as semanas, acompanhadas de um cartão sempre com a mesma mensagem: "Flores para esses joelhinhos de voz tão linda, com a melhor admiração." Ela acreditava nas boas intenções do fã: "Dizem que é meio safado, mas, para mim, é só carinhoso".

No dia 12 de maio, Nara Leão estava recebendo os convidados para a festa de lançamento do seu LP *Vento de Maio*, no Largo do Boticário. O local foi escolhido logo que se falou no lançamento, pois era lá que morava o autor da capa do disco, o pintor Augusto Rodrigues. Na verdade, ele estava preparando uma exposição que apresentaria apenas retratos de mulheres. Entre as retratadas, além de Nara Leão, estavam Clarice Lispector, Elizeth Cardoso, Nininha Magalhães Lins, Glauce Rocha, Helô Amado, Vera Barreto Leite e Georgiana Russel, filha do embaixador inglês no Brasil. Não seria, por sinal, a única exposição em que Nara Leão seria focalizada; em junho, o artista Lan expunha na galeria L'Atelier as suas caricaturas de Nara, Paulo Autran, Carlos Lacerda, Leonel Brizola, Santiago Dantas, Milton Campos, João Goulart, Sérgio Porto, Paulo Mendes Campos, Fernanda Montenegro, Guilherme Guimarães e Napoleão Muniz Freire. Além de retratada por artistas como Augusto Rodrigues e Lan, Nara também mereceu a atenção do grande Di Cavalcanti. Um dia, ela recebeu em casa um portador com uma encomenda embrulhada e um bilhete. Ao desfazer o embrulho, viu tratar-se de um retrato pintado de mulher que era ela própria. E o bilhete dizia: "Eu estava pintando este quadro quando percebi, quase ao final, que tinha ficado o seu rosto. Resolvi presenteá-la".

Nara Leão foi longe com os seus compositores prediletos: das 12 músicas selecionadas para o LP *Vento de maio*, cinco eram de autoria de Sidney Miller e quatro de Chico Buarque de Holanda, cada uma delas melhor que a outra. Uma das músicas de Chico, *Com açúcar e com afeto*, nasceu por sugestão da própria Nara, interessada em cantar a história de uma personagem que seria o oposto da mulher independente que começava a despontar nos anos 60. Do mesmo autor, a cantora gravou *Quem te viu, quem te vê*, que abre o disco, *Noite dos mascarados*, que Nara cantou em dupla com Gilberto Gil, e *Um chorinho*. Sidney Miller compareceu com cinco clássicos: *Maria Joana, A praça, O circo, Passa, passa, gavião* e *Fui bem feliz*, este em parceria com Jorginho, compositor da Escola de Samba Império Serrano, presente também no disco anterior numa parceria com o mangueirense Padeirinho no samba *Favela*. A música que deu título ao LP foi feita por Gilberto Gil e Torquato Neto. As duas faixas restantes foram ocupadas por músicas de três monstros sagrados da música popular brasileira: Dorival Caymmi em *Morena do mar* e a dupla Ary Barroso e Vinicius de Moraes em *Rancho das namoradas*. No texto da contracapa, Chico Buarque de Holanda assinalou que, "com sua voz aguda e frágil, um carcará, uma rosa, um trem, uma tuba e um circo inteiro. É natural que conheça enfim o peso das coisas que diz".

Mais um belo disco de Nara Leão, que, naquele maio de 1967, preparava-se para casar com Cacá Diegues.

8

Nara Leão Diegues

O sucesso do programa de Roberto Carlos e de seus companheiros da jovem guarda na TV Record, líder absoluto de audiência nas tarde de domingo, assustou tanto alguns personagens da mesma emissora ligados à chamada MPB que a solução encontrada foi nada menos do que uma passeata de protesto pelas ruas de São Paulo. Uma passeata contra a guitarra elétrica, instrumento de um tipo de música que achavam alienante e deformador da verdadeira música popular brasileira.

No dia 17 de julho de 1967, Elis Regina, Gilberto Gil, Jair Rodrigues, Edu Lobo, Geraldo Vandré, os integrantes do MPB-4 e vários outros compositores, cantores e instrumentalistas desfilavam pelas ruas da capital paulista, portando faixas e cartazes com frases do tipo "abaixo a guitarra elétrica". Chico Buarque não participou, limitando-se a acompanhar o movimento do teatro Paramount, onde ensaiava. Nara Leão viu tudo de uma janela no hotel Danúbio, ao lado de Caetano Veloso, com quem comentou: "Isso mete até medo. Parece uma passeata do Partido Integralista".

Nara gostava de Roberto Carlos, que chegou a considerar em algumas entrevistas o melhor cantor do Brasil, e de muitas das suas músicas. Homenageou-o com um jantar em sua casa e as colunas de fofocas chegaram a suspeitar de que namoravam. Mas, ainda que não gostasse do líder da jovem guarda, não teria participado do movimento liderado por Elis Regina, com quem estava de relações cortadas. É que, um mês antes da passeata, o repórter Carlos Marques, da revista *Manchete*, juntou as duas numa reportagem para a série "As grandes rivalidades". E Elis Regina, a mesma que no show que fez com Jair Rodrigues, denominado *Dois na bossa*, gravado em disco e que se transformou no maior sucesso de venda de toda a carreira dela, improvisou quando cantava um samba de Zé Kéti anteriormente gravado por Nara Leão:

Acender as velas
Já é profissão
Quando não sou eu
É Nara Leão.

Bem-humorada, Nara até brincou com a rival na hora das fotografias: "Como é? Estão dizendo por aí que não queremos posar juntas. Podemos ou não?" Elis nada respondeu e, à medida que as fotos eram batidas, foi perdendo a paciência, até que estourou: "Vou embora porque não gosto de Nara".

Em seguida, Carlos Marque entrevistou as duas isoladamente. Elis Regina foi contundente: "Eu não tinha nada contra a moça Nara Leão. Hoje eu tenho, porque me irrita a sua falta de posição, dentro e fora da música popular brasileira. Ela foi a musa, durante muito tempo, mas começou gradativamente a trair cada movimento do qual participava. Iniciou na bossa nova, depois passou a cantar samba de morro, posteriormente enveredou pelas músicas de protesto e, agora aderiu ao iê-iê-iê. Negou todos. Os jornais estão aí para provar o que digo. Se juntarmos todos os recortes, o resultado será um jogo chamado disparate. Nara desmente sempre a imprensa, quando é publicado algo que não lhe convém. Há sete anos que o seu nome sai nos jornais. Observei que, na música, Nara Leão segue a mesma filosofia. Exemplo disso podemos encontrar quando ela conseguiu ser manchete do jornal *Última Hora* [*sic*], ao espinafrar o exército brasileiro. É claro que Nara desmentiu, dias depois. De outra feita, pichou Roberto Carlos e, mais tarde, procurou o empresário dele, Marcos Lázaro, e disse que tudo foi um mal-entendido. Ela sempre arranja um jeito de brigar com quem está em evidência, a fim de ela própria ficar em evidência. O que me admira é que ela fez psicanálise durante seis anos. Será que fez psicanálise ou curso de publicidade, de autopromoção? A verdade é que Nara Leão canta muito mal, mas fala muito bem. Ela não sabe o que quer. Um dia, no meu camarim, na TV Record, ela me disse: 'Não gosto de nada do que faço. Já estudei canto, fiz cerâmica, estudei música, mas nada disso me satisfaz. O que quero, na verdade, é casar, ter filhos e viver bem com o meu marido'. Se um dia Nara resolver ser leal, tenho certeza de que voltaremos a ser amigas".

Nara foi mais serena: "Sinceramente, não sei o que há. Posso dizer que nunca aconteceu nada entre mim e Elis Regina. Quero cantar, quero que ela cante e, afinal, queremos vender discos. Sou muito amiga de todas as outras cantoras, principalmente de Elizeth Cardoso, Vanderléia e Elza Soares. Para falar a verdade, gostaria de amenizar toda essa história. Infelizmente, vejo que não tem jeito. Li nos jornais que ela não queria ser fotografada ao meu lado. Quando a encontrei no estúdio da *Manchete*, perguntei o que havia e não obtive resposta. O que posso fazer? Conheci Elis Regina num show no teatro Paramount, em 1965. Jamais tivemos uma convivência íntima, mas sempre houve respeito mútuo e nunca tivemos qualquer atrito. Trabalhamos na mesma televisão e na mesma gravadora. A diferença é que freqüentamos lugares diferentes. Não estou interessada em briga. Toda essa confusão começou quando apareci com o sucesso de *A banda*, de Chico Buarque. Ela concorreu no mesmo festival e, dali em diante, aconteceram coisas que pessoalmente me desagradaram. Essa agressividade pueril e desequilibrada não é interessante para nenhuma de nós. Afinal, separo minha vida profissional da vida particular. Quando Elis Regina me apresentou em seu programa como 'uma moça que está prometendo muito' achei que estava sendo agredida. Mas não dei importância e continuei trabalhando. Quanto à acusação que Elis me fez, de que sou cantora de iê-iê-iê, encaro com lucidez. Canto e cantarei tudo o que for de bom gosto. Em São Paulo, recentemente apresentei algumas músicas dos Beatles. Quem tem coragem de dizer que eles não prestam? *Yesterday*, por exemplo, é quase erudita. O próprio Roberto Carlos tem canções que são agradáveis a qualquer ouvinte. Ninguém pode negar que *Nossa canção* é uma música bonita. Por que ser contra as coisas dessa natureza? Tenho personalidade bastante para gostar ou não gostar do que ouço sem precisar me orientar pela cabeça dos outros. Quanto a ser ou não ser amiga de Elis Regina, gosto dela como cantora e acho que ela tem excelente repertório. E ponto final".

Caetano Veloso testemunhou outro capítulo dessa briga e relatou em seu livro *Verdade tropical* (Companhia de Letras, 1997). Aconteceu durante uma reunião promovida por Paulinho Machado de Carvalho, diretor da TV Record, com vários artistas, para avaliar as causas da queda de audiência do programa *O fino da bossa*, apresentado por Elis Regina, que perdia para o programa da jovem guarda. Quando os participantes da reunião decidiram por um programa chamado *Frente ampla da música popular brasileira*, Nara Leão, que estivera calada o tempo todo, resolveu falar: "Paulinho, sou contratada da sua emissora, continuarei cumprindo os meus deveres profissionais. Se me escalarem para algum programa vou chegar na hora marcada. Só quero lhe pedir que, se for possível, você diga aos seus produtores que não me escalem no mesmo programa que Elis Regina, pois ela declarou numa entrevista à revista *Manchete* que eu não sou cantora. Aqui está a minha carteira da Ordem dos Músicos em que sou classificada como cantora". Em seguida, Caetano fez uma avaliação das duas cantoras: "Elis possuía um talento musical – e uma voz – com que Nara nem poderia sonhar. Mas ela ascendera da condição de cantora comercial sem sucesso para a de representante do sucesso comercial de responsabilidade estética e política via televisão, o que a deixava numa insegurança que chegava ao paroxismo quando confrontada com a trajetória de Nara: fundadora da bossa nova, aristocraticamente tranqüila em suas posições políticas e ambições intelectuais, sem precisar provar nada ou exibir talentos excepcionais. Nara parecia conceder em aparecer na televisão". Não era apenas Elis Regina que negava a Nara Leão a condição de cantora. Durante muitos anos, alguns jornalistas manifestaram opinião idêntica. E ela rebatia pragmaticamente: "Uns acham que não sou cantora, mas outros acham que sou. E quem acha me paga para cantar, paga pelos ingressos nos meus shows e compra os meus discos. Prefiro ficar com estes".

No dia 26 de julho de 1967, quarta-feira, o padre Eduardo Milad Koaik, da igreja de Nossa Senhora de Copacabana, estava no apartamento dos pais de Nara, na avenida Atlântica, para celebrar o seu casamento, em regime de separação de bens (por determinação de Jairo Leão), com Carlos José Fontes Diegues, o cineasta Cacá Diegues. Como não foi permitida a presença de repórteres e fotógrafos, a família se comprometeu a enviar as fotos para os jornais e revistas. Os padrinhos foram Samuel Wainer e Danuza (que se encontravam em Paris e foram representados na cerimônia) e os casais Luís Carlos Barreto, Sérgio Lacerda e Fernando Diegues, este último, oficial da Marinha, oceanógrafo e irmão de Cacá. Entre os convidados, cineastas ligados ao Cinema Novo, além de Antonio Carlos Jobim, Chico Buarque e Marieta Severo, Millôr Fernandes, Vinicius de Moraes, Flávio Rangel e outros, que foram depois para a boate Zum Zum, Copacabana, onde Vinicius e Tom Jobim propunham uma expedição punitiva contra o Cinema Novo, "por ter roubado a musa da bossa nova". Mas Tom e Vinicius sabiam que ela mantinha os antigos vínculos com a bossa nova, pois acabara de concluir a sua participação no filme *Garota de Ipanema*, de Leon Hirszman, para o qual cantou *Lamento do morro*, dos mesmos Antonio Carlos Jobim e Vinicius de Moraes.

O casal viajou logo após o casamento para a cidade de Parati, onde permaneceu por uma semana em lua-de-mel. Instalou-se num apartamento situado entre a lagoa Rodrigo de Freitas e o Jardim Botânico e foi para Nova York, aproveitando uma parte do presente de casamento de Paulinho Machado de Carvalho, da TV Record: passagens para os Estados Unidos e para a Europa. De volta de Nova York, Nara internou-se no estúdio da Philips para gravar mais um LP a receber o título de *Nara*. Dessa vez, a cantora retirou quatro músicas (ou cinco, se for levado em conta que *Soneto da separação* havia sido gravada oito anos antes por Lenita Bruno) do baú de músicas antigas, o que pode ser atribuído à única influência que Cacá Diegues se propôs a exercer na carreira profissional da mulher, fazendo-a ouvir velhos discos de 78 rotações da coleção do seu pai, Manuel Diegues Júnior, grande estudioso da cultura popular brasileira e autor de um livro clássico sobre as etnias brasileiras. Nara já conhecia Carmen Miranda, mas, a partir do contato com os discos antigos, passou a conhecê-la muito mais e sua admiração por Carmem só fez crescer. O LP, por sinal, abre com um dos grandes sucessos da "Pequena notável: *Tique-taque do meu coração* (Alcir Pires Vermelho e Valfrido Silva), de 1935. Outras faixas retiradas do baú foram *Lancha nova* (João de Barro e Antônio Almeida), de 1950, *Se você quiser saber* (Cristóvão de Alencar e Silva Pinto), de 1934, e *Camisa amarela* (Ary Barroso), de 1939. Uma estréia importante no disco foi a de Sueli Costa como compositora: é dela e de João Medeiros Filho a música *Por exemplo, você*. Na faixa *De onde vens* (Dori Caymmi e Nelson Motta), Nara dividiu a interpretação com Edu Lobo. Ela gravou também *Corrida de jangada* (Edu Lobo e Capinam), *Cabra macho* (Guto e Mariozinho Rocha), *No cordão da saideira* (Edu Lobo) e *Inspiração* (Ubenor Santos). Este LP foi incluído por Sérgio Porto em sua lista dos melhores de 1967, ao lado de discos como *A enluarada Elisete*, *A grande música de Sérgio Ricardo*, *Rosa de ouro volume dois*, *Codó e o mar* e *Os cinco crioulos*. Embora não apontasse entre os dez o LP *Domingo*, com Caetano Veloso e Gal Costa, Sérgio Porto chamou a atenção para o aparecimento da "excelente cantora Gal Costa".

Nara Leão, como se vê, não gravou nenhuma música de Chico Buarque de Holanda e Sidney Miller, os seus dois compositores preferidos da nova geração. É que Chico, contratado pela RGE, e Sidney, pela Elenco, estavam gravando as suas músicas. Mas a cantora continuava ligada aos dois, tanto que Sidney a convidou para dividir com ele a interpretação de *A estrada e o violeiro*, classificada pela TV Record para o Festival de Música Popular de 1967. A música não chegou entre as primeiras colocadas, mas ganhou o prêmio de melhor letra. Quanto à interpretação, foi mais uma participação da cantora numa dupla em que o compositor parecia ser mais tímido do que ela. Ao cantar *A estrada e o violeiro*, diante de uma platéia barulhenta em que parte dela vaiou a música, Sidney Miller ficou tão assustado que dava a impressão de querer parar de cantar. No *long-play* de estréia de Sidney, lançado em 1967, Nara aparece em duas faixas ao lado dele: em *A estrada e o violeiro* e em *Menina da agulha*. A ligação de Nara Leão com Chico naquele ano foi formalizada pela gravadora Philips, ao convidá-la para cantar *Carolina*, terceira colocada no II Festival Internacional de Canção, no LP com as músicas do festival. O LP de Chico Buarque também fez parte da lista dos dez mais de Sérgio Porto.

No fim do ano, Nara viajou com Cacá Diegues para a Europa, sendo entrevistada pelo *Le Nouvel Observateur* em Paris, para uma reportagem intitulada *La samba-reportage*, em que também foi focalizado o grupo de dançarinos Brasiliana, que se apresentava na cidade. Cantou ao lado de Edu Lobo e do Quarteto Novo, na boate Chez Castel, de propriedade de Guy Castejá, um francês muito conhecido dos brasileiros. Na platéia, encontravam-se, entre outros, a atriz Brigitte Bardot e o cantor Sacha Distel. Sua grande decepção em Paris foi ouvir no rádio a versão francesa de *Funeral de um lavrador*, cuja letra não tinha qualquer relação com a poesia de João Cabral de Melo Neto: tratava dos sonhos e das dores de uma jovem apaixonada. Nara ficou tão indignada que saiu do hotel direto para a emissora, onde foi atendida por um programador que não deu a menor importância aos argumentos dela: "O problema dos trabalhadores rurais brasileiros não nos interessa. Não temos este problema aqui", respondeu o radialista francês. Em Roma, Nara e Cacá estiveram com exilados políticos e ela ficou impressionada com as dificuldades enfrentadas por eles. Era inverno e alguns nem roupas tinham para enfrentar o frio europeu. Ela abriu a mala e passou para eles o seu belo casaco de couro e outros agasalhos.

Na volta ao Brasil, numa entrevista a Eli Halfoun, da *Última Hora*, manifestou a sua decepção com as músicas da França ("é péssima") e da Itália ("é uma grossa xaropada") e entusiasmo pela música inglesa: "Na Inglaterra, sim, está se fazendo música realmente nova. Não estou falando só dos Beatles. Falo de centenas de pequenos conjuntos, cantores e instrumentistas que, a cada semana, aparecem com uma novidade, um estilo diferente", disse. Irritada com as críticas desfavoráveis dos jornais brasileiros ao filme *Garota de Ipanema*, afirmou que era melhor do que "a metade dos filmes feitos no mundo inteiro". Gostou muito da peça *O rei da vela*, de Oswald de Andrade, principalmente pela direção de José Celso Martinez Correia, mas o que a impressionou de verdade foi a peça *Roda viva*, de Chico Buarque de Holanda, também dirigida por José Celso: "Confesso que durante o espetáculo fiquei nervosa e até chorei. Chico provou que é uma pessoa de caráter e um talento que não está aí para ser mistificado ou aceitar a eterna imagem do rapaz bonzinho, do moço de boa família, que canta para dizer que o mundo é bonito e agradável. Eu, que já o achava um dos maiores compositores da história da música brasileira, acho mais ainda: um homem capaz de arriscar tudo para dizer a verdade de uma maneira direta e violenta, mas com um talento e uma sensibilidade que ultrapassam o campo da música. A peça não é agradável, mas quem quer fazer coisas agradáveis não faz teatro, faz relações públicas".

Entre os inúmeros convites recebidos por Nara que não deram em nada, houve um do cineasta Luís Carlos Barreto, um dos padrinhos de casamento, feito logo após a sua volta da Europa, para um filme intitulado *O canto livre de Nara*, em que ela atuaria ao lado de Caetano Veloso. Outro convite, porém, foi levado adiante e partiu do experimentado e competente homem de música Aloysio de Oliveira: uma temporada no teatro de Bolso, um simpático teatrinho instalado na praça General Osório, em Ipanema, que apresentara anteriormente shows de temporada com Juca Chaves e Eliana Pitman. Portanto, uma boa oportunidade para cantar sem ter de pegar avião e pernoitar em hotéis. Convite aceito, Nara Leão discutiu sobre o repertório com Aloysio, diretor do show, e concordou imediatamente com a sugestão dele de dividir o palco com o conjunto vocal Momento Quatro, formado poucos meses antes, mas já com um compacto duplo gravado, por meio do qual relançou uma das primeiras músicas feitas por Noel Rosa, *Minha viola*. O conjunto durou pouco (foi extinto meses depois do show com Nara Leão), mas teve tempo de gravar o compacto e de participar de festivais. Venceu um em Niterói e apresentou-se ao lado de Edu Lobo e de Marília Medalha na interpretação da música vencedora do festival de 1967 da TV Record, *Ponteio*, de Edu Lobo e Capinam. Os integrantes do conjunto, que se conheceram ainda estudantes do curso secundário do Colégio da Aplicação da então Universidade do Brasil, fariam todos carreira na música popular brasileira: Zé Rodrix (na época, ainda José Rodrigues), Maurício Maestro, David Tygel e Ricardo Sá, sendo que este passaria vários anos fora do Brasil, banido do país pela ditadura militar, depois de trocado por um dos embaixadores estrangeiros seqüestrados no Rio.

Com produção de Aurimar Rocha (proprietário do teatro de Bolso) e direção musical de Oscar Castro Neves, que também atuou como violonista, o show ganhou o título de *Tique-taque*, estreou no dia 27 de janeiro de 1968 e permaneceu em cartaz até o carnaval com duas sessões diárias. Pouco mais de uma semana depois da estréia, Oscar Castro Neves deixou a direção musical, pois já estava comprometido com outro espetáculo com estréia marcada para aqueles dias, o antológico *Show do crioulo doido*, com Sérgio Porto e Quarteto de Cy. Oscar foi substituído por Toquinho. Foi uma temporada vitoriosa, com casa cheia diariamente (o que não chegava a ser uma façanha, já que cabiam apenas 150 pessoas no teatro), interrompida por alguns dias, quando o irmão de Toquinho, o futuro escritor João Carlos Pecci, sofreu um grave acidente automobilístico, que o deixou paraplégico. Do último disco de Nara, poucas músicas no show: *Tique-taque do meu coração, Camisa amarela, Cordão da saideira, Cabra ma-*

cho e *Corrida de jangada.* De resto, o repertório ia desde *Chega de saudade* (Tom e Vinicius) até novidades como *Tropicália* (Caetano Veloso), passando por *Quem te viu, quem te vê* (Chico Buarque), *Três apitos* (Noel Rosa), *Coração vagabundo* (Caetano Veloso) e outros clássicos da música popular brasileira. Além de *Tique-taque* e *Show do crioulo doido*, os teatros cariocas ofereciam, naqueles dias, espetáculos como *Roda viva*, batendo recordes de público no teatro Princesa Isabel; *Dura lex sed lex*, de Oduvaldo Viana Filho, no teatro Opinião, depois de uma temporada vitoriosa no teatro Mesbla; um show com Maria Bethânia e Paulo Autran no teatro Casa Grande; e a peça O&A, de Roberto Freire, no teatro João Caetano.

Terminada a temporada e passado o carnaval, o país foi sacudido pelo assassinato do estudante Édson Luís por policiais militares do Rio de Janeiro, durante uma manifestação de protesto contra o abandono do restaurante do Calabouço, destinado a fornecer alimento aos estudantes pobres. Nara Leão, que participaria das várias manifestações contra a ditadura, ficou tão revoltada que resolveu botar sua revolta no papel e remeteu para Nelsinho Motta, pedindo a publicação na sua coluna "Roda viva", na *Última Hora*. Com o título "É preciso não cantar", dizia o texto escrito por Nara:

"Parece que os governantes deste país não compreendem o que significa dirigir. Presume-se que os que estão no poder devem resolver, encontrar soluções para os graves problemas de um país precário como o nosso. Mas parece que se quer ocupar um cargo público somente para se ter uma bela casa, posição social, as comodidades do corpo e do espírito.

Um estudante de 16 anos morreu porque queria instalações sanitárias e comida para melhor cumprir suas funções de estudante. Não se trata nem mesmo de uma manifestação político-ideológica. Mas o governo do Estado da Guanabara não podia concluir as obras do Calabouço, porque tinha tido muitas despesas com o carnaval para fantasiar a miséria, a falta de hospitais, a chacina dos índios, os excedentes universitários etc. Enfim, um turismo mentiroso para um Brasil miserável de verdade.

Enquanto as obras do Calabouço custariam 80 milhões de cruzeiros antigos, gastam-se 500 milhões para um Festival Internacional da Canção, 'propaganda e promoção do nosso querido Brasil e da sua maravilhosa música popular'.

É o festival da 'propaganda positiva'. Para que preocupar os países amigos e desenvolvidos com os nossos problemas de fome, miséria e morte? Vamos fazer para eles um belo espetáculo de circo, com piruetas na corda, bailarinas velhas com varizes escondidas. O que se passa depois fica entre nós.

Fizemos uma greve de teatro contra a censura. E voltamos a cantar. Mas é impossível cantar, sabendo que os estudantes estão sendo assassinados nas ruas. 'As providências serão tomadas nas horas devidas', e ninguém sabe que hora será essa. 'Os culpados serão punidos', mas acontece que os que dizem que vão punir são os verdadeiros culpados. Por isso, é preciso não cantar. A desesperança, o desespero, a falta de perspectiva de todos nós neste momento, tudo isso é impossível de ser dito em música. O canto, mesmo triste, sempre celebra e é bonito. Mas a realidade está feia demais para ser cantada e celebrada".

Uma das conseqüências do assassinato do estudante Édson Luís foi a realização de uma série de assembléias reunindo artistas, intelectuais, estudantes e jornalistas, que procuravam uma forma de protestar contra aquele estado de coisas (se houve assembléias de operários, foram muito bem camufladas). Nara participou com Cacá das reuniões, que decidiram por uma passeata de protesto no centro da cidade do Rio de Janeiro. Foi a histórica passeata dos 100 mil, que também contou com o casal Diegues, conforme mostram fotografias e filmagens da época (os dois aparecem com destaque no filme *Jango*, de Sílvio Tendler).

O texto de Nara Leão, publicado por Nelsinho em 1º de abril de 1968, quarto aniversário do golpe militar, era, de fato, sincero, pois ela passaria mais de dois meses sem cantar em público, mesmo pagando o preço de contrariar o que dizia o samba de Monsueto e Tiago de Melo, que ela mesma gravou: "Faz escuro mas eu canto". O que não conseguiu evitar foram as gravações, pois, além de convocada pela Philips para participar dos discos da casa, não podia deixar de atender ao pedido do amigo Sidney Miller para dividir com ele a interpretação de *Maria*, do próprio Sidney, para o seu disco *Do Guarani ao guaraná*. Também não podia deixar de atender ao convite da cantora Dulce Nunes para participar de um LP denominado *Dulce - samba do escritor*, cantando *Mal de amor*, poema de Vinicius de Moraes com música da própria Dulce. Além disso, havia o seu próprio LP, cujo lançamento estava previsto para agosto. Mas que a situação estava ficando cada vez pior para o povo, de um modo geral, e para os artistas, em particular, isso estava. Antes mesmo da assinatura do Ato Institucional Número 5, o trágico AI-5, cresciam os atentados à liberdade de expressão, apesar de um fato desmoralizante para o regime: a descoberta de que Romero Lago, chefe da censura federal, havia três anos chamava-se, na verdade, Hermelindo Ramirez Godoy e fora condenado a vinte anos de cadeia por ser mandante de dois crimes de morte. Era também acusado de vender certificados de exibição de filmes estrangeiros, além de falsificar carteiras de fiscal da censura em Brasília. Além de moral, faltava aos funcionários da censura o mínimo de informação sobre as obras de arte submetidas ao seu julgamento. Qualquer ator de teatro tinha uma história para contar sobre censores que pretendiam intimar Brecht, Oswald de Andrade e até Sófocles. Um exemplo significativo de incompetência foi o parecer do censor Mário F. Russomano, da polícia de São Paulo, ao analisar a peça *Roda viva*, de Chico Buarque de Holanda, um espetáculo, por sinal, que seria também vítima de atentados violentos de grupos da extrema direita. Assim se pronunciou o censor Russomano: "Coube-me a determinação de comparecer ao teatro O Galpão a, [*sic*] rua dos Ingleses, no dia 21 do corrente mês, para observar o espetáculo ora encenado nesse teatro que, [*sic*] recebe o título de *Roda Viva*. Lamento que o referido espetáculo, [*sic*] é de fato degradante e de certo modo até subversivo. O autor – seria um débil mental? – de nome Francisco Buarque de Holanda, [*sic*] criou uma peça que não respeita a formação moral do espectador, ferindo de modo contundente todos os princípios de ensinamento de moral e de religião herdados de nossos antepassados. Expressões pornográficas, as mais baixas possíveis são ditas no palco com a mais vergonhosa naturalidade. Desrespeitam todos e tudo, até a própria mãe. Quanto aos gestos e marcação, esses acompanham as palavras de baixo calão, chegando ao absurdo de mostrar em cena posições de ordem sexual; não esqueceram também a parte política e fazem severas críticas, até mesmo, isso de modo inteligente, provocando o espectador para tomada de posições. É o que me cumpre informar".

Em julho, tendo como empresário Guilherme Araújo (o mesmo de Caetano Veloso, Gilberto Gil, Gal Costa, Jorge Ben e Os Mutantes), Nara Leão atendeu a um convite do amigo diretor teatral Flávio Rangel para fazer parte de uma superprodução no teatro Municipal do Rio de Janeiro, a montagem de um espetáculo baseado no *Romanceiro da Inconfidência*, de Cecília Meireles, com músicas de Chico Buarque de Holanda, Heitor Villa-Lobos e Guerra Peixe, produção de

Dalal Aschcar, coreografia de Johnny Franklin, cenografia de Mário Conde, figurinos de Marie Louisie e um elenco de 230 pessoas, incluindo a orquestra e o coro do Teatro Municipal, com a direção geral de Flávio Rangel. Foi um espetáculo inspirado na idéia de Jean Louis Barrault, a do "teatro total", com a utilização de todos os recursos cênicos disponíveis: música, canto, dança, cinema, mímica e artes visuais. Com a narração de Dina Sfat e Paulo José, a adaptação do *Romanceiro da Inconfidência* reuniu, entre outros, os atores Osvaldo Loureiro (no papel de Tiradentes), Sebastião Vasconcelos, Luís Linhares, Emílio di Biasi, Joel Barcelos e Mário Lago. A atuação de Nara, cantando o tema *Os inconfidentes*, com música de Chico Buarque, foi classificada pelo crítico teatral do *Diário de Notícias*, Henrique Oscar, de "particularmente feliz".

Em 1968, a cantora participou de quatro *long-plays* da Philips, apresentando músicas de festival: *Brasil canta no Rio – I Festival Nacional de Música Popular Brasileira*, em que cantou *Festa* (Dori Caymmi e Nelson Motta); *II Festival Estudantil da Música Popular Brasileira*, com *Linha 12* (Juarez de Souza e Antônio Eduardo Mota), em que dividiu a interpretação com Jorge Neri; *IV Festival de Música Popular Brasileira*, segundo volume, com *Diálogo* (Marcos Valle, Paulo Sérgio Valle e Milton Nascimento) e, no terceiro volume, cantou com Edu Lobo *Rosa da gente* (Dori Caymmi e Nelson Motta).

O LP intitulado *Nara Leão* saiu em fins de agosto e mostrava uma Nara mais audaciosa na escolha do repertório. A primeira faixa do disco, o bolero *Lindonéia*, foi uma composição de Caetano Veloso, feita a pedido da cantora, que se inspirara no quadro *Lindonéia, Gioconda do subúrbio*, de Rubens Gerchman. Nara sentiu que a obra daria música porque, sob inspiração do autor, o quadro ia além da moldura, começando pelo título "Um amor impossível" e a frase "A bela Lindonéia, de 18 anos, morreu instantaneamente". Ao falar da peça, Gerchman dizia que Lindonéia usava sabonete Eucalol, viajava diariamente no ônibus Jacaré-Ipanema e tinha um elefante de louça em frente à televisão. O pintor exibiu-a pela primeira vez na exposição Opinião 1966 como um quadro objeto, adaptado a um porta-retratos com vidro biseanté. Apresentou-a depois em forma de serigrafia na I Feira de Arte da Guanabara, no Museu de Arte Moderna, com 200 exemplares, vendidos a 400 cruzeiros cada um. A gravação de *Lindonéia* saiu também no disco *Tropicália ou*

Panis et circensis, que reunia todos os integrantes do movimento tropicalista liderado por Caetano Veloso e Gilberto Gil.

As demais faixas do LP *Nara Leão* são: *Quem é?* (Custódio Mesquita e Joracy Camargo), mais uma homenagem a Carmen Miranda; *Donzela, por piedade, não perturbes*, uma modinha do século XIX, de J. S. Arvelas; *Mamãe, coragem* (Caetano Veloso e Torquato Neto); *Modinha* (quinta das 14 serestas de Villa-Lobos, com letra de Manuel Bandeira); *Infelizmente* (Lamartine Babo e Ari Pavão); *Um chorinho chamado Odeon* (Ernesto Nazaré. A pedido de Nara, Vinicius de Moraes fez a letra); *Mulher* (o clássico foxtrote de Custódio Mesquita e Sadi Cabral); *Medroso de amor* (uma das 87 canções de Alberto Nepomuceno com letra do poeta Juvenal Galeno, incluída na coletânea *Modinhas Imperiais*, de Mário de Andrade, publicada em 1930), *Deus salve esta casa santa* (Caetano Veloso e Torquato Neto, música baseada no folclore baiano); e o tema de *Os inconfidentes*, de Cecília Meireles e Chico Buarque de Holanda. A cantora dedicou o disco ao marido Cacá Diegues.

Depois de lançá-lo no Rio de Janeiro, dia 28 de agosto, na boate Bilboquet, durante um coquetel em que a Philips a premiou com o disco de ouro, pela venda de *A banda*, Nara Leão submeteu-se em São Paulo a uma intensa programação elaborada pela gravadora. Um dos seus compromissos foi uma entrevista coletiva na Terrazza Martini, onde chegou a perder a paciência com os jornalistas. Depois de responder a perguntas como "Você acha que as letras dos tropicalistas são difíceis para os analfabetos?" ("Acho que deviam acabar com os analfabetos") e "Você concorda que é uma pequeno-burguesa falando do povo?" ("Tenho muita pena que os outros não possam viver como eu vivo. Mas estou feliz por te consciência dos problemas que afetam o povo"), Nara passou a responder de maneira áspera, quase hostil. Com a chegada de amigos como Vinicius de Moraes e Caetano Veloso, ficou mais calma e pediu desculpas aos jornalistas, dizendo que teve um dia muito agitado e que acordara às seis horas da manhã para percorrer oito emissoras de rádio, divulgando o seu disco. Como sempre ocorreu no encontro de Caetano com os jornalistas, ele passou a ser também interrogado, um bom pretexto para Nara sair de mansinho e deixar o amigo entregue aos repórteres. Outro lançamento de disco que contou com a participação de Nara Leão foi o de *Tropicália ou Panis et circensis*, no Dancing Avenida, no Rio de Janeiro, e na gafieira Som de Cristal, em São Paulo. Foram duas festas espetaculares, com a participação dos artistas envolvidos no movimento tropicalista e de cantores da música brasileira tradicional, como Dalva de Oliveira, Dircinha Batista e Araci de Almeida, além de Grande Otelo e de Chacrinha. Dias depois, Nara integrava a comissão julgadora da etapa paulista do Festival Internacional da Canção, aquela mesma em que Caetano foi vaiado ao apresentar a música *É proibido proibir*. Evidentemente, ele não se referiu a Nara, quando reagiu com um discurso em que disse, entre outras coisas, que o júri era "simpático, mas incompetente".

Em fins de 1968, crescia a audiência da TV Globo e a TV Tupi assumia a liderança em todo o país, graças a programas como a novela *Nino, o italianinho*, com Juca de Oliveira no papel principal. E quem perdia com tudo isso era a TV Record, com seus musicais. Preocupado, Paulinho Machado de Carvalho passou a modificar a programação da sua emissora, adotando uma série de medidas que atingiram até o programa da jovem guarda, que perdia audiência a cada domingo. Paulinho imaginou um outro programa comandado por Roberto Carlos, sendo ele acompanhado pelos Mutantes e com a participação de Gal Costa, Caetano Veloso e Gilberto Gil, os personagens da moda. Foram criados também programas especiais em torno dos artistas contratados pela emissora. Foi feita uma pesquisa para selecionar os artistas e Nara Leão ficou entre os escolhidos. O roteiro do seu programa foi entregue ao poeta e compositor Torquato Neto. Realmente, era preciso fazer alguma coisa. Mas a decadência parecia irreversível. Até o festival de música da Record de 1968 teve uma audiência equivalente à metade dos festivais anteriores.

Nara estava cada vez mais desanimada com a sua carreira de cantora. A partir de janeiro de 1969, reduziu para o mínimo que pôde as apresentações públicas. Uma das suas atividades foi dividir com Sidney Miller a produção do disco de estréia do Terra Trio (Fernando Costa no baixo, Zé Maria no piano e Ricardo Costa na bateria), que já atuava com ela em shows. Em abril, um telefonema de Vinicius de Moraes, que estava em Portugal, levou-a a rever a sua decisão de não fazer shows. Vinicius havia fechado com o empresário português Jaime Mourão Filho a realização de sete shows naquele país, ao lado de Nara e Chico Buarque, com estréia marcada para o dia 28 de abril. Vinicius estava há seis meses na

Europa e Chico, há pouco mais de 60 dias em Roma, para onde fora a fim de ficar distante das ameaças à sua liberdade, cada vez mais freqüentes no Brasil. Foi em Roma que nasceu Sílvia, primeira filha de Marieta e Chico Buarque. Vinicius, que gravou o primeiro choro da menina, viria a ser o padrinho dela.

Ela adorou a temporada em Portugal. Chico, que atrasou dois dias a chegada porque teve de permanecer em Roma para cuidar do registro de Sílvia, cantou pela primeira vez *Uma e outras* e Gente *humilde*, esta uma bonita melodia de Garoto que recebeu letra dele e de Vinicius de Moraes. Ele e Nara cantaram *A banda*, por exigência do público português. Vinicius abria a sua participação no show cantando *Saudades do Brasil e Portugal*, um fado composto em homenagem à cantora Amália Rodrigues. Foram programados sete espetáculos no teatro Villaret, de dois mil lugares, de propriedade do humorista Raul Solnado, mas os ingressos para todas as apresentações se esgotaram no primeiro dia, razão pela qual tiveram de fazer mais dois shows. No fim da temporada os artistas brasileiros foram homenageados com um jantar num restaurante em Alfama, ao qual estiveram presentes Amália Rodrigues, Raul Solnado, o compositor e intérprete espanhol Joan Manuel Serrat e o compositor italiano Sergio Bardotti, parceiro de Chico. Cacá Diegues, que atrasou a viagem a Portugal porque trabalhava na montagem do seu filme *Os herdeiros* (na época, ele estava em dúvida se o filme se chamaria *Os angarados* ou *Anos dourados*), também esteve presente no jantar, assim como Marieta. Enquanto Cacá Diegues não chegava, Nara mantinha o contato com a família, saindo muitas vezes para jantar e conversar com o amigo e padrinho de casamento Fernando Diegues, irmão de Cacá, que participava de um curso de oceanografia. Saíram várias vezes para jantar e conversar.

No dia seguinte ao jantar no Alfama, Nara e Cacá pegaram o avião de volta ao Brasil (Vinicius voltou de navio) por causa de compromissos inadiáveis: Cacá transformara o teatro de Bolso em cinema (que recebeu o nome de Cine Poeira) e Nara Leão deixara os diretores Paulo Afonso Grisoli e Sidney Miller (a dupla que realizara com grande sucesso o espetáculo *Carnávalia*, no teatro Casa Grande, com a escritora Eneida, os cantores Blecaute, Marlene e Nuno Roland, além do trombonista Raul de Barros) ensaiando o compositor Martinho da Vila para o show que ele faria com ela na boate Sucata. O Cine Poeira estava com inauguração marcada para o dia da chegada deles e o show com Martinho estrearia dali a três dias.

O que Nara pretendia com o show era apresentar Martinho da Vila ao público da Zona Sul carioca. Ela não resistia a um artista de grande potencial em início de carreira. Ainda sabendo que Martinho enfrentava a má vontade de uma certa intelectualidade hostil ao samba. Mas Nara tinha sensibilidade para perceber que, mesmo em matéria de samba, o compositor e intérprete trazia "um balanço incrível, uma divisão muito pessoal", como ela dizia. Na verdade Martinho foi muito mais do que isso, foi o primeiro intérprete e compositor de samba a bater recordes e mais recordes de vendas de discos, sendo o principal responsável pelo grande sucesso do samba na década de 1970.

No show, Nara Leão cantou músicas do seu mais recente *long-play*, que recebeu o título de *Coisas do mundo*. No disco, três versões feitas por ela para músicas estrangeiras: *Parabién la paloma* (Rolando Alarcón), *Little boxes* (Reynolds) e *La colombe* (Jacques Brel, um dos seus maiores ídolos da música internacional). Outra música com letra de autoria dela foi *Apanhei-te, cavaquinho*, de Ernesto Nazaré. Além da música que deu título ao disco, apresentada pelo autor, Paulinho da Viola, na Bienal do Samba promovida pela TV Record, Nara gravou o clássico *Azulão* (Jaime Ovalle e Manuel Bandeira) e mais duas músicas antigas *Me dá... me dá* (Cícero Nunes e Portelo Juno) e *Fez bobagem* (Assis Valente). Outras músicas do disco são *Atrás do trio elétrico* (Caetano Veloso), *Tambores da paz* (Sidney Miller), *Pisa no fulô* (João do Vale, Ernesto Pires e Silveira Júnior) e *Poema da rosa* (Macalé e Augusto Boal). A maioria dos arranjos foi feita por Sidney Miller. O respeitado crítico musical Ari Vasconcelos, em comentário publicado em *O Jornal*, previu sucesso para o disco, por reunir "a personalidade da cantora, sua voz inconfundível, sua graça única, a candura de eterna menina e um bom repertório".

Em 1969, Nara participou também de um compacto duplo infantil, *Pinóquio*, mas a verdade é que nem ela nem Cacá Diegues suportavam o Brasil do AI-5.

9

Duas vezes mãe

Numa entrevista a Tarso de Castro, do *Pasquim*, o semanário que entrava no seu segundo mês de vida naquele agosto de 1969, Nara Leão considerava encerrada a sua carreira de cantora. "No Brasil, no momento, não há condições de trabalho, não há estímulo, não dá vontade de cantar. Acho que se não houver liberdade de criação, vai acabar tudo. O que é que você vai dizer?".

Em tempos de Ato Institucional Número 5, foi o máximo que ela poderia falar e que o jornal poderia publicar, quando Tarso perguntou o que achava da debandada de compositores para o exterior. Haviam saído do Brasil por razões políticas, entre outros, Chico Buarque de Holanda, Caetano Veloso, Gilberto Gil, Geraldo Vandré e Edu Lobo.

Além da situação política, os velhos motivos ainda pesavam muito: "Cantei durante oito anos, estou cansada de uma vida muito agitada, pois o trabalho de cantor não é um trabalho normal. [...] Confesso que me deu vontade de ter uma vida pessoal, de fazer uma experiência mais profunda de viver uma vida minha. [...] Você não se pertence, pertence ao público. Estou cansada de dar satisfação do que faço. [...] Agora, não tenho problema de competição com ninguém. Sou independente, emancipada e não me incomodo, por exemplo, de fazer tricô, não me diminui em nada, eu não tenho os chamados problemas femininos. Para mim, foi como uma experiência de adolescente, mas a adolescência acabou.

Estou com 27 anos". Na entrevista, fez uma revelação curiosa sobre a fama de seus joelhos: "Ninguém usava saia curta e eu usava sainha e tocava violão sentada em banquinhos. Até levei um susto com esse negócio de joelho, pois, no Rio, como todo mundo anda de biquíni, ninguém olhou para os meus joelhos. A história dos joelhos é realmente uma história paulista".

Ela e o marido já haviam decidido sair do Brasil. Envolvido em três inquéritos policial-militares sob a acusação de atividades subversivas, Cacá Diegues perdeu a paciência quando a censura vetou a exibição do seu filme *Os herdeiros*. "As pressões eram muito grandes. Nossos amigos começavam a desaparecer. Chico Buarque me disse que Nara era um dos nomes mais citados pelos militares durante vários interrogatórios a que era submetido. Chegaram a anunciar que pretendiam enfiar um ferro quente nela, mas eu nunca disse isso a ela. Um dia, Alex Vianny (cineasta, historiador e crítico de cinema) telefonou para dizer que recebera a informação de que os militares pretendiam pegá-la. Estavam chegando muito perto. Para falar a verdade, eu não agüentava mais", narrou Cacá Diegues ao autor desse livro.

O casal saiu do Brasil sem saber quanto tempo iria viver lá fora. Para deixarem o país sem ser incomodados, eles contaram com a ajuda de amigos cineastas italianos, entre eles Gianni Amico e Bernardo Bertolucci, que inscreveram *Os herdeiros* no Festival de Cinema de Veneza, mesmo sem terem visto o filme. A manobra deu certo porque apesar de interditado no Brasil, *Os herdeiros* teve de ser liberado para o Festival de Veneza, já que uma recusa do governo brasileiro poderia provocar um escândalo internacional. Na verdade, o ministro da Justiça, Gama e Silva, achava que lá fora ninguém entenderia o filme que, segundo ele, tratava muito mais de Getúlio Vargas do que da ditadura de então.

Nara e Cacá permaneceram cerca de quatro meses em Veneza. Depois, foram para Paris, onde encontraram vários amigos, entre os quais Violeta Arraes, irmã do ex-governador pernambucano Miguel Arraes, que estava morando lá e prestou toda a ajuda ao casal. Cacá conseguiu o seu primeiro trabalho na televisão francesa, que encomendou a ele um filme de uma hora. Moraram, inicialmente, num modesto hotel do Quartier Latin, o Hotel du Levant (mais tarde, Hotel Levant), na rue de la Harpe, e depois alugaram um pequeno apartamento na rue de la Clef, 39, próximo ao Jardin des Plantes. Apesar da moradia bem simples,

Nara Leão sentia-se muito feliz por se considerar livre das ameaças sofridas no Brasil, de onde vinham notícias cada vez mais apavorantes. Os brasileiros que passavam por Paris aconselhavam que não voltassem, pois certamente seriam presos. Na capital francesa, além de não ter a liberdade ameaçada, Nara sentia-se aliviada por sair à rua e não ser reconhecida. "Aprendi a cozinhar, dar de mamar, foi bacana. Levei uma vida de pessoa normal, ninguém me conhecia. Aprendi a fazer feijoada, peixes brasileiros. No fim de um ano, você está morando em Cachoeiro de Itapemirim. É o açougueiro que é seu amigo e vende fiado, tudo igualzinho", revelou ela numa entrevista ao *Pasquim*. E, rapidamente, envolveram-se numa roda de amigos que faziam o possível para não sofrerem com a saudade do Brasil. Contavam sempre com a companhia de cineastas, jornalistas e escritores, com quem saíam para jantar e para bater papo. "Nara se entendia muito bem com eles, até porque falava francês com desembaraço e tinha uma conversa muito interessante", lembrou Cacá. Um dos amigos mais freqüentes era o escritor Gabriel Garcia Márquez, a quem Nara Leão ofereceu uma feijoada. Gabriel adorava a cantora brasileira. Numa entrevista a Glauber Rocha para o *Pasquim*, confessou que a sua diferença com Cacá Diegues "é que ele se casou com Nara Leão". Ela, por sua vez, numa entrevista ao mesmo *Pasquim*, contou que conheceu o escritor colombiano no Festival de Pezaro. Um olhar foi suficiente para levá-lo a convidá-la para atuar num filme dele. "Levei o maior susto. Eu teria de aparecer nua e, como sou muito pudica, respondi que não dava pra mim". Ficaram amigos. "Gabriel Garcia Márquez é fantástico. Realmente, é uma mistura de Jorge Amado com Glauber, Caymmi. Parece um baiano com cabelo enroladinho, moreno, pequenininho. É maravilhoso, engraçado, passa o tempo todo inventando histórias. É casado com Mercedes, uma mulher com a maior cara de índia colombiana", disse Nara. Em Paris, havia também os amigos brasileiros, exilados políticos ou não, como o assessor de imprensa do presidente João Goulart, Raul Riff, o diretor da sucursal da revista *Manchete*, Nei Sroulevich, e o casal formado pelo ator Hugo Carvana e a jornalista Marta Alencar. Mas nem tudo era alegria na França. Na entrevista ao *Pasquim*, confessou que se sentiu algumas vezes vítima de racismo por ser sul-americana: "A França tem fama de ser o país da *liberté, fraternité, egalité*, mas é tudo mentira". Mesmo alguns franceses que visitavam a sua casa não ganharam a sua simpatia. Ela detestava, particularmente, o ator Jean Pierre Léaud, amigo de Cacá, pelos seus hábitos estranhos. Chegava encapotado num imenso sobretudo e, sem dizer uma palavra, dirigia-se à cozinha, sentava-se no chão sem tirar o sobretudo e lá permanecia de cabeça baixa e mudo. Um horror!

A sobrevivência era assegurada pelo trabalho que ia aparecendo aos poucos e pelas remessas feitas por Jairo Leão, de acordo com a legislação de então, de 300 dólares mensais, fruto dos rendimentos de Nara no Brasil. *Os herdeiros*, que ficou três meses em cartaz em Paris, aliviou bem as dificuldades financeiras do casal. No Brasil, o filme somente seria exibido em fins de 1970, depois de submetido a vários cortes da censura. Nara ia à luta, fazendo as versões em francês para músicas brasileiras que seriam interpretadas pelos cantores de lá, entre os quais Françoise Hardy, no auge da sua carreira. Cantou também no teatro de la Ville (ao lado de George Moustaki) e num cassino, acompanhada pela cantora, compositora e instrumentista Tuca. Além disso, matriculou-se num curso de psicologia, antecipando suas intenções ao regressar ao Brasil.

No início de 1970, Nara Leão ficou grávida. Mais um motivo para permanecer em Paris. Não poderia voltar para o Brasil e ser presa naquele estado. "Ficar grávida foi uma das coisas mais luminosas da vida dela", disse Cacá Diegues. Por indicação da amiga Violeta Arraes, Nara procurou um médico com nome de sociólogo – Bastides – que adotava um método especial para acompanhar a gravidez. Não admitia outra forma de parto que não fosse a natural. O dr. Bastides promovia reuniões com as clientes para orientá-las. A presença dos maridos fazia parte do tratamento, razão pela qual Cacá participou de todos os encontros. Nara se exercitava em casa, seguindo religiosamente as recomendações médicas e, pelo menos uma vez por dia, saía para dar um passeio no Jardin des Plantes para fazer exercícios respiratórios. "Foi uma gravidez muito feliz", lembrou Cacá, confessando que cumpriu todas as orientações que o médico dava para o marido. "Como bom marido alagoano, obedeci". Quando não fazia exercícios ou passeava no parque, Nara lia livros sobre gravidez e educação de crianças. Era um livro atrás do outro de autores que iam dos mais sofisticados ao *best-seller* americano Dr. Spock. Sem saber o sexo da criança antes do nascimento, o casal decidiu que seria Joaquim, se fosse homem, ou Isabel, sendo mulher. Apenas um acidente perturbou a gravidez: ela já estava com quase nove meses, quando ficou presa num elevador, em companhia de Cacá, Tuca e do jornalista Carlos Leonam.

Na noite de 27 de setembro de 1970, início do outono parisiense, o casal recebia o jornalista Michel Simon, para um jantar em torno de um frango preparado por Nara, acompanhado de vinho nacional, quando ela começou a ter os sintomas do parto. Tudo de acordo com a orientação do médico, pois, sendo parto natural, nada de contrariar a natureza. Ela teria de ir para a maternidade e esperar até o momento exato da criança nascer. Cacá Diegues comunicou-se com o dr. Bastides, que os mandou para a maternidade da Clinique Chateau Belvedere, perto da porta de Saint-Cloud, em Boulogne-Sur-Seine, onde Isabel nasceu, às 12h55 do dia seguinte, com 3 quilos e 200 gramas. A clínica fora instalada num castelo, antiga residência de verão do imperador Napoleão III, cercado de árvores e de um belo gramado. O médico fez a parte mais delicada, retirando a criança da cabeça até o abdômen. Em seguida, determinou a Cacá que prosseguisse. A ordem foi cumprida, só Deus sabe como. "Chorei mais de 12 horas seguidas de tanta emoção", contou. Uma das primeiras visitas foi a do cineasta e ex-namorado Ruy Guerra. Outra foi da cantora e compositora Tuca que, exatamente no dia 28, fazia um show no Olympia, cantando para uma platéia que contava com a presença de artistas famosos, como Françoise Hardy, Juliette Greco, Elsa Martinelli, Sylvie Vartan, Jeanne Moreau e o brasileiro Geraldo Vandré, exilado em Paris e grande amigo dela. Aliás, era calculado em três mil o número de brasileiros vivendo na capital francesa, na época. Havia muitos exilados políticos, jovens estudantes e artistas tentando a carreira internacional. A cantora Eliana Pitman estava em Paris, depois de gravar um show de uma hora para a televisão alemã. A atriz Débora Duarte filmava as últimas cenas do filme francês *Celeste*. Com tantos brasileiros na cidade, o telefone da maternidade não parou depois do nascimento de Isabel. Caetano Veloso, Gilberto Gil, Gal Costa e Guilherme Araújo, que estavam em Nova York, também telefonaram.

A vida tranqüila que levava em Paris devolveu a Nara o antigo prazer de trabalhar. Escrever versões de músicas brasileiras para o francês e de francesas para o português não foi suficiente para satisfazê-la inteiramente. Queria mais. Queria reencontrar-se com o Brasil por meio da música. Mas não com aquele Brasil cinzento que a enxotara para a

França. Queria o Brasil da sua adolescência e da sua juventude, o Brasil de Juscelino Kubitschek, um país cheio de esperança. "Não sei explicar bem, mas, de repente, as únicas músicas que eu tinha vontade de cantar eram da bossa nova. Peguei o violão e comecei a cantar músicas do Tom, do Carlinhos Lyra... O Midani me escreveu, querendo que eu gravasse um disco. Aí, eu disse: 'Bem, o único disco que tenho vontade de fazer é esse. Dá pé?' Ele disse que também estava pensando nisso. Então resolvi fazer a antologia da bossa nova, com 24 músicas, tocando violão e a Tuca também tocando. Às vezes, eu tocava violão e ela, piano ou cravo. Enfim, uma coisa informal e eu me senti realmente amadora como naqueles tempos. Realmente, adorei cantar. Depois de mil anos, gostei de música de novo. Eu estava detestando música, o dia todo aquela batida, realmente não tinha o menor prazer, não escutava disco nem nada. Voltei a me sentir com 16 anos, tocando violão em casa, foi muito divertido. Toquei violão pela primeira vez em disco, porque no Brasil tem tanto violonista bacana que você nunca chega a tocar. Em Paris, procurei, procurei e não achei. Ficava de oito da noite até meio-dia tocando, sem dormir. Enquanto isso, Isabel ficava dando pontapé na minha barriga. Foi muito divertido, fantástico", contaria Nara ao pessoal do *Pasquim* numa entrevista publicada em maio de 1971.

Depois que a filha nasceu, Nara empenhou-se para levar à prática todos os ensinamentos recolhidos nos inúmeros livros que leu. Aprendera, por exemplo, ser recomendável contemplar a criança com banhos de sol pela manhã, se possível, diariamente. Foi o que ela fez num belo dia de sol, levando Isabel, com poucos meses de vida, ao Jardin des Plantes, onde a despiu devidamente para que os raios solares atingissem o seu corpo por inteiro. Um detalhe, porém, quase pôs tudo a perder. Era inverno, o frio era muito forte e Isabel abriu o berreiro, enquanto seu corpo ficava roxo. A mãe extremosa ainda enfrentou alguns momentos de hesitação, sem entender o que se passava, até que se convenceu de que Isabel se congelava. Mais um pouco no Jardin des Plantes e a menina teria morrido de hipotermia.

A paulistana Tuca (Valeniza Zagni da Silva) também estava em Paris fugindo do clima de falta de liberdade no Brasil. Estreando como compositora em 1962, com a gravação da sua música *Homem de verdade* com Ana Lúcia, teve uma carreira vitoriosa, gravando discos como cantora e participando de vários festivais, sempre com destaque. Viajou para Paris em 1969, cantou em Portugal, Espanha, Itália e Holanda, e só voltaria ao Brasil em 1975. Tendo estudado música no Conservatório Paulista, tocava cravo e piano, além de violão. Morreu aos 33 anos, no dia 8 de maio de 1978, vítima da falta de potássio nos alimentos que constavam de uma dieta que adotara para emagrecer rapidamente.

Depois de ensaiar com Nara Leão, Tuca ia com ela para o estúdio parisiense da Polydor e lá gravavam as músicas. André Midani, que comandava a Philips no Brasil, deixou a cantora inteiramente à vontade, não dando opinião sobre a seleção musical e a forma de tocar as músicas. "Ele ia pelo menos duas vezes por ano a Paris. Foi um cara muito legal nesse período", registrou Cacá Diegues. Nara sugeriu a Midani que Eumir Deodato fizesse os arranjos do disco, mas, vivendo nos Estados Unidos e já cheio de trabalho, Eumir não podia atender. Caetano Veloso, exilado em Londres, visitou Nara Leão em Paris e ouviu as músicas gravadas por ela. Numa crônica enviada para o *Pasquim*, escreveu: "Em Paris, Nara grava uma antologia da bossa nova e o seu *Desafinado* me comove". A maioria esmagadora do repertório do *long-play*, lançado em dois volumes, era de Antonio Carlos Jobim com os seus vários parceiros: *Insensatez, Samba de uma nota só, Retrato em branco e preto, Corcovado, Garota de Ipanema, Pois é, Chega de saudade, Bonita, Fotografia, O grande amor, Estrada do sol, Por toda a minha vida, Desafinado, O amor em paz, Sabiá, Meditação, Este seu olhar, Outra vez* e *Demais*. Nara, por sinal, escreveu a Tom Jobim, falando do tratamento que pretendia dar a cada música. De Carlinhos Lyra e Vinicius de Moraes, *Você e eu, Minha namorada* e *Primavera*. Também entraram no disco *Rapaz de bem* (Johnny Alf) e *Vou por aí* (Baden Powell e Aloysio de Oliveira).

Nara encarregou seu amigo de infância Nei Sroulevich, então diretor da sucursal de Paris da revista *Manchete*, de fazer as fotos e o layout da capa do disco. Nei foi, provavelmente, o primeiro brasileiro a exilar-se em Paris depois do golpe de 1964. Presidente da Mocidade Trabalhista do Partido Trabalhista Brasileiro, ele estava em Cuba quando um grupo de militares derrubou da Presidência da República o seu companheiro de partido, João Goulart. Se voltasse para o Brasil, certamente seria preso. Reuniu as economias que tinha no bolso, comprou uma passagem para Paris e lá chegou dispondo apenas de uma máquina fotográfica, cem dólares e sem falar uma palavra da língua francesa.

Para sobreviver, fotografava os visitantes aos pontos turísticos da cidade, utilizando as poucas palavras que aprendera nos primeiros dias de Paris:

- Fotô, monsieur?

Outra fonte de renda foi um realejo manipulado com estudantes sul-americanos que conhecera nas ruas de Paris. A situação começou a melhorar quando fotografou um automóvel pegando fogo na frente do Arco do Triunfo e vendeu as fotos para uma agência francesa. Arranjou finalmente um emprego na revista *Manchete* e, em pouco tempo, assumiu a direção da sucursal. Amigo de Nara Leão e Cacá Diegues, recebeu carinhosamente o casal em Paris. Com Nara, recordavam da infância em Copacabana, incluindo o namoro com Octavio Godoy, o Tatá.

– Que fim ele levou? – perguntou ela.

– Sei lá. Deve ser funcionário público, deve estar gordo, não tenho a menor idéia do que aconteceu com ele – respondeu Nei que, anos depois, reencontraria Tatá no bar Garota de Ipanema, onde aparecia todo fim de tarde para tomar chope. Depois de trabalhar muitos anos em cartório, estava aposentado.

Nei e Nara combinaram que as fotografias para o disco deveriam ser feitas à beira do Sena, mas, no horário marcado, fazia muito frio em Paris e caía neve. Ela telefonou sugerindo a transferência do encontro, mas ele não concordou.

– Mas você vai fotografar com essa neve toda? – quis saber Nara.

– Com essa neve é que vai ficar legal – respondeu ele.

Quando Nei Sroulevich viu Nara Leão chegar abrigada por uma capa preta, chapéu preto, "parecendo um soldado russo", antes mesmo de cumprimentá-la começou a fotografar. O resultado realmente ficou muito bom, mas, modestamente, Nei atribuiu o sucesso à própria Nara. "Ela é que fez as fotos", comentou. "A capa desse disco foi a coisa mais bonita que vi na minha vida. Aquela menina carioca, tropical, em meio à neve, é uma coisa emocionante", disse Maria Bethânia ao autor destas linhas.

André Midani recebeu a fita com as 24 músicas e entregou-a a Roberto Menescal, que estava assumindo a direção artística da gravadora. Menescal ouviu as músicas e concluiu que, como estava, não dava para sair em disco. Achou o acompanhamento do piano e/ou do cravo muito pobre. "As harmonias da Tuca estavam erradas e nada tinham a ver com a bossa nova. Lá em Paris, com saudade do Brasil, tudo parecia bonito. Mas, chegando aqui, vi que o disco não poderia sair daquele jeito", comentou Menescal em depoimento para este livro. Entregou a maior parte das músicas a Luiz Eça, para que ele fizesse os arranjos, e o que sobrou ficou com ele e com o maestro Rogério Duprat. André Midani comunicou à cantora as providências adotadas por Menescal e ela ficou indignada: "Não deixa ele mudar minhas coisas!", clamou por telefone. Quando soube que os arranjadores acrescentaram cordas e percussão, ela disse ao presidente da Philips que aquilo não poderia ser permitido: "Ninguém pode mexer no meu trabalho!", esbravejou, determinada. Midani disse que estava enviando o teipe e ela poderia perfeitamente retirar o que não gostasse. Depois, o próprio Menescal foi além no telefone: "Se você quiser, corta tudo". Nara ouviu a fita e fez questão de telefonar para o amigo de infância: "Ficou muito bonito. Estou sem graça porque briguei com você". Assim, terminou bem o primeiro projeto envolvendo os dois, depois de um período de quase dez anos em que foram raros os contatos entre eles. Ao futuro namorado Marco Antônio Bompet, porém, ela disse que fez restrições ao tratamento dispensado ao disco no Rio de Janeiro, principalmente às cordas, além de outras inserções.

Em abril de 1971, Nara e Cacá decidiram que era hora de voltar, apesar do clima cada vez mais pesado no Brasil. Isabel começava a falar e andar e acharam que era o momento de viverem em seu país. Além disso, havia um projeto para um filme brasileiro com produção francesa e dirigido por Cacá Diegues. "Como sou mulher da antiga, que vai aonde o marido vai, também vim", disse ela na entrevista ao *Pasquim*. Parecia sentir-se bem: "Agora, não tenho compromissos profissionais. Sou amadora. Só canto de vez em quando. Aliás, nem canto. Voltei amadoramente. [...] Com essa filha que eu tive, pode parecer muito boboca, mas estou apaixonada por ela. Não quero nada que me distraia dela, quero ficar olhando para a cara dela o tempo todo. Estou inteiramente ligada nela. [...] A cuca estava boa desde a psicanálise e depois ficou cada vez melhor. O meu único medo é que as pessoas fiquem com raiva de mim. O fato de estar feliz, estar bem com o homem com quem você vive, você tem uma filha que é bonita, você é bonita, você gosta dela, isso tudo dá uma irritação em certas pessoas, que você nem imagina. Só peço para não ser agredida aí na rua". A turma do *Pasquim* quis saber a quem se referia, quais eram as tais "certas pessoas", mas ela se recusou a dizer.

O disco recebeu o título de *Dez anos depois*. Nara ficou feliz com a sua participação: "Acho que estou cantando muito bem nesse disco. Queria até dizer ao distinto público que não agüento mais ouvir dizer que tenho bom gosto e canto muito mal. Já enchi o saco dessa história. Realmente, acho que canto muito bem, porque cantei o fino nesse disco. Enjoei desse negócio: 'Ela tem muito bom gosto, é muito inteligente, apesar da voz fina e desafinada', como disse um crítico. Fiquei ofendida. Acho que foi na *Veja*, que elogia o disco e depois diz assim: 'apesar da voz fraca, fina e desafinada'. Fiquei com tanta raiva! Antigamente, perguntavam: 'Por que você faz sucesso?' Modestamente, dizia: 'Porque tenho um bom repertório', e todo mundo acreditava. Agora, resolvi que não é assim, eu canto bem". Depois do lançamento do disco *Dez anos depois*, Nara entraria em estúdio apenas uma vez em 1971, para gravar uma faixa do LP *Os maiores sambas-enredo de todos os tempos*, que reuniu 12 músicas do gênero interpretadas pelos cantores contratados pela Philips. A Nara Leão coube o belo samba-enredo *Nordeste, seu povo, seu canto e sua glória* (Wilson Diabo, Maneco e Heitor), apresentado pela escola de samba Império Serrano no carnaval daquele ano. Em 1972, ela também participou do volume dois do mesmo disco, cantando uma obra-prima dos sambas-enredo, *Sublime pergaminho* (Zeca Melodia, Nilton Russo e Carlinhos Madrugada), da Escola de Samba Unidos de Lucas. Em 1975, cantaria *O mundo fantástico do uirapuru* (Tatu, Nezinho e Campo), da Mocidade Independente, uma das faixas do LP *Os maiores sambas-enredo de todos os tempos*, volume três.

Na manhã de 17 de janeiro de 1972, uma segunda-feira, dois dias antes da passagem dos seus 30 anos, Nara Leão foi mãe pela segunda vez. Francisco nasceu no hospital Silvestre, no Rio de Janeiro, depois de uma gravidez que não correra tão bem quanto a que gerara Isabel. Já no terceiro mês, em plena madrugada, Nara sofreu um descolamento da placenta e, em conseqüência, forte hemorragia e ameaça de aborto. O médico que a socorrera, depois de alertá-la para a situação crítica, foi drástico: ou ela aceitava submeter-se imediatamente a um aborto ou teria de passar os seis meses restantes da gravidez deitada numa cama, mexendo-se o mínimo possível. E mais: uma queda poderia ser fatal tanto para ela quanto para a criança. "Qual a sua opção?", perguntou o médico. Ela nem vacilou: "Quero ter a criança". Sendo assim, Cacá Diegues teria de permanecer o tempo todo ao lado dela. Ao primeiro sinal de hemorragia, ela teria de ser levada imediatamente para o hospital. Felizmente, nada mais perturbou a gravidez, concluída com o nascimento de Francisco, um menino normal, que se tornaria saudável praticante de esportes de praia, especialista em *body-boarding*, que lhe rendeu uma infinidade de medalhas e troféus.

Mãe de dois filhos, Nara nem pensava na sua carreira de cantora. Um encontro casual com Roberto Menescal proporcionou-lhe mais um motivo para apegar-se à vida doméstica. "Que tal se você comprasse um apartamento ao lado do meu?", perguntou ele. Na verdade, Menescal achava que o apartamento tinha a cara dela. Era o apartamento 101 (o compositor morava no 102) do prédio denominado Palacete São Gabriel, na Visconde de Pirajá, 44, uma das ruas principais de Ipanema, próximo à praça General Osório, que parecia mesmo uma casa, pois ficava no térreo e contava até com um pequeno quintal, uma espécie de oásis em meio à selva de pedra ipanemense, com árvores frutíferas – romã, carambola, abacate e goiaba – e um pé de cana. Nara se encantou com o apartamento: "Briguei tanto com você e você me traz para ver esta maravilha", comentou ela, marcando o reinício de uma amizade que ficaria cada vez mais forte até a morte dela. Durante o tempo em que morou lá, ela era contemplada com mudas de várias plantas enviadas pelo escritor capixaba Rubem Braga, cuja cobertura na rua Barão da Torre ficou famosa pela incrível quantidade de árvores que conseguiu plantar. Da sua cobertura, Rubem via o pequeno pomar da sua conterrânea.

Deixar de cantar era impossível, tanto mais com o convite feito pelo próprio marido, interessado na presença dela no filme *Quando o carnaval chegar*. "Fiz o convite convicto de que ela não aceitaria", lembrou Cacá. No entanto, ao saber das condições em que o filme seria realizado, Nara concordou. Um pouco da hesitação dela ficou por conta dos quilos a mais que ganhou com a gravidez de Francisco. Mas argumentou: "Se Elizabeth Taylor, bem mais gorda do que eu, está ganhando um milhão de dólares por filme, por que não posso fazer meus filmezinhos no Brasil?". Com a participação de Chico Buarque de Holanda, Maria Bethânia e do ator Hugo Carvana, entre outros, o filme foi, para Cacá Diegues, "uma brincadeira de família", pois não faltava a presença de crianças no antigo hotel Quitandinha e em outros locais onde as filmagens foram realizadas. Nara amamentava Francisco nos momentos de folga e lá estavam também a filha Isabel, as filhas de Marieta e Chico Buarque, além de Pedrinho, filho de Marta Alencar e Hugo Carvana, nascido em Paris. O imenso Ford Landau de Maria Bethânia era o local mais utilizado pelas mães para cuidarem das crianças e fazê-las dormir. Nara fez o papel de Mimi, uma cantora mineira que só pensava no passado. *Quando o carnaval chegar* foi um filme despretensioso, mas extremamente agradável. Glauber Rocha escreveu a Cacá Diegues para dizer que foi um dos melhores filmes que vira em toda a vida. O público só ficou em dúvida sobre quem se divertia mais: se ele, que pagou para isso, ou os cantores, apresentando músicas antigas e inéditas de Chico Buarque. A trilha musical do filme foi lançada num LP em que Nara cantou *Mais uma estrela* (Bonfiglio de Oliveira e Herivelto Martins) e *Soneto* (Chico Buarque de Holanda), dividiu com Maria Bethânia as interpretações de *Minha embaixada chegou* (Assis Valente) e *Formosa* (Nássara e J. Rui) e, com Bethânia e Chico, *Cantores do rádio* (Lamartine Babo, João de Barro e Alberto Ribeiro).

Nara foi uma das intérpretes do LP *Orações profanas*, da Philips, cantando *O profeta* (Paulinho Tapajós), também em 1972. O convite seguinte a Nara Leão, ainda naquele ano, partiu da TV Globo, que a escolheu para presidir a comissão julgadora da etapa brasileira do VII Festival Internacional da Canção. Ela aceitou, já que, como presidente, não precisava votar. Mesmo assim, não escondeu o seu entusiasmo com dois jovens concorrentes, Raul Seixas e Sérgio Sampaio, e ficou indignada quando a música do segundo, *Eu quero é botar meu bloco na rua*, foi desclassificada pelo júri. Aliás, o que não faltou ao festival de 1972 foi polêmica. E havia os boatos. Um deles assegurava que boa parte do júri queria dar o primeiro lugar a *Cabeça*, de Walter Franco, exatamente a concorrente mais vaiada pelo público. Outro boato garantia que a emissora queria a vitória de *Fio Maravilha*, de Jorge Ben, cantada por Maria Alcina. Mas, honra seja feita, o autor destas linhas é testemunha de que nenhum jurado recebeu qualquer tipo de pressão da emissora para votar ou deixar de votar em determinada música. Mas, que houve muita confusão, isso houve. Até a doce e magnífica cantora Alaíde Costa perdeu a calma quando lhe faltou o som no Maracanãzinho, exatamente quando cantava com o acompanhamento de Hermeto Pascoal, autor da música. Foram feitas várias tentativas mas o som não voltou. Só se ouvia a vaia do público. Alaíde e Hermeto largaram tudo e foram embora. Como a música *Eu quero é botar meu bloco na rua* foi prejudicada por fatores bem pouco musicais - quando Sérgio Sampaio cantava, uma briga na arquibancada desviou a atenção não só do público como dos membros do júri –, Nara Leão lutou muito para que a sua desclassificação fosse reconsiderada. O júri concordou com ela e o comando do festival acabou concordando também.

Estranhamente, a direção da TV Globo levou a sério o boato de que o júri iria dar o primeiro lugar à concorrente *Cabeça*. Informada por agentes do Serviço Nacional de Informações, o serviço secreto da ditadura, de que a comissão julgadora - integrada em sua quase totalidade por adversários do regime - iria votar em *Cabeça*, para que o festival terminasse num grande tumulto provocado pela fúria do público contra o resultado. Numa decisão inédita na história dos festivais, a TV Globo destituiu Nara Leão e todos os membros do júri, às vésperas da apresentação das 12 músicas finalistas, substituindo-os por representantes dos vários países convidados para a etapa internacional do festival. A emissora, porém, evitou divulgar publicamente as razões da medida. Atribuiu a um dos seus executivos, José Otávio Castro Neves, a tarefa de dizer aos jornalistas que o júri brasileiro fora substituído por um estrangeiro apenas para facilitar a exportação da nossa música para o exterior. O júri passou a ser presidido por Lee Zhito, editor da revista americana *Billboard*. Nara Leão convocou a imprensa e, ao lado do seu empresário Benil Santos, protestou contra a decisão, considerando um escândalo a mudança das regras do jogo, em cima da hora. "Me dá uma aflição essa impressão de que os estrangeiros é que vão tomar conta da casa", disse ela, acrescentando que nunca permanecera impassível na presidência do júri: "Fofoquei todas as noites mandando bilhetinhos para o Sérgio Cabral e para outros jurados, porque, se não fosse assim, não me divertia", confessou. O escritor, jornalista e psicanalista Roberto Freire, integrante do júri destituído, tentou ler um manifesto, na noite da apresentação das músicas finalistas, mas foi impedido pela segurança de subir ao palco. Venceram o festival *Fio Maravilha* e *Diálogo* (Baden Powell e Paulo César Pinheiro).

Tempos difíceis aqueles. O compositor mineiro Sirlan, finalista do festival com *Viva Zapátria*, teve as 12 músicas do seu *long-play* de estréia, na gravadora Som Livre, vetadas pela censura, que proibira, até ali, 36 músicas de

Luís Gonzaga Jr. O ministro da Justiça chegou ao ponto de proibir a venda das gravuras eróticas de Picasso, reunidas numa publicação distribuída nas bancas de jornais, por considerá-las "atentórias à moral e aos bons costumes". O dramaturgo Plínio Marcos tinha duas peças teatrais vetadas: *Navalha na carne* e *Abajur lilás*. Tentando driblar a censura, os compositores recorriam a metáforas para que os censores não entendessem o que pretendiam dizer. O problema era que, quase sempre, o público também não entendia. Caetano Veloso criou a expressão "linguagem da fresta" para definir essas letras.

Depois do festival, Nara Leão fez as honras da casa, recebendo a atriz Jeanne Moreau, que aceitara o convite de Cacá Diegues para fazer o papel principal do seu filme *Joana, a francesa*. Nara promoveu jantares em casa com a presença de artistas e intelectuais brasileiros e acompanhou-a, levando os filhos, nas filmagens, na cidade alagoana de União dos Palmares. Mas teve de voltar para o Rio com as crianças, por causa de uma forte irritação na garganta decorrente de alergia a poeira. Depois, Nara encontrou mais alguns pretextos para voltar à atividade musical. O primeiro foi a gravação da marcha *Cordão do zepelim* (Zé Rodrix, Luís Carlos Sá e Gutemberg Guarabira), que fez parte do LP *O carnaval chegou*, uma das tentativas da gravadora Philips para prestigiar a música carnavalesca. Mas ninguém cantou qualquer música do disco no carnaval de 1973. Depois, foi convidada pelo jornalista Tarso de Castro para cantar no Flag, uma casa noturna de Copacabana que funcionava quase como um clube privado e dava, por isso, a impressão de que era freqüentado diariamente pelas mesmas pessoas. Como Tarso era seu amigo e o público do Flag era formado por pessoas que conhecia pessoalmente, ela aceitou o convite do jornalista e cantou na casa durante uma semana. O show foi gravado, pois a idéia da Philips era lançar um LP ao vivo, mas problemas técnicos acabaram levando a gravadora a desistir da idéia. Apenas três músicas entrariam no disco *Palco, corpo e alma*, lançado pela Philips quatro anos depois: *Fez bobagem* (Assis Valente), *Águas de março* (Tom Jobim) e *Samba da preguiça* (Roberto e Erasmo Carlos). O terceiro pretexto para voltar à música foi o aparecimento do compositor cearense Raimundo Fagner. Ei-la novamente avalizando um jovem em início de carreira. E não se limitou a participar do primeiro LP de Fagner. Dividiu com ele o palco do teatro da Praia, em Copacabana, no show de lançamento do disco, apresentado nas duas primeiras semanas de fevereiro de 1973. No disco, que recebeu o título de *Manera Fru Fru, manera*, Nara cantou com Fagner *Pé de sonhos* (Petrúcio Maia e Brandão) e *Penas do tiê*, esta apresentada como uma música folclórica, adaptada por Fagner, mas que não era nada disso. Tratava-se da canção *Você*, de Hekel Tavares e Nair Mesquita, editada em 1928, dedicada à cantora lírica Gabriella Besansoni Lage e jamais gravada em disco até então.

Outra atividade de Nara naquele início de 1973 foi a sua participação no filme *Lira do delírio*, de Walter Lima Júnior, não como cantora mas em cenas de carnaval filmadas nas ruas de Niterói, ao lado da atriz Aneci Rocha e dos atores Cláudio Marzo e Paulo César Pereio. Cacá Diegues não gostou nada da cena em que Nara e Aneci beijaram-se na boca e a participação da cantora limitou-se àquelas cenas. Em março, com Chico Buarque de Holanda e o MPB-4, ela participou de um projeto de muita projeção na década de 1970, o Circuito Universitário. Idealizado pelo empresário Benil Santos, o projeto durou pouco mais de cinco anos e apresentou shows com Vinicius de Moraes, Toquinho, Paulinho da Viola, Milton Nascimento e vários outros. Os artistas estreavam em São Paulo, geralmente no teatro da Pontifícia Universidade Católica de São Paulo (TUCA), como foi o caso de Nara, Chico e o MPB-4, e percorriam depois as universidades do interior do Estado. Em junho, ela apresentou-se no teatro Paiol, em Curitiba, ao lado de Fagner. Em agosto, autuou num programa especial da TV Bandeirantes, com Chico Buarque, Vinicius de Moraes e Toquinho. Participou ainda de um grande evento promovido pela Philips no Palácio das Convenções, no parque Anhembi, em São Paulo, denominado "Phono 73", com a participação de todo o elenco da gravadora e que produziu três *long-plays* ao vivo. Em duas faixas, Nara cantou *Diz que fui por aí* (H. Rocha e Zé Kéti) e *Quinze anos* (Naire e Paulinho Tapajós).

Nara Leão não se dedicava apenas aos filhos pequenos e à música. Naquele ano, tornou-se sócia do C. R. Flamengo, pois pretendia jogar tênis (mais tarde, também praticou natação). E, como se não bastasse tudo isso, resolveu voltar aos bancos escolares. Querendo estudar psicologia, tratou de inscrever-se num curso de madureza da filial de Ipanema do colégio TED, que dava ao aluno a oportunidade de fazer o segundo grau em apenas um ano, conforme autorizava a lei (o chamado artigo 99). "Nessas horas, ela era mineral", classificou-a

Cacá Diegues, completando: "Era assim em qualquer compromisso que assumia. Quando resolveu jogar tênis, queria ser uma Maria Ester Bueno, tal a sua dedicação. O nível de julgamento dela para ela mesma era tão forte que isso dificultava até as relações dela com os outros. Era exageradamente exigente com ela mesma. André Midani dizia que o sonho dele era o de que todos os artistas fossem como ela. Nunca ultrapassou o prazo marcado para a gravação de um disco". Em outubro, Nara fez o exame de segundo grau no Departamento de ensino Supletivo do então Estado da Guanabara, que contou com a participação de cerca de 32 mil candidatos. Foi aprovada depois de fazer os exames de língua portuguesa e literatura brasileira, matemática, geografia, história, ciências físicas, químicas e biológicas e educação moral e cívica. No ano seguinte, fez um curso pré-vestibular, preparando-se para o concurso na Pontifícia Universidade Católica do Rio de Janeiro, que só iria fazer em janeiro de 1975.

10

A volta da cantora

Ainda não foi em 1974 que Nara Leão gravou o seu primeiro *long-play*, depois da volta de Paris. Ela nem pensava nisso. Em matéria de gravações de disco, limitou-se a dois projetos que, aliás, lhe deram grande satisfação: um compacto simples com a canção *Grandola, vila morena*, de José Afonso, que serviu de senha para a derrubada da ditadura portuguesa, a chamada Revolução dos Cravos. A *Grandola, vila morena* havia sido lançada em Portugal, antes da revolução, mas foi posta fora de circulação pela censura. Era uma homenagem à aldeia de Grandola, onde, sete anos antes, explodira uma rebelião contra a ditadura. Do outro lado do compacto simples, que recebeu o título de *A senha do novo Portugal*, a cantora gravou *Maio, maduro maio*, também de José Afonso. No outro projeto, Nara gravou seis músicas que foram distribuídas nos quatro volumes da coleção *Música Popular do Centro-Oeste/Sudeste*, uma brilhante iniciativa da gravadora Marcus Pereira, que realizava uma espécie de mapeamento musical do Brasil. A Philips raramente autorizava seus contratados a participarem de discos de outras gravadoras, mas Nara se empenhou pessoalmente para que a autorização fosse concedida. Na verdade, não havia problema, já que os discos da Marcus Pereira, na sua quase totalidade, não concorriam com as chamadas gravadoras comerciais. Marcus Pereira realizava um trabalho de caráter muito mais cultural do que comercial. Como era um idealista sonhador, viu-se, anos depois, com uma dívida avaliada em cerca de dois milhões de dólares, um dinheiro que não tinha, até porque tudo o que ganhara em sua vitoriosa carreira de publicitário, Marcus Pereira investiu na gravadora de discos. Sem condições de pagar a dívida, suicidou-se, disparando um tiro na cabeça.

A grande preocupação de Nara Leão em 1974 era a sua preparação para o vestibular da PUC. Fez o concurso e ficou em terceiro lugar. Decidida a batalha do vestibular, que tal gravar um *long-play*? Foi a inesperada pergunta de Roberto Menescal à sua vizinha. Nara respondeu que ainda não pensara em gravar um disco novo e que se afastara do meio musical. "Faz muito tempo que não converso com os compositores em busca de músicas novas", disse ela. De fato, ela não tinha música para botar no disco.

– Mas, pelo menos, você tem vontade de cantar alguma coisa? – perguntou Menescal.

– Olha – disse Nara –, ultimamente, eu só canto para os meus filhos.

– E o que é que você canta pra eles?

– Aquelas músicas que eu cantava quando a gente nem pensava em bossa nova.

– Pois são elas que você vai gravar – decidiu Roberto Menescal.

Dessa vez, foi o próprio diretor artístico da gravadora que teve a iniciativa de fazer mais um disco nada comercial de Nara Leão. Convocou Sérgio Carvalho e Paulinho Tapajós para cuidarem da produção do disco e os arranjos foram entregues a Antônio Adolfo e Luís Cláudio Ramos. A maioria das músicas selecionadas já existia antes do nascimento da cantora: *Canta, Maria* (Ary Barroso), de 1941; *Sabiá-laranjeira* (Max Bulhões e Milton de Oliveira), de 1937, *Andorinha preta* (Breno Ferreira), de 1932, e *Upa! Upa!* (Ary Barroso), de 1940. Foram selecionadas também músicas sem autoria – *Atirei o pau no gato, Prenda minha e Casinha pequenina* – e outras surgidas durante a infância de Nara: *Marcha dos gafanhotos* (Roberto Martins e Frazão), de 1947; *Menino de Braçanã* (Luís Vieira e Arnaldo Passos), de 1954; *A saudade mata a gente* (João de Barro e Antônio Almeida), de 1948, e *Fiz a cama na varanda* (Dilu Melo e Ovídio Chaves), de 1956, além de duas versões de músicas estrangeiras: *Trevo de quatro folhas* (Dixon Woods), versão de Nilo Sérgio) e *Meu primeiro amor* (H. Gimenez, versão de José Fortuna e Pinheirinho). A própria Nara se encarregou de explicar o disco, intitulado *Meu primeiro amor*, na contracapa, informando que fizera as pazes com ela mesma em *Dez anos depois* e que esse LP era a continuação do seu caminho "de volta e de reencontro". Dedicou o disco a Patrício Teixeira, João Gilberto e outros que tiveram papel importante na sua formação e, "principalmente", a seu pai e sua mãe.

Meu primeiro amor quase não deu trabalho a Nara para sua divulgação. Limitou-se a dar algumas entrevistas a jornais, a visitar poucas emissoras de rádio do Rio e de São Paulo e não programou qualquer show de lançamento. Um disco despretensioso, mas que lhe rendeu o prêmio de melhor cantora do ano, atribuído pela Associação dos Críticos de Arte de São Paulo. Foi o seu *long-play* menos procurado pelos consumidores, vendendo menos de 20 mil exemplares. Os shows também ainda eram poucos. Um deles ao lado de Vinicius de Moraes e Toquinho no Gigantinho, em Porto Alegre. Em 1975 e 1976, cuidou apenas dos filhos e da faculdade. Era uma freqüentadora assídua das aulas na PUC, onde observava aliviada que as estudantes mais jovens não a reconheciam, provavelmente porque era uma fase em que aparecia muito pouco na televisão. Roberto Menescal não a pressionava para gravar um novo disco porque conhecia bem o seu estado de espírito e sabia dos problemas dela. Iara, mulher de Menescal, era a amiga mais próxima de Nara, e sua confidente. Eram vizinhos em Ipanema e num condomínio que Ricardo Menescal, o irmão arquiteto de Roberto, criou numa pequena localidade denominada Serrinha, no alto da montanha, entre Penedo e Visconde de Mauá, no Estado do Rio de Janeiro. Lá passavam os fins de semana, cada família em sua casa, mas a verdade é que nem muro havia entre elas. Iara, Menescal e Danuza eram as únicas pessoas que sabiam que o casamento de Nara com Cacá Diegues estava chegando ao fim. O casal, aliás, continuou junto, mesmo na crise, provavelmente tentando resolver os seus problemas, antes de uma decisão mais drástica. Quando voltou do exílio, em março de 1977, Ferreira Gullar foi convidado para um jantar na casa de Nara e Cacá e não percebeu o menor sinal de crise. A lembrança mais forte que ficou daquele encontro foi o esforço do poeta para convencer o casal de que não fora torturado nem no Brasil nem na Argentina, onde se asilara. É que, dias antes do jantar, ele estivera em Cabo Frio, a convite do psicanalista Hélio Pelegrino, e, no mar, seu filho Marcos puxou-o com tanta força para dentro de um barco que Gullar bateu com o peito na borda e fraturou uma costela.

Por isso, chegou à casa de Nara e Cacá andando com dificuldade e com uma cinta no peito. A separação acabou ocorrendo civilizadamente, depois de muitas conversas entre o casal. Desse momento, Isabel e Francisco guardaram uma única lembrança: ao serem comunicados do fim do casamento dos pais, os quatro choraram copiosamente. Mas nem tudo foi tristeza, pois o quarto em que Cacá trabalhava, de acesso difícil às crianças, passou para Isabel.

Novos discos em 1977, ano em que Nara Leão parecia ter resolvido voltar a exerce a sua profissão de cantora, encerrando uma fase em que guardou seus violões no alto do armário, aonde ninguém chegaria sem o auxílio de uma escada. Gravou *Capricho*, poesia de Castro Alves com música de Francis Hime, para a trilha sonora da telenovela *O casarão*, da TV Globo. Em seguida, gravou seis faixas no disco da peça infantil *Os saltimbancos*, de Luis Enriquez, Sérgio Bardotti e Chico Buarque. Quanto ao seu disco, já pensava nele desde fins de 1976, quando, mais uma vez, conversou com Menescal sobre a sua desatualização em matéria de repertório.

– Você tem tantos amigos compositores, por que não pede uma música a cada um e canta com eles no disco? – sugeriu ele.

Nara adorou a idéia e tratou de procurar seus amigos em busca de músicas para gravar. Enquanto desenvolvia o trabalho, comemorou os 35 anos, uma idade que lhe deu o que pensar. "Se viver bastante, estou na metade da minha vida. E agora? Vou virar uma senhora? Vou ficar gorda?", eram as suas reflexões, segundo uma entrevista concedida a *O Globo*. Não havia o menor perigo de engordar. Ela era cuidadosíssima na alimentação e incapaz de ingerir bebidas alcoólicas, além de não deixar de lado a atividade física. Quando não jogava tênis, nadava ou fazia ginástica no Flamengo, caminhava seis, oito quilômetros na praia. Quanto à preparação do disco sugerido por Menescal, há um relato que ela mesma se encarregou de fazer para o *release* distribuído pela Philips:

"Encontrei Gilberto Gil em novembro de 1976 e pedi uma música. Em dezembro, recebi a resposta: a música estava pronta. Fui ao estúdio onde ele fazia seu disco e, quando vi Gil cheio de trancinhas, cheio de alegria e energia, me apavorei e me encolhi. Fiquei mais tímida do que sou, porque ele demonstrava tamanha descontração que me senti tensa. Ouvi a música e pensei: 'Não sou capaz de tamanha alegria e muito menos de gravar esta música'. E Gil Dizia:

"Olha, fiz esta música especialmente para você, mas não para a imagem que você tem". E eu tinha adorado *Sarará miolo*. 'Só mesmo o Gil seria capaz de me fazer dizer *yeah*', comentaria ela depois.

O telefone toca no estúdio: "Menescal está? É o Donato". Menescal não podia atender naquele momento. Saí correndo, pois estava louca para falar com João Donato. 'Você quer tocar comigo?' Ele chegou meia hora depois e gravamos *Amazonas*. Daí em diante, Donato não me abandonou mais e participou de quase todas as faixas. Donato é uma pessoa incrível, que me faz rir o tempo todo. Figura doce, ao mesmo tempo aguda. Com um tipo de sensibilidade que percebe tudo. Fala pouco, mas seus olhinhos vivos parecem de um bicho pequeno e lembram muito os de João Gilberto.

Caetano mandou uma fita com um recado: 'Narinha, aí vai *Odara*. Sei que é seu aniversário. Será que você vai gostar?' Adorei. Caetano canta tão bem. Foi uma delícia cantar com ele. Parecia haver uma comunicação não-verbal na escolha das músicas que me mandavam, pois era exatamente o que eu queria. Dominguinhos, que sensibilidade! Há muito tempo que eu queria gravar uma música dele e da Anastácia. A gente havia combinado, mas ainda não tinha dado certo.

Erasmo Carlos havia feito uma música para o meu show no Flag, mas o disco do show acabou não saindo. O Tremendão é uma pessoa sensível e sempre simpatizei muito com ele, desde os áureos tempos dos musicais da Record. Adoro as suas músicas e, quando ele me mostrou *Meu ego*, achei forte, tensa, de uma agressividade necessária. Agressividade que abre os olhos, que fala dos problemas de todo mundo.

Liguei para Edu Lobo: 'Você tem alguma coisa pra mim?'. Edu apareceu com uma música bonita. Gravamos, mas achei que não estava dentro do espírito que pretendia, ou seja, não seguia o ritmo que o disco tomou a partir das músicas de Gil e Caetano e da presença de João Donato. Era uma canção um pouco 'torturante', mas, como adoro o Edu, queria gravar uma coisa dele. Comprei o seu último disco e descobri *Repente*, de parceria com Capinam. Era a música síntese do disco: 'Só o ato, só a vida é mais ativa do que a morte', exatamente o que queria e precisava. A melodia simples, linda, que se prestava a uma série de brincadeiras. Sivuca está no estúdio (Tínhamos acabado de gravar a sua música com Chico) e foi sensacional. O estúdio se transformou numa verdadeira festa.

Um forró nordestino tomou conta da gente. Foi tudo muito rico e animado. Sivuca, de olhos fechados, improvisando. Gil tocando triângulo. Chico, Edu e eu animados - vejam só. A presença de Gil foi importantíssima nessa faixa. Precisávamos de alguém que puxasse o cordão da animação e conseguimos até improvisar. Pedi uma música ao Chico Buarque e ele me mandou uma parceria com Sivuca, feita sobre um tema infantil, *João e Maria.*

Falta Tom. Minhas gravações estavam sempre marcadas às segundas-feiras, dia em que eu não tinha aula. Toda segunda-feira, telefonava para Tom e o convidava, mas ele sempre tinha um dentista ou um banco. Conversávamos muito ao telefone sobre amigos, a psicanálise e algumas fofocas, mas nada de música. Enfim, ele disse que podia ir naquela segunda-feira, às sete da noite. Às oito, acabava o meu horário, mas eu havia dito a ele que podia chegar até às três da manhã que eu esperaria. Às oito, saímos da sala de gravação com uma esperançazinha de que ele aparecesse. Às oito e vinte, tocou o telefone na sala do Menescal. O Tom tinha chegado. Eu havia dito que, se o Tom aparecesse, a qualquer hora que fosse, só sairia do estúdio se chamassem a polícia. Quando ele tocou o primeiro acorde, comecei a chorar.

Menescal veio cantar comigo. A gente se lembrou de pescaria, lagosta e tartaruga. Foi muito engraçado. Cantei o tempo todo pensando na Iara e num retrato que tirei com ela e uns badejos em Cabo Frio. Ronaldo esteve na gravação e parece que ficou contente. Quando canto *Cara bonita* (Carlos Lyra), penso em Francisco e Isabel".

Como vimos, um depoimento detalhado, mas ficou faltando contar que ela lançava no Rio de Janeiro o compositor baiano Nélson Rufino, por sugestão do produtor do disco, Roberto Santana, também baiano. Nara não tinha como contrariar o argumento de Roberto: "Como é que você, que sempre lançou gente nova, vai fazer um disco só com nomes consagrados?". Foi assim que, mais uma vez, Nara enriqueceu a música popular brasileira com o lançamento de um excelente compositor. A música escolhida de Nélson Rufino foi *Nono*, a única a ser gravada sem a presença do autor, cuja participação se deu numa noite em que Nara estava em aula. Depois, a cantora colocaria sua voz, utilizando o *playback*. Só meses depois é que foi conhecê-lo pessoalmente. Em *Meus amigos são um barato,* Nara gravaria pela primeira vez uma música assinada por Ronaldo Bôscoli (em parceria com Menescal), *Flash back*.

O release da Philips foi enriquecido por depoimento dos compositores. Edu Lobo disse que Nara "é muito mais ligada no que dizem as músicas que interpreta do que propriamente no resultado que elas terão nas paradas de sucesso". Para Caetano, ela era "o maior barato dentro da música popular brasileira", enquanto Sivuca chamou a atenção para a sua "voz linda e uma personalidade marcante". Quando o disco foi lançado, a cantora Maria Bethânia mandou para ela um bilhete dizendo: "Me inclua no barato dos seus amigos".

Terminada a gravação do seu LP, a irmã Danuza levou-a às ilhas gregas, pretendendo afastá-la da crise do casamento. Só depois da separação, em setembro, é que os amigos mais próximos ficaram sabendo da existência de problemas nas relações entre Cacá e Nara, uma ardorosa defensora da sua privacidade. Além da análise, ela recolhia nos livros os instrumentos que lhe poderiam ser úteis no dia-a-dia: lia, na época, entre outros, Freud e Gramsci.

O disco *Meus amigos são um barato* abria, na realidade, uma nova fase da sua vida. Era a volta definitiva à carreira de cantora. Em setembro, aceitou o convite para participar de um show denominado *Nove e meia*, no Canecão, dirigido por Ronaldo Bôscoli e o autor destas linhas, ao lado de Rosinha de Valença, Zé Kéti e Sérgio Ricardo. Mas o espetáculo acabou não saindo por causa das obras que teriam de ser feitas no Canecão. Em outubro, o autor destas linhas dirigia o show dela com Dominguinhos na série Seis e Meia, no teatro João Caetano. Ela estava a fim de trabalhar. "Se aparecer um show por mês, eu topo", disse ela a Diana Aragão, do *Jornal do Brasil*, ressalvando, porém, que tudo deveria ser "com calma, sem baratino, devagar e sempre, sem a roda viva de anos atrás. Se puder cantar e ir à praia, estudar e cuidar dos meus filhos, continuo a cantar". Dominguinhos estava muito feliz com o show que, por sinal, rendeu casas lotadas diariamente: "Acostumado a cantar em pé de serra, em porta de calçada e na feira, chego aqui numa situação dessas, cantando com Nara Leão. Não quero mais nada".

Nara e Dominguinhos deram-se tão bem que resolveram ir além do Seis e Meia. Em janeiro de 1978, os dois estavam no teatro da Galeria, no Rio, em companhia do grupo Ritmos Nordestinos e dos Carioquinhas, um magnífico conjunto instrumental de jovens que lançava grandes músicos, entre eles os violonistas Rafael Rabelo (então com 15 anos) e Maurício Carrilho e a cavaquinhista Luciana Rabelo. A direção geral seria de Benjamim Santos, mas este entregou a tarefa a Túlio Feliciano, que estreava como diretor. Pernambucano e tendo vivido em Paris, onde aprendeu alguns dos segredos básicos da montagem de um espetáculo teatral, era amigo de Benjamim Santos, um piauiense criado em Recife, que dirigiu alguns dos melhores shows de música popular na década de 1970, no Rio de Janeiro. De volta ao Brasil, Túlio Feliciano radicou-se no Rio de Janeiro e exerceu várias atividades para assegurar a sobrevivência, entre as quais a de fotógrafo. Wellington Luís, que produziu o show no teatro da Galeria, pediu a ele para fazer as fotos da cantora para divulgação. Túlio foi à casa dela, conversaram e Nara gostou muito dele, principalmente das suas opiniões sobre show e sobre música. A conversa prosseguiu nos dias seguintes, os palpites dele eram incorporados ao show, até que Nara decidiu colocar no programa o seu nome como diretor do show. Túlio achou um exagero, pois aprendera na Europa que diretor era uma função muito especial. Por isso, pediu aos responsáveis que, em vez de direção de Túlio Feliciano, escrevessem "coordenação". Mas, todas as noites, no final do espetáculo, Nara agradecia aos aplausos dizendo: "Vocês gostaram? O roteiro é do meu diretor Túlio Feliciano". Dali em diante, a não ser um espetáculo dirigido por Flávio Rangel, todos os shows de Nara Leão tiveram a direção de Túlio.

Foi um sucesso. O show percorreu quase o Brasil inteiro e foi até o fim do ano. Nara parecia querer libertar-se do trauma do fim do casamento e se apresentava inteiramente desinibida. Ondulou o cabelo e realizou o que dizia ser um sonho: entrar no palco cantando, "como Maria Bethânia". O final carnavalesco, com frevos de Caetano Veloso e *Pombo Correio*, de Morais Moreira, era uma festa. Ela se apresentava com uma saia estampada, que subia tanto quando dançava e rodava que aparecia a sua calcinha. Tal visão indignou o velho amigo e produtor Roberto Santana, que foi ao camarim para dizer que "isso não é postura para nossa musa". No dia 31 de outubro, quando o show fazia o Projeto Pixinguinha, Rafael Rabelo foi homenageado no palco pela passagem dos seus 16 anos. Foi tudo muito bem, apesar de um curioso incidente ocorrido no Palácio das Artes, em Belo Horizonte, para onde Nara decidiu levar os filhos. Numa das apresentações, exatamente no momento em que Nara ia para a frente do palco e se apresentava sozinha, ela e o violão, o filho Francisco, então com seis anos, entrou no palco e, puxando a saia da mãe, apelou:

– Vamos embora. Você já cantou muito.

O público divertiu-se muito com a cena. Nara pediu licença e levou Francisco até os bastidores. Ele teve de ser contido por três homens, que se empenharam muito para que o menino não voltasse ao palco. "Não sei onde uma criança foi encontrar tanta força", disse Túlio Feliciano, um dos encarregados de segurar o garoto. À noite, quando Nara dormia, Isabel e Francisco travaram uma barulhenta batalha de travesseiros com os integrantes do conjunto Os Carioquinhas – quase todos adolescentes – o que levou a gerência do hotel a decidir pela expulsão deles, felizmente não concretizada. A batalha não incomodou Nara. O que a incomodou foi ser acordada e ser obrigada a conversar com os funcionários do hotel.

A crítica, quase toda, gostou do show. Segundo a *Veja*, era um espetáculo "alegre, perfeito", chamando a atenção para o fim carnavalesco, com Nara Leão cantando e dançando frevos. A severa Maria Helena Dutra, no *Jornal do Brasil*, classificou o espetáculo de "primoroso", acrescentado que receberia, "tranqüilamente, e sob qualquer tipo de júri, nota 10 em harmonia e evolução", concluindo que, no fim, empolgava e fazia o público dançar. Quem não gostou do fim carnavalesco foi Roberto M. Moura, do jornal *A Notícia*, afirmando que o show acabava "deprimentemente".

Nara estava bem. Numa gravação de programa na TV Globo, encontrou Ronaldo Bôscoli, que ficou encantado com o seu ar saudável e registrou o seu encantamento na coluna publicada na revista *Amiga*. Escreveu que ela estava "uma menina" e "em excelente estado atlético e uma disposição fora do comum". Ronaldo perguntou qual era o segredo e ela disse que todas as manhãs, "chovendo ou fazendo sol", caminhava pela praia de Ipanema. Fazia também ginástica e, no café da manhã, comia apenas frutas.

A cantora combinou com Menescal iniciar em junho a gravação do seu LP de 1978, mas, antes de entrar no estúdio, decidiu procurar um especialista para resolver um problema que atrapalhava demais o seu ofício de cantar: sofria muito com dores de garganta e rouquidão depois dos shows. Vivia usando pastilhas, fazendo gargarejos e aplicando medicamentos à base de *spray*, mas a situação continuava a mesma. Conversou com a amiga Helena Floresta de Miranda, que indicou o barítono e professor de canto Eládio Perez-Gonzalez como o profissional indicado para atendê-la. Paraguaio de nascimento, Eládio já tinha uma longa carreira de cantor lírico. Viveu na Alemanha, onde estudou canto, e apresentou-se em várias cidades européias e americanas.

No primeiro encontro, ele foi logo surpreendendo Nara Leão com uma observação ao ouvi-la cantar:

– Você sempre cantou numa freqüência grave demais. Você tem voz de soprano.

– Não é possível! Todo mundo fala da minha voz miudinha! – reagiu ela.

– É, sim. – insistiu ele – A sua natureza diz que a sua voz é de soprano e não de contralto, como você cantava até agora. Ninguém pode contrariar a natureza, porque ela acaba cobrando os seus direitos, mais cedo ou mais tarde. Há um ditado na área de fisiologia, que diz que a natureza cobra seus direitos com uma violência igual ao tempo que ela teve de esperar por eles.

– E o que eu tenho de fazer? – perguntou Nara.

– Levantar as tonalidades das músicas que você canta.

– Mas eu canto assim há vinte anos!

– Se você não mudar, terá sempre problemas com a sua voz. Vamos fazer um trabalho, que poderá ser longo e dependerá muito da sua dedicação. É um programa especial, porque sei que você trabalha muito e faz muitos shows, principalmente fora do Rio de Janeiro. Vamos fazer uma série de exercícios com a sua verdadeira voz, que é a de soprano.

Já nos primeiros exercícios, Nara reconheceu que Eládio tinha razão. Ela ia até o extremo agudo, chegando facilmente às notas de soprano. Assim, ele recomendou que, às vésperas dos shows ou das gravações de discos, cantasse as músicas programadas um tom e meio acima. No palco ou no estúdio, cantaria nos tons que sempre cantou. Ficou com ele até dois meses antes de morrer. As dores na garganta desapareceram e ela passou a encontrar muito mais facilidade na hora de cantar. Em várias entrevistas manifestou a sua gratidão a Eládio. Em outras, quando os repórteres falavam da sua voz frágil, reagia:

– Canto assim porque quero. Mas sou capaz de dar um agudo capaz de quebrar o vidro daquela janela.

Eládio não se limitou a cuidar da voz de Nara. Cuidou também das interpretações, chamando atenção principalmente para as palavras cantadas. "Você me diz coisas que eu não tinha visto até agora", confessou ela. Eládio respondia, lembrando que também era cantor. "A melodia e a harmonia podem evocar vagamente estados de alma, mas a palavra é inequívoca, ao mesmo tempo que muito ambígua. Você vai descobrir que atrás das palavras há subtextos.

E você, como intérprete, tem de trazer tudo isso à tona", ensinava Eládio, que ficava muito feliz quando lia os pronunciamentos dela considerando a letra o componente mais importante das canções que cantava. Nara acreditou nas lições dele. "Não só acreditou, como modificou muito a sua interpretação", disse ele, acrescentando: "Porque ela tinha muita força. É verdade que tinha aquela imagem amável, gentil, meiga, doce, mas, em momentos dramáticos, era capaz de ser extremamente forte. Em *Carcará*, por exemplo, ela conseguiu uma potência que nunca havia sido usada. E só conseguiu porque trabalhava todos os dias a sua voz como soprano. A parte muscular da voz ficou muito mais forte. Ela ganhou musculatura para ficar com a voz mais forte. A voz é um componente físico. Você não pode violentá-la. Se ela quisesse cantar como soprano, cantaria, por exemplo, como Olívia Byington que, aliás, também foi minha aluna. Ou como Vânia Bastos, que não foi minha aluna mas é uma cantora extraordinária". Eládio confessou que também gostava muito de Nara como cantora e como ser humano: "Uma das grandes virtudes dela era a humildade. Mas era inteligente. Muitas vezes, discordava do que eu falava".

Retomando a carreira de cantora, seu disco não poderia oferecer o que todo mundo esperava. Tinha de surpreender, como sempre. E decidiu fazer um LP apenas com músicas da dupla Roberto e Erasmo Carlos. Não foi uma decisão muito fácil. Hesitou durante cerca de três meses, temendo comentários desfavoráveis, até que resolveu definitivamente gravar o disco, não se importando com as opiniões contrárias. E, para demonstrar sua disposição, antes mesmo de selecionar as músicas, escolheu o nome do disco: *E que tudo mais vá pro inferno*. Na escolha das músicas, contou não só com a ajuda de Menescal, como da mulher dele, Iara, do seu professor Eládio e da amiga pianista Helena Floresta de Miranda, que acabaram recebendo um agradecimento especial na contracapa do disco.

Maurício Carrilho, convidado a fazer arranjos do disco e atuar como assistente de produção, não se entusiasmou com a idéia de trabalhar com as músicas de Roberto e Erasmo Carlos. Nenhuma surpresa. Maurício, excelente violinista e dedicado estudioso de música, tinha uma formação de músico de choro. Sobrinho de Altamiro e filho de Álvaro, integrante do grupo Os Carioquinhas e, em seguida, da Camerata Carioca, sempre foi um militante de choro, um tipo de música dotado de uma sofisticação que nada tinha a ver com o estilo da dupla de compositores que Nara Leão iria gravar. Naquela fase, um dos quartéis-generais da sua militância situava-se no bairro em que morava, Penha, onde um botequim, que recebera o nome de Sovaco de Cobra, recebia diariamente multidões de interessados em ouvir o choro executado por ele, Joel Nascimento, Zé da Velha, Abel Ferreira, Paulo Moura e tantos outros magníficos instrumentistas. Mas Roberto Menescal insistiu para que ele aceitasse o convite, usando, entre outros argumentos, a beleza das músicas. Mostrava cada uma delas – *Quero que vá tudo pro inferno, As curvas da estrada de Santos, Além do horizonte, Como é grande meu amor por você, Dia de chuva, Olha, Cavalgada, Proposta, Debaixo dos caracóis dos seus cabelos, A cigana, O divã* e *Se você pensa* – chamando a atenção para os momentos criativos, mas Maurício não se convenceu inteiramente. Convenceu-se pela metade, razão pela qual os arranjos do disco foram divididos entre Menescal e ele. Nara aprovou inteiramente o trabalho de Maurício. Por isso, fazia questão da sua presença num disco em que gravou com muita emoção. Em algumas faixas, fez força para não chorar. O único detalhe que a deixou em dúvida foi a capa do LP, por causa da foto de Gil Prates, e, que ela aparecia com os cabelos molhados e mordendo os lábios inferiores. Não que a foto fosse de má qualidade, mas pelas ilações que poderia proporcionar: "Não está muito sexy não?", perguntou a Menescal.

Nas várias entrevistas que concedeu, no lançamento do disco, Nara disse que estava preparada para as críticas: "Meu trabalho sempre surpreendeu. Surpreendeu quando fiz *Opinião*, quando resolvi cantar samba de morro, quando fiz bossa nova em Paris. As pessoas estão sempre reclamando, querendo imobilizar você numa determinada posição. Mas, com o disco, não abandonei nada. Agora, por exemplo, participo do show do Anhembi, comemorando os 20 anos da bossa nova, e do show em homenagem aos 70 anos de Cartola. Outro dia, fui ao Sovaco de Cobra e fiquei encantada com tudo o que ouvi lá. Uma coisa não invalida a outra".

Sentia-se feliz com o LP e com a vida, pois estava com namorado novo e se apaixonara por ele. Era Paulo Rezende Lima, o Paulo Gentileza, seu professor de estatística na PUC. No início do romance, ficou preocupada com o que iriam falar dela, tanto que chamou o amigo Ferreira Gullar para uma conversa. Gullar disse que ela era mulher livre e que poderia perfeitamente namorar quem quisesse.

Sendo assim, Nara programou um show no teatro Teresa Raquel para início de 1979, viajando em seguida por todo o Brasil, levando músicos e Paulo Gentileza. Mas uma tragédia estragou os seus planos.

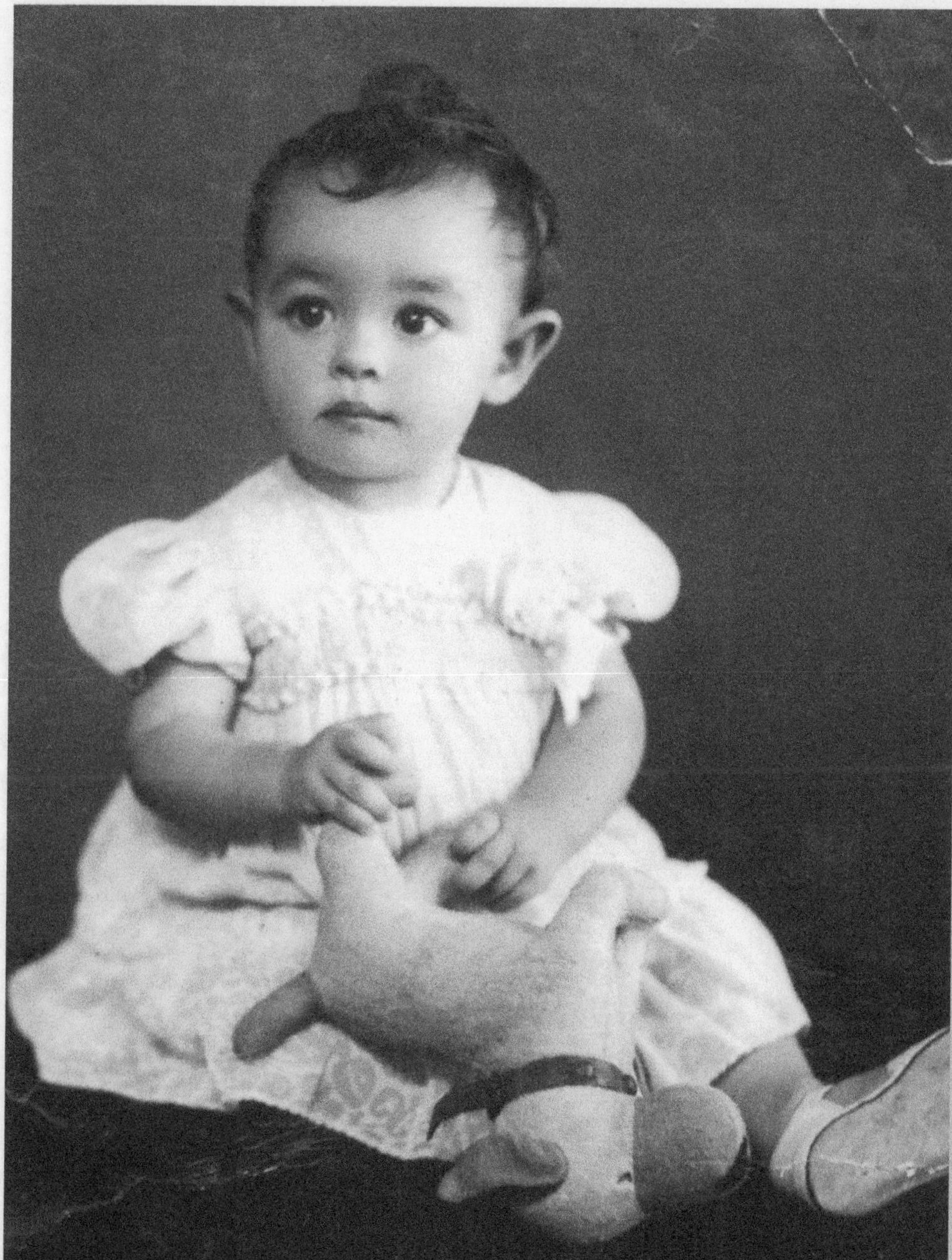

Foto de Sandra Fanzeres de imagens do arquivo do MIS (RJ)

Nara Leão nos primeiros meses de vida.

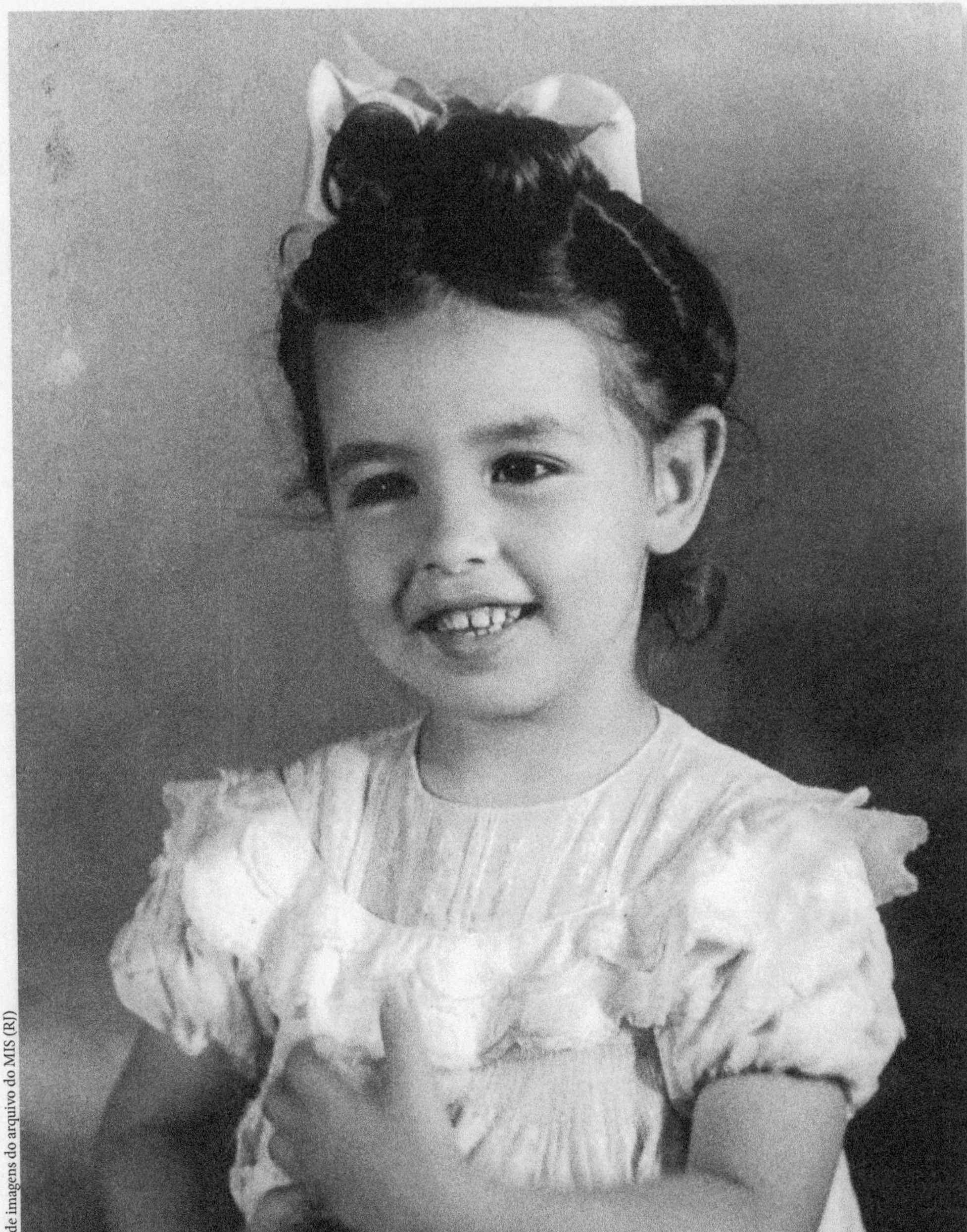

Foto de Sandra Fanzeres de imagens do arquivo do MIS (RJ)

Nara Leão aos três anos de idade.

Foto de Sandra Fanzeres de imagens do arquivo do MIS (RJ)

Nara Leão bebê com sua mãe, dona Tinoca, e sua irmã Danuza.

Foto de Sandra Fanzeres de imagens do arquivo do MIS (RJ)

Grupo escolar.

Foto de Sandra Fanzeres de imagens do arquivo do MIS (RJ)

Nara Leão em sua festa de 15 anos, dançando com o pai, Jairo Leão.

Foto de Sandra Fanzeres de imagens do arquivo do MIS (RJ)

A praia era um programa obrigatório para Nara Leão, desde os tempos da bossa nova.

Arquivo Sérgio Cabral

A descoberta de um acorde era motivo de euforia para Nara.

Foto de Sandra Fanzeres de imagens do arquivo do MIS (RJ)

Nara Leão cantando no Au Bon Gourmet, 1963.

Arquivo Sérgio Cabral

Uma pose no sofá.

Foto de Sandra Fanzeres de imagens do arquivo do MIS (RJ)

Nara Leão com Vinicius de Moraes em show no Au Bon Gourmet, no qual apresentaram onze músicas inéditas de bossa nova, 1963.

Arquivo Sérgio Cabral

Com João Gilberto.

Arquivo Sérgio Cabral

Nara e o seu violão.

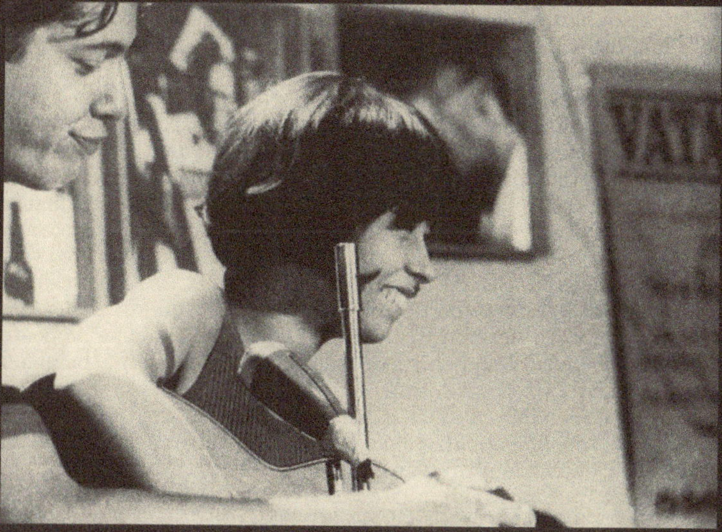

Arquivo Sérgio Cabral

Nara sob o olhar de Hermínio Belo de Carvalho.

Arquivo Sérgio Cabral

Nara Leão e Baden Powell.

Arquivo Sérgio Cabral

Elizeth Cardoso, Nara e Jairo Leão.

Arquivo Sérgio Cabral

Zé Kéti, Nara Leão e Nélson Cavaquinho.

Arquivo Sérgio Cabral

Depois de imitar Nara Leão no show do Zum Zum, Silvinha Telles recebe o abraço da amiga.

Foto de Sandra Fanzeres de imagens do arquivo do MIS (RJ)

Nara foi a primeira estrela do show Opinião *(1964); ao fundo, João do Vale.*

Foto de Sandra Fanzeres de imagens do arquivo do MIS (RJ)

Apresentação do show Opinião*: Nara Leão ao centro, Dori Caymmi (violão), João do Vale (de costas) e Zé Kéti.*

Arquivo Sérgio Cabral

O figurino usado no show Opinião *era bem simples.*

Foto de Sandra Fanzeres de imagens do arquivo do MIS (RJ)

Com Jair Rodrigues e Chico Buarque, finalistas do Festival da Música Popular Brasileira de 1966.

Foto de Sandra Fanzeres de imagens do arquivo do MIS (RJ)

Silvio Caldas e Carlos Lyra no programa Renner, TV Excelsior, 1963.

Arquivo Sérgio Cabral

Donga, Elis Regina, Jair Rodrigues, Nara Leão e Elza Soares.
Ao centro, o político mineiro Magalhães Pinto.

Arquivo Sérgio Cabral

Nara tomava banho de parafina para emagrecer.

Arquivo Rubens Gerchman

O quadro Lindonéia, Gioconda do Subúrbio, *de Rubens Gerchman, inspirou Nara a encomendar uma música a Caetano Veloso. A canção saiu no disco* Nara Leão *(1968)...*

Arquivo Rubens Gerchman

... e fez parte do disco Tropicália ou Panis et Circencis *(1968), obra máxima do movimento tropicalista. A capa deste disco, onde Nara aparece em uma fotografia nas mãos de Caetano, também é de autoria de Rubens Gerchman.*

Arquivo Sérgio Cabral

Fotógrafo procura um ângulo diferente da cantora; ao lado dela , seus parceiros de Tropicália Gilberto Gil, Caetano Veloso e Rita Lee.

Arquivo Sérgio Cabral

Nara Leão fazendo coro para Gilberto Gil ao lado de Caetano Veloso e dos Mutantes, nos tempos da Tropicália.

Foto de Sandra Fanzeres de imagens do arquivo do MIS (RJ)

Uma foto rara de Nara Leão com óculos escuros.

Foto de Sandra Fanzeres de imagens do arquivo do MIS (RJ)

Casamento de Nara Leão e Cacá Diegues, 1967.

Foto de Sandra Fanzeres de imagens do arquivo do MIS (RJ)

Nara Leão com os filhos Isabel e Francisco.

Foto: Paulo Ricardo/arquivo Sérgio Cabral

Em 1969, Nara considerava encerrada sua carreira de cantora.

Foto: Paulo Ricardo/arquivo Sérgio Cabral

Nessa época Nara só pensava em ser mãe e psicóloga.

Foto de Sandra Fanzeres de imagens do arquivo do MIS (RJ)

Mas não resistiu às tentações e voltou a cantar.

Foto: Samuel Martins

O elenco do show só de mulheres que Aloysio de Oliveira não fez, em 1988.

Foto de Sandra Fanzeres de imagens do arquivo do MIS (RJ)

Com Chico Buarque, Maria Bethânia e amigos.

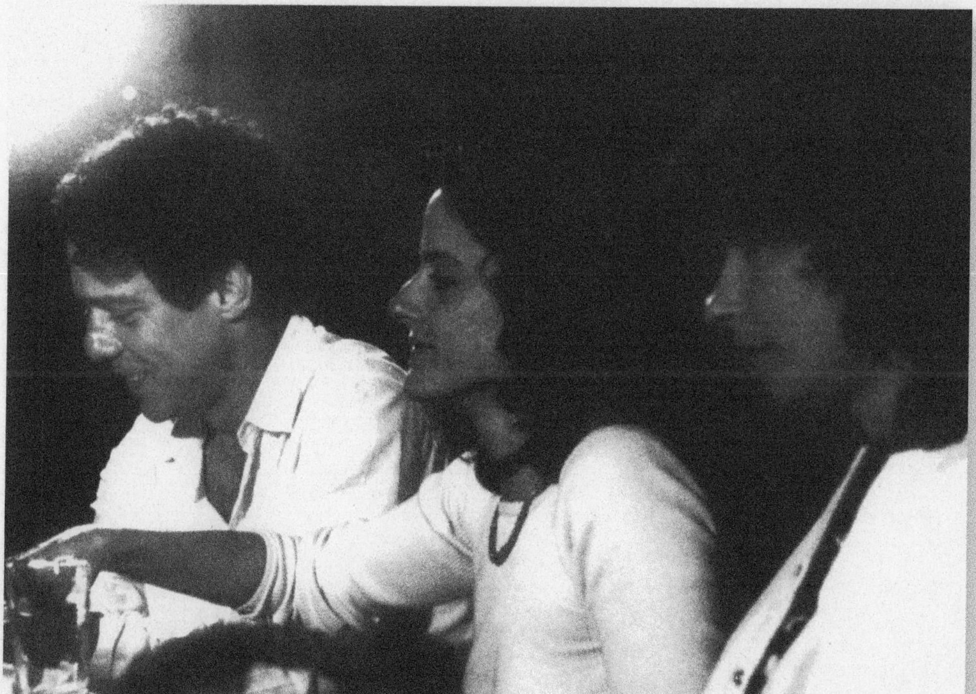
Arquivo Sérgio Cabral

Com os amigos Chico Buarque e Marieta Severo.

Arquivo Sérgio Cabral

Com Tom Jobim e Caetano Veloso.

Arquivo Sérgio Cabral

Nara com Roberto Menescal.

Arquivo Sérgio Cabral

Nara com Dominguinhos.

Capas: fotos de Sandra Fanzeres de imagens do arquivo do MIS (RJ)

Nara, *1964.*

Opinião de Nara, *1964.*

5 na Bossa, *1965.*

Manhã de liberdade, *1966.*

Nara pede passagem, *1966.*

Nara, *1967.*

Nara Leão, *1968.*

... E que tudo mais vá pro inferno, *1978.*

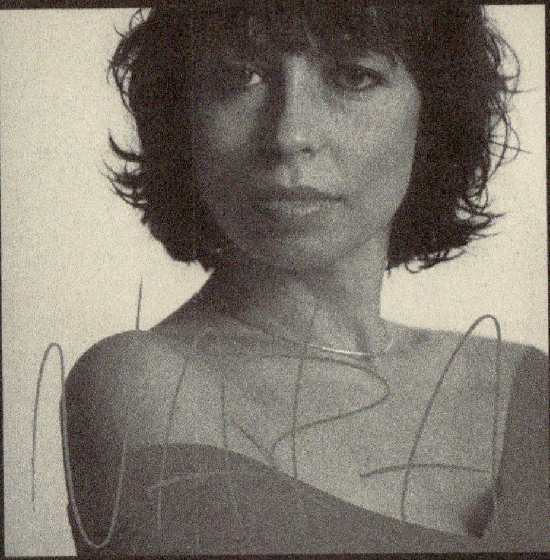

Romance popular, *1981.*

Meu samba encabulado, *1983.*

Abraços e beijinhos e carinhos sem ter fim..., *1984.*

Meus sonhos dourados, *1987.*

11

A luta pela vida

No início de 1979, num sábado, Nara Leão estava debaixo do chuveiro, em casa, quando sentiu uma forte tonteira. Tentou fixar o olhar na pia em frente, mas tudo parecia rodar. Essa foi a única lembrança que guardou daquele dia. Caiu com tal violência que Paulo Gentileza, que estava na sala, ouviu o barulho e correu para socorrê-la. Colocada na cama, ela falava frases sem sentido em inglês. Quando os filhos chegaram, perguntou em português:

– Quem são essas crianças lindas?

Precisando de ajuda, Paulo telefonou para Helena Floresta de Miranda, pedindo que ela viesse imediatamente, sem dizer o que ocorrera.

– Não posso. Estou esperando uma pessoa para jantar aqui em casa – respondeu Helena. Mas ele insistiu, sem entrar em detalhes:

– Dá um pulo aqui correndo.

Helena encontrou Nara com um ferimento no rosto e sem reconhecê-la. Falava sem parar frases desordenadas. Imediatamente, a amiga telefonou para um pronto-socorro cardiológico não porque desconfiasse de alguma coisa no coração, mas porque sabia que Nara seria atendida imediatamente. De fato, poucos minutos depois, chegou uma ambulância com um médico que, ao examiná-la, descartou, em princípio, qualquer problema cardíaco. E sugeriu levá-la ao hospital Samaritano, para que fosse atendida por um neurologista.

Helena acompanhou-a na ambulância, onde, aos poucos, Nara voltou a falar ordenadamente. Ao chegar ao hospital, já estava reconhecendo Helena.

O médico Aderbal Maia mandou fazer uma tomografia e disse ter encontrado uma "mancha" no cérebro de Nara Leão. "Provavelmente, teremos de operá-la", disse Aderbal. Sabendo que ela e Paulo não tinham condições de autorizar uma cirurgia, Helena telefonou para Jairo Leão e fez um relato de tudo o que ocorrera até então. Jairo chegou imediatamente ao hospital e telefonou para o neurologista Paulo Niemeyer. A tomografia e os demais exames não identificaram o mal que afetava Nara Leão, embora Marco Antônio Bompet, que seria namorado dela a partir de 1982, suspeite de que Paulo Niemeyer tenha confidenciado ao pai da cantora que suspeitava de um tumor num local inoperável do cérebro. Se a confidência foi feita, nunca se soube, pois Jairo nunca disse nada a ninguém. O que se sabe é que, dali em diante, ele nunca mais foi o mesmo, entrando numa depressão que iria levá-lo ao suicídio, pouco mais de dois anos depois. É provável que somente ele tivesse uma informação grave, pois, dali em diante repetiu a frase "sinto muita pena de Nara", sem explicar a razão de tal sentimento.

Na noite em que Nara foi internada, quem apareceu no hospital foi Roberto Menescal. Naqueles dias, ele estava em negociações para transferir-se da Philips para a Ariola, uma gravadora de capital alemão e espanhol, que se instalava no Brasil fazendo contratos milionários com artista brasileiros, entre os quais Chico Buarque de Holanda, em condições excepcionais. A proposta feita a Menescal e ao chefe de vendas da Philips, Heleno de Oliveira, era irrecusável. Os dois concluíram os entendimentos com a Ariola durante um encontro realizado exatamente no dia em que Nara passou mal. Menescal, que nunca foi de ingerir bebidas alcoólicas, chegou em casa tonto com as caipirinhas que bebeu, quando Iara lhe disse que Nara havia levado uma queda no banheiro e que estava em coma no Samaritano. Pegou o carro e foi para o hospital em busca de notícias. Enquanto os médicos examinavam a paciente, Menescal aguardava sentado num banco, quando o médico assistente (e amigo) de Nara sentou-se ao seu lado e parecia inconformado com o que ocorrera:

– Há coisas que a gente não entende. Nara queria ser a melhor mãe, a melhor aluna de psicologia e corria na praia como quem quisesse ganhar uma olimpíada. Afinal, para que tudo isso? – desabafou o médico, levantando-se em seguida para ver Nara Leão.

Sozinho, Menescal refletia sobre as palavras do médico e associava-as ao momento em que vivia. Pensava: "Estou bem na Philips e surge essa proposta da Ariola, onde certamente o trabalho e as preocupações serão em dobro. Pra que tudo isso?", perguntou a si mesmo, e decidiu telefonar para Heleno comunicando que desistira de mudar de gravadora. Aliviado com a decisão, estava grato à amiga: "Nara é capaz até de morrer para nos ensinar alguma coisa". Tempos depois, a Ariola entrou em crise e foi comprada pela Philips pelo preço simbólico de um dólar. Durante os dias em que esteve internada, Nara recebeu algumas visitas e manifestações de solidariedade. Uma delas partiu de Vinicius de Moraes, que mandou flores acompanhadas de um bilhete com uma citação do samba de Dorival Caymmi: "Quando você tiver de cair, caia por cima de mim, cai por cima de mim".

Em fins de 1979, Nara sentiu-se em condições de voltar ao trabalho. Não de retornar às aulas da PUC, com a sua matrícula trancada, e muito menos ao ponto de procurar os compositores para pedir músicas novas, razão pela qual partiu para o projeto que alimentava há muito tempo: um *long-play* apenas com músicas de Chico Buarque de Holanda. Roberto Menescal encarregou o músico e compositor Otávio Burnier de fazer a produção, os arranjos e a regência e Nara se encarregou do repertório. Procurando seguir os conselhos do professor Eládio, copiou todas as letras à mão, dissecando-as todas, procurando entender o mais profundo significado de cada uma, recorrendo para isso ao dicionário (a propósito, um episódio em que o poeta João Cabral de Melo Neto não foi nada diplomata – sua profissão – e delicado – como sabia ser muito bem com Nara Leão. Numa reunião social, ao ser apresentado a ela, João Cabral comentou: "Você nem deve fazer idéia dos significados das palavras que canta na letra de *Funeral de um lavrador*". Em sua infeliz manifestação, o poeta referiu-se exatamente à letra que emocionava tanto a cantora que, no início, ela não conseguia cantá-la sem chorar). As letras de Chico Buarque foram levadas para o estúdio, com palavras sublinhadas, grafadas e rodeadas de setas e anotações. Somente gravava quando se sentia inteiramente segura sobre as intenções de Chico em relação àquelas letras.

Nara procurou dar em algumas músicas uma interpretação diferente dos demais cantores das músicas de Chico. Em *Olhos nos olhos*, por exemplo, preferiu deixar de lado o "conteúdo dramático" da consagradora interpretação de Maria Bethânia. Adotou o "distanciamento crítico" recomendo por Stanislavski para os atores. Em *Samba e amor*, deu uma oitava acima, como costuma fazer Caetano Veloso e que ela achava "lindíssimo". Só considerava encerrado o trabalho de gravação de cada música depois que Chico Buarque de Holanda, presente o tempo todo no estúdio, desse a sua aprovação. O que ela mais queria era agradar ao compositor. "O disco poderia vender 500 mil cópias, mas, se Chico não gostasse, ficaria na maior fossa", dizia. E Chico não gostou da interpretação dela para *Baioque*, que achou muito "linear". Ela foi ao estúdio outra vez e só saiu quando recebeu a aprovação do compositor. O disco recebeu o título de *Com açúcar e com afeto*, nome da música que ela sugeriu que Chico compusesse e que não fez parte do LP, porque o desejo de Nara foi o de gravar o que não gravara anteriormente. *Dueto, Vence na vida quem diz sim* e *Mambembe* tiveram a interpretação da dupla Nara e Chico. Durante as gravações, ela sentiu as pernas bambas e chegou algumas vezes a desligar-se de tudo, saindo do ar.

Em fevereiro, Nara Leão, acompanhada do namorado Paulo Gentileza, compareceu ao baile de carnaval do Pão de Açúcar, que o empresário Guilherme Araújo promovia todos os anos. Chegou mascarada e divertia-se muito retirando a máscara diante dos amigos. O LP *Com açúcar e com afeto* saiu em março e, em abril, viajou para o Amazonas, com Paulo Gentileza, para dar início à divulgação do disco no Norte e no Nordeste. Com seus problemas de saúde, não foi programado qualquer show. Mesmo a divulgação pelo Brasil foi planejada de maneira que não desse muito trabalho. Nara limitou-se a dar uma entrevista coletiva em cada capital e fazer turismo. Em Manaus, participou de uma manifestação em defesa da Floresta Amazônica na Praça da Polícia e visitou o Museu do Índio e o Aviaquário Municipal Cenart. Em Belém, pediu para encerrar a entrevista porque não se sentia bem. Visitou depois Fortaleza, Recife, Aracaju e Salvador, passou alguns dias no Rio, seguindo depois para Belo Horizonte, São Paulo, Curitiba e Porto Alegre, onde, numa entrevista ao jornalista Juarez Fonseca, afirmou que "cantar é uma boa profissão, mas não é a melhor coisa do mundo. Viver é melhor". Em Curitiba, ficou tonta com as luzes da televisão e quase parou a entrevista.

Show mesmo, Nara só voltaria a fazer no início de 1981, apresentando-se no festival de Guarujá. Não foi uma boa experiência: mais uma vez, a tonteira quase a derruba no chão. Continuava sem saber qual era a sua doença. Os diagnósticos dos médicos iam dos males de caráter psicológico aos problemas neurológicos, passando por uma obstrução na válvula mitral. O fato é que as tonteiras se repetiam, e muitas vezes ela enfrentava problemas de visão que a levavam a ver estrelas. Nessas crises, ela entrava em pânico, com medo da morte, e chorava muito. Mais de uma vez, substituiu o tratamento que vinha recebendo pela homeopatia. Passava certos períodos sem sentir absolutamente nada e, quando se imaginava curada, voltavam as tonteiras, os problemas de visão e as pernas bambeavam. Ainda não dava para fazer shows.

Mas dava para estudar violão. Querendo conhecer cada vez mais o instrumento, começou a estudar com Almir Chediak, o jovem professor de alguns dos maiores violonistas brasileiros, entre os quais o grande Turíbio Santos. Nara permaneceu estudando até seus últimos dias de vida. Ela também concluiu, na época, que teria condições de gravar um novo LP. A idéia do novo disco nasceu durante uma conversa dela com o compositor e cantor Fagner. Este convocou o parceiro e amigo Fausto Nilo para dividir com eles a produção. O resultado foi um disco de sabor nitidamente nordestino. Das 12 músicas gravadas, sete tinham letras de Fausto Nilo para melodias de Fagner, Morais Moreira, Roberto de Carvalho, Stênio Vale, Nonato Luz e Fernando Falcão. Ela gravou outra vez a canção *Penas do tiê*, cuja autoria ainda era tida como desconhecida com arranjo de Fagner, e participou da elaboração da letra de *Cli-Clé-Clô*, uma homenagem aos irmãos piauienses Clodô, Climério e Clésio, tendo parceiros Fagner e Fausto Nilo. Entre os músicos convidados para participar das gravações estavam Robertinho de Recife (guitarra), Geraldinho Azevedo (autor, com Capinam, de *Moça bonita*, uma das músicas gravadas) e Fagner (ambos no violão), Osvaldinho (sanfona) e Manassés (cavaquinho e viola portuguesa). Os arranjos foram distribuídos entre Roberto Menescal, Eduardo Souto Neto, Oberdan, Lincoln Olivetti, Robertinho do Recife e Fagner. O LP recebeu o título de *Romance popular*. Embora participando da gravação, Menescal achou, inicialmente, o disco "meio esquisito", mas acabou convencido por Nara Leão de que se tratava de uma boa tentativa.

Em abril de 1981, dias depois do lançamento do disco, Nara fez três shows na boate Horse Neck, no Rio Palace, no Rio de Janeiro. Felizmente, correu tudo bem, sem tonteiras ou qualquer outro tipo de mal-estar que tanto a atormentava ultimamente. Ficou tão animada que chegou a dizer que os shows serviram para "esquentar os motores" para o espetáculo que pretendia fazer em agosto, sob direção de Flávio Rangel. Enquanto agosto não chegava, tratou de dar entrevistas. Diante da observação de uma repórter de que sua voz estava "mais solta" no disco, ela disse que aquilo se devia aos três anos de aulas com Eládio Perez Gonzalez. "Com essas aulas fiquei mais segura, aprendi técnicas que não tinha e agora sei que, mesmo com gripe ou voz rouca, posso fazer um show tranqüilamente". A propósito, numa reportagem publicada na *Revista de Domingo*, do *Jornal do Brasil*, o cantor e professor de canto Pepê Castro Neves citou Nara Leão com uma das suas alunas. Na edição seguinte, a revista publicou uma carta da cantora, em que ela afirmou que, realmente, tivera dois encontros com Pepê, de quem era muito amiga, mas fez questão de registrar que seu único professor de canto era Eládio Perez Gonzalez: "Ele trabalhou e aumentou a extensão da minha voz e me colocou em condições de cantar até resfriada", escreveu. Á jornalista Ana Maria Baiana, de *O Globo*, queixou-se da doença: "Foram dois anos penosos, vividos arduamente. O inimigo se escamoteava, fugia, permanecia misterioso, cada médico tinha uma explicação, mas nenhuma solução para as ausências, as vertigens, as dores". Já trocara de médico duas vezes. Voltou a falar da doença para *O Estado de S. Paulo*: "Estive muito perto da morte. A gente nunca pensa que vai morrer. Realmente, nunca pensei, sabe? Mas não tive medo da morte, nem fiquei religiosa. Fiquei igual". Quanto ao seu desempenho como cantora, disse que resolveu entrar "para a turma do narcisismo", por estar cansada de ouvir dizerem que tinha bom repertório, era inteligente, mas não tinha voz. "Desconfio que, para os críticos, as pessoas não podem ter dois atributos. Tônia Carrero passou a vida toda sendo chamada de mulher bonita e péssima atriz. Parecia que ser bonita e boa atriz eram coisas incompatíveis. Só agora estão vendo que ela é uma excelente atriz. Por tudo isso, resolvi brigar: canto bem, sou afinada e tenho potência. Daqui até o outro quarteirão me escutam se eu quiser." Ao comentar o disco, Tárik de Souza, do *Jornal do Brasil*, escreveu que ela era "uma das raras cantoras pensantes do país". Roberto M. Moura, do jornal *O Dia*, por sua vez, afirmou que a maturidade dela como intérprete era notória, acrescentando que sua voz "não esganiça, a interpretação é clara e segura, a gravação é limpa".

Em agosto, de fato, ela estava no palco do Tuca, em São Paulo, apresentando-se no show *Romance popular*, sob a direção de Flávio Rangel, direção musical de Paulo César Willcox, cenário de Gianni Ratto e participação dos músicos Vidal Sbrigui (sax e flauta), William Karam (bateria), Olmir Stocker (violão), Alemão (guitarra), Ivani Sabino (baixo), e a dupla Luisinho Bastos e Julius Marden Castilho (vocais). Além das músicas do disco, Nara cantou *Aquarela do Brasil* (Ary Barroso), *Carcará* (João do Vale e José Candido), *Coitelinho* (Paulinho Vanzolini) e composições de Chico Buarque de Holanda: *Deus lhe pague, Noite dos mascarados, Com açúcar e com afeto* e *Gente humilde* (parceria com Garoto e Vinicius de Moraes). Na estréia, chorou ao cantar *Gente humilde.* A crítica gostou do show. No *Jornal da Tarde*, Vladimir Soares afirmou que a cantora era "um patrimônio irreversível da música popular brasileira e, como tal, se expõe por completo no show *Romance popular*". Para Zuza Homem de Melo, de *O Estado de S. Paulo*, o show tinha "acabamento, Nara cantando bem e, como sempre se espera, o charme de uma mulher cativante".

Em janeiro de 1982, mês em que comemorou os seus 40 anos, estreou o show no salão Rio de Janeiro do hotel Rio Palace. Foi um período um tanto tumultuado, pois vendera o apartamento de Ipanema, comprara outro perto dos seus pais, na avenida Atlântica, que estava em obras e sem condições de receber a família. A troca provocou protesto dos filhos, principalmente de Francisco, que achou imperdoável a mãe escolher uma nova moradia sem consultá-los. O fato é que, pouco mais de um ano depois Nara colocou o apartamento à venda e acabou pedindo a ajuda do pai para conversar com os candidatos a compradores. É que, entre os pretendentes, havia um que aparecia sempre acompanhado de indivíduos mal encarados. Jairo Leão viu logo tratar-se do banqueiro do jogo do bicho Raul Capitão. O imóvel acabou indo para outro candidato e, com o dinheiro da venda, adquiriu um apartamento na avenida Atlântica, 416, no Leme, não sem antes submetê-lo à aprovação dos filhos.

O problema da moradia de Nara e crianças, em janeiro de 1982, foi resolvido pela Philips, agora chamada Polygram, que patrocinou hospedagem no anexo do Copacabana Palace, onde Isabel e Francisco a surpreenderam com um bolo de chocolate no dia do seu aniversário. Na temporada carioca do show *Romance popular*, que durou seis dias, Nara substituiu os músicos que atuaram com ela em São Paulo. No Rio trabalharam com ela Ricardo Marasciulo (baixo), Élcio Cáfaro (bateria), Paulo Menezes (percussão), Ricardo Pontes (sax e flauta), Alberto Rosemblit (piano) e Julinho e Paulinho (vocais). A cantora também fez algumas alterações no repertório. Entre as novidades, *Alegria alegria*, de Caetano Veloso. Outra mudança ocorreu na letra de *Moça bonita* (Geraldinho Azevedo e Capinam). Nara não se sentiu à vontade exaltando a beleza de uma mulher (a música é uma homenagem à então mulher de Geraldinho Azevedo, Sílvia Regina, realmente muito bonita) e pediu a Capinam para adaptar a letra para o novo título que criou para a música: *Moço bonito*. O dramaturgo Flávio Marinho, na época crítico de *O Globo*, viu o show e fez uma só restrição: os vocalistas eram perfeitamente dispensáveis. Considerou o espetáculo "extremamente afinado e bem-acabado" e o roteiro de Flávio Rangel "muito inteligente". Quanto à cantora, escreveu que ela merecia "toda a nossa simpatia e respeito porque não só se respeita, como respeita o QI do público, num espetáculo de impecável dignidade".

O disco *Romance popular*, muito bem executado nas emissoras de rádio, não foi, porém, um sucesso de vendas: saíram 28 mil exemplares, bem menos do que *Meus amigos são um barato* e *E que tudo mais vá pro inferno*, ambos com cerca de 70 mil discos vendidos, e *Com açúcar e com afeto*, cujas vendas chegaram a 45 mil.

Em maio de 1982, Nara Leão pediu a Roberto Menescal que convidasse João Gilberto para participar do seu novo disco, que começaria a ser gravado naqueles dias. João aceitou o convite, ressalvando que seu cachê era de 60 mil dólares, na época, quantia equivalente a 10 milhões de cruzeiros. Como o orçamento da Polygram reservava apenas 2 mil dólares para o cantor, nada feito, para a tristeza de Nara, que estava certa de que iria cantar com ele. Afinal, os dois se davam muito bem (conversavam muito pelo telefone) e, além disso, o disco teria a participação de um grande amigo de João Gilberto, o compositor e pianista João Donato. Mas a Polygram também fez jogo duro e os entendimentos não foram levados adiante. Sem condições de dirigir automóveis, por causa da doença, ia de ônibus – o chamado frescão, com ar condicionado – para a Barra da Tijuca, onde estavam instalados os estúdios da gravadora.

Nos dias de gravação, ela pegava o ônibus e João Donato ficava mais adiante esperando a passagem dele para irem juntos para a gravadora.

Durante a gravação do disco, Nara Leão participou de um programa na TV Globo, inteiramente dedicado à vida e à obra do compositor João do Vale e magnificamente dirigido por Augusto César Vanucci. Além de cantar, prestou um emocionado depoimento sobre o compositor. Tão emocionado que acabou chorando. Terminada a gravação do disco, dois acontecimentos ocuparam a cantora no segundo semestre de 1982: o festival MPB Shell, promovido pela TV Globo, e as eleições em que pela primeira vez em 16 anos, os governadores seriam escolhidos diretamente pelo povo. Pelo menos para governador, acabaram as eleições indiretas. No festival, Nara cantou *Maravilha curativa*, de Miltinho e Kledir Ramil, música contemplada com vaias do público ao ser anunciada a sua classificação para as finais. "Ficou bem claro que não sou uma pessoa acomodada. Poderia bancar a intocável, pois já ganhei um festival com *A banda*. Mas não morri. Continuo viva", disse ela aos jornalistas, confessando-se encantada com *Maravilha curativa* que, aliás, terminava assim: "Se perguntarem por mim/Diz que morri, mas vou bem". A cantora enfrentou novas vaias na apresentação das músicas finalistas, e a que cantava acabou ficando fora das premiações. Quanto às eleições, no Rio de Janeiro, as correntes de oposição ao regime militar dividiram-se em três partidos: Partido do Movimento Democrático Brasileiro (PMDB), Partido Democrático Trabalhista (PDT) e Partido dos Trabalhadores (PT). Nara optou pelo PMDB, como Chico Buarque de Holanda, e participou de alguns eventos promovidos pelo partido, começando por um show destinado a levantar recursos para a campanha de Arthur da Távola, candidato a senador, quando cantou *A banda* acompanhada de um coro de mais de duas mil pessoas. Depois, gravou um depoimento para a televisão em favor do candidato do partido ao governo, Miro Teixeira. Participou também da campanha de outros candidatos do PMDB a governador, como Marcos Freire, em Pernambuco, e Gerson Camata, no Espírito Santo.

Não se sentia derrotada pela doença, como demonstrou na entrevista à jornalista Ana Maria Baiana: "Eu me sinto renascida, jovem. Compreendo que a vida tem muitas possibilidades, muitas formas, e quero todas elas, sem excluir nenhuma. Quero fazer tudo que sei ser capaz de fazer. Podia ficar em casa repousando das glórias do passado. Mas, para mim, isso seria morrer. A acomodação é a morte. O movimento, a mudança e o trabalho são a vida". O teatro Casa Grande reservara duas semanas de setembro para o show que ela pretendia fazer, aproveitando o lançamento do seu novo disco. Sua intenção era misturar as músicas do disco gravado em maio com as outras dos seus discos anteriores. Ouviu tudo o que havia gravado e ficou impressionada: "Só tem coisa boa, é impressionante. Como gravei música bonita, Meu Deus! Eu não tinha a menor noção. Está até difícil escolher músicas", disse ela a Ana Maria Baiana.

Nasci para bailar, nome de uma música de João Donato e Paulo André, deu título ao LP de Nara Leão. A criação dessa música é uma das muitas histórias que povoam o folclore em torno de João Donato, um dos personagens mais fascinantes e mais divertidos da música popular brasileira. Precisando de dinheiro, João e Paulo André procuraram o editor de suas músicas, que quis saber se eles tinham alguma música nova para a editora, pois só poderia liberar o dinheiro na forma de adiantamento. Para a surpresa se Paulo André, Donato disse que eles haviam acabado de compor uma música.

– Qual o nome da música? – perguntou o editor, preparando o recibo de adiantamento.

– *Nasci para bailar* – inventou o compositor.

Ele e Paulo André saíram dali direto para o piano para criar um dos maiores sucessos de Nara Leão nos anos 80, *Nasci para bailar*.

A produção e os arranjos foram entregues a Antônio Adolfo, mas duas músicas tiveram João Donato como arranjador: *Nasci para bailar* e *Gaiolas abertas*, esta também dele em parceria com Martinho da Vila. Homenageando o amigo Sidney Miller, morto dois anos antes, Nara regravou *Pede passagem*. Também gravou *Luz do sol*, canção de Caetano para o filme *Índia, a filha do sol*, de Fábio Barreto, além de *Manto negro* (Élton Medeiros), *Tô com o diabo no corpo* (Sivuca e Paulinho Tapajós), *Questão de tempo* (Kleiton Ramil), *Caso do acaso* (David Tygel), *Supõe* e *Imagina só* (ambas do cubano Silvio Rodríguez com versões de Chico Buarque de Holanda), *Penar* (Antônio Adolfo e Paulinho Tapajós) e *A primeira sentença* (Túlio Mourão).

Quanto às eleições, marcadas para 15 de novembro, Nara dava mostras de querer desembarcar da campanha de Miro Teixeira. Aos amigos confidenciava que estava arrependida de ter gravado na televisão seu apoio ao candidato do PMDB. Em outubro, participou de uma reunião na casa de Chico Buarque de Holanda exatamente para debater o tema. Chico estava impressionado com o sucesso de Leonel Brizola, o candidato que, nas primeiras pesquisas, não passava de 4% na preferência dos eleitores. Estiveram presentes à reunião simpatizantes das candidaturas de Miro e Brizola, entre eles Hugo Carvana, Clara Nunes, Aldir Blanc, Guguta Brandão e Rafael de Almeida Magalhães, este candidato a senador. Danuza Leão, que também estava lá, já se decidira pela candidatura Brizola. Chico abriu a reunião cobrando dos peemedebistas: "Gostaria de saber o que está acontecendo. Vocês me disseram que Brizola não tinha a menor chance de ganhar a eleição. O que aconteceu?", perguntou ele, confessando-se também constrangido por ser cobrado por desconhecidos na rua: "Quanto você levou para fazer a campanha de Miro?" A reunião terminou sem que os participantes tomassem qualquer decisão. Limitaram-se a defender suas posições, e os eleitores que resolvessem quem estava com a razão.

Amiga dos irmãos gaúchos Kleiton e Kledir, Nara aceitou o convite deles para participar de um disco produzido especialmente para o Rio Grande do Sul, apresentando 12 músicas com letras de José Fogaça, o mesmo que, anos depois, seria eleito senador. Nara cantou *Hei de voltar pro Sul* (Kleidir Ramil e Fogaça). Participou também de duas faixas do disco infantil *Viagem encantada*, cantando *Pra mode chatear* (Antonio Carlos Jobim) e a marchinha carnavalesca *Tem gato na tuba* (João de Barro e Alberto Ribeiro), com arranjos de Ari Sperling.

No dia 11 de novembro, ela deveria estar em Salvador para apresentar-se num show no teatro Castro Alves, ao lado de Miúcha e João do Vale, mas uma nova crise – voltaram as tonteiras e os problemas de visão – a impediu de viajar. O teatro devolveu o dinheiro dos ingressos. No dia 14, véspera da eleição, sentindo-se melhor, foi ao teatro, no Rio, em companhia da produtora Ivone Virgillis, mas não viu a peça inteira porque faltou luz e a direção da casa, como o Castro Alves, devolveu o dinheiro dos ingressos aos espectadores. Sendo assim, as duas foram para a churrascaria Plataforma – ela, evidentemente, para comer apenas uma salada. Chegando ao restaurante, encontrou o amigo Eduardo Ataíde, o produtor do LP infantil *Viagem encantada*. Eduardo estava acompanhado de três amigos, um deles o oficial da marinha e oceanógrafo Marco Antônio Bompet, com quem Nara teria um caso de amor que duraria até o fim de sua vida.

12

Os homens de Nara

Um dia antes das eleições de 1982, o assunto na mesa da churrascaria Plataforma só poderia ser política. Nara confessou a Marco Antônio Bompet que ainda tinha dúvidas, pois se dividia entre a vontade de votar em Leonel Brizola e os argumentos dos amigos em defesa de Miro Teixeira, cuja candidatura, segundo eles, tinha um caráter de oposição ao regime militar bem mais consistente do que a do candidato do PDT. Bompet disse a ela que não nutria lá essas simpatias por Brizola, mas achava que, naquele momento, era ele quem representava melhor a indignação popular contra o regime.

Despediram-se, trocaram os números dos respectivos telefones e, no dia seguinte, à noite, Bompet telefonou para saber qual fora o voto dela.

– Votei no Brizola no último minuto do segundo tempo, às cinco horas da tarde, quase na hora de fechar a seção eleitoral – respondeu Nara. Naquela noite, os dois jantaram no restaurante Hansl, de comida austríaca, na Joatinga.

Na época Bompet fazia mestrado de geologia marinha na Universidade Federal do Rio Grande do Sul, morava em Porto Alegre e fora ao Rio para votar. No dia seguinte ao da eleição, viajou de volta para o Sul.

Nara Leão, por sua vez, permaneceu no Rio de Janeiro, cuidando do show *Nasci para bailar*, cuja estréia estava marcada para o dia 7 de dezembro, no teatro da Lagoa. A temporada era de três semanas, durante as quais a cantora teria no palco a companhia de dois integrantes do conjunto Camerata Carioca (Maurício Carrilho no violão e nos arranjos, Joel Nascimento no bandolim, Joaquim Santos no violão, Luís Otávio Braga no violão de sete cordas, Henrique Cazes no cavaquinho e Beto Cazes na percussão), grupo formado depois do desaparecimento dos Carioquinhas. Também participavam do show Dazinho na flauta, no saxofone e no clarinete, além de Bira no pandeiro, Sereno no tantã e Jorge no repique, todos do bloco carnavalesco Cacique de Ramos. Roteiro e direção de Túlio Feliciano. Nara novamente divertia-se muito no palco, chegando a dançar com Bira do Cacique uma mistura de músicas cubanas.

Quem apareceu na estréia foi Marco Antônio Bompet, que estava no Rio para fazer um treinamento de preparação, com vista à primeira expedição brasileira à Antártida, para a qual fora selecionado pela Comissão Interministerial para os Recursos do Mar (CIRM), responsável pelo programa antártico brasileiro, como assessor para as áreas de cartografia e geologia marinha. Com o teatro superlotado (muita gente em pé e sentada no chão), Marco Antônio assistiu apenas uma parte do espetáculo, mas permaneceu até o fim no bar para cumprimentar Nara Leão após o show. No encontro, ele falou da viagem e ela ficou muito interessada em saber coisas da Antártida.

Três semanas de casa cheia e boas críticas na imprensa. Maria Helena Dutra, do *Jornal do Brasil*, usou o *slogan* da Escola de Samba Acadêmicos do Salgueiro, a sua favorita, para definir Nara Leão: "Não é melhor nem pior do que as outras cantoras profissionais deste país, mas sempre é, e muito, diferente de todas". Dulce Tupi, da revista *Visão*, considerou o show um dos melhores do ano e que Nara era "a maravilha de sempre". Até Ronaldo Bôscoli manifestou-se, afirmando, na sua coluna na *Última Hora*, que Nara provava em seu show que, "nesse deserto de valores", ela "continuava a ser um pródigo oásis". Como sempre fazia, a cantora mesclou as músicas do seu último disco com várias outras do seu antigo repertório. A Camerata Carioca também foi muito aplaudida, apresentado choros do seu repertório, além da *Fuga número 1*, de Leo Brouwer, e *Fugata*, de Astor Piazzolla. Para que não se pense que tudo correu perfeitamente durante a temporada, houve uma noite em que Nara, no palco, ouviu o choro do filho Francisco, que se encontrava nos bastidores. Acabou de cantar, recebeu as palmas e dirigiu-se ao público:

– Vocês me desculpem, mas daqui a pouco eu volto – e saiu por alguns minutos.

Terminada a temporada no Rio, o show foi apresentado em várias cidades brasileiras, sempre com as casas cheias. *Nasci para bailar* só não teve uma aprovação unânime porque a Polygram detestou o espetáculo. É que ele tinha muito pouco a ver com o disco, não só a escolha das músicas como na própria sonoridade. Os arranjos de Antônio Adolfo para o disco, com instrumentos de sopro, foram adaptados por Maurício Carrilho para o som tipo regional da Camerata Carioca.

Na véspera do Natal, o jornal *El Clarín*, de Buenos Aires, publicou um anúncio de página inteira em que personalidades brasileiras exigiam do governo argentino "o fim dos seqüestros e detenções ilegais de pessoas" e que "apareçam com vida os detidos e desaparecidos", entre os quais cidadãos brasileiros, como o pianista Tenório Júnior, desaparecido para sempre depois de preso pela polícia argentina. Assinaram o documento os governadores eleitos Franco Montoro e Tancredo Neves, o vice-governador Darcy Ribeiro, o senador Fernando Henrique Cardoso, o arcebispo de São Paulo Dom Paulo Evaristo Arns, o arquiteto Oscar Niemeyer, os jogadores de futebol Sócrates, Vladimir e Casagrande (os líderes da chamada democracia corintiana), os compositores Chico Buarque de Holanda e Milton Nascimento, a cantora Nara Leão e outros.

No início de 1983, mais uma participação de Nara em defesa dos direitos humanos: ela, Chico Buarque, Fagner e cerca de quatro mil pessoas reuniram-se na Cinelândia, no Rio de Janeiro, em um ato de desagravo ao cantor português Sérgio Godinho, detido pela polícia federal no aeroporto do Galeão, encarcerado por quase dois meses. A acusação contra ele era de ter entrado ilegalmente no país. Nara fez também muitos programas de televisão, repetiu o show *Nasci para bailar* na série Seis e Meia, na época no teatro Carlos Gomes, e apresentou-se em várias cidades brasileiras, entre elas São Paulo, no shopping center Eldorado; Niterói, no teatro Leopoldo Fróes; Salvador, no teatro Castro Alves; Natal, no teatro Alberto Maranhão; e Fortaleza, no teatro José de Alencar, sendo que, nas três últimas cidades, ela e a Camerata Carioca cumpriam o roteiro do projeto Pixinguinha, uma iniciativa da Funarte que, por quase dez anos, levou a música popular e os seus grandes artistas a todas as capitais brasileiras.

Antes do show em Niterói, Nara telefonou para Marco Antônio Bompet pedindo que levasse Francisco em seu carro para o teatro Leopoldo Fróes. Apesar de ter de participar, naquele mesmo horário, de uma sessão do Congresso Brasileiro de Cartografia, na Universidade do Estado do Rio de Janeiro (UERJ), ele preferiu atender ao pedido. Depois do espetáculo, Nara entregou Francisco a Ivone de Virgillis e seguiu com Marco Antônio para o hotel Sheraton, onde ela faria um show para uma multinacional. Despediram-se na porta do hotel e ele foi para casa levando uma estante de partitura musical que ela deixara de propósito conforme ela conformaria depois. No dia seguinte, Nara telefonou para falar da estante e acabaram marcando um jantar para a noite de sábado, no restaurante do hotel Ouro Verde, na Avenida Atlântica. Tornaram-se namorados naquela noite. Tempos depois, ela fez o show em Brasília e Marco Antônio acompanhou-a, assim como em Goiânia, onde a cantora apresentou-se acompanhada apenas do seu violão.

Depois de participar da primeira expedição brasileira à Antártida, Marco Antônio Bompet concluiu o mestrado e retornou ao Rio. Foi realmente um caso de amor, mas ela, por via das dúvidas, alguns meses depois, levou um texto manuscrito dele, para ser analisado por Almir Chediak, especialista também em grafologia. O resultado foi extremamente favorável ao namorado: "Caráter muito bem formado. Intuição bastante acentuada. Valoriza mais o lado intelectual que material. Divide muito bem o tempo. Seguro. Sociabilidade boa. Adaptação ótima. Não tem necessidade de auto-afirmação. Pessoa cordata, mas de personalidade. Inteligente, criativo" e mais uma porção de adjetivos exaltando as qualidades de Marco Antônio. Ao entregar-lhe o resultado, Nara definiu-o como "simplesmente, o máximo". Tempos depois, ela confessaria a Chediak que ele acertara "em cheio" em relação às qualidades de Marco Antônio. Ela também, teve a sua letra analisada. Foi considerada "tremendamente criativa, com uma boa dose de repressão em quase tudo que faz, mas se soltando um pouco". Almir Chediak mencionou "traumas de infância" e classificou-a de "contraditória, porque radical e cordata". Era também uma pessoa "com muita garra. Quando vê um obstáculo, passa por ele, a não ser quando a cuca não está muito boa".

Marco Antônio ficou sabendo, logo no início do namoro, dos problemas de saúde da namorada, que via "estrelinhas", tinha enxaqueca e nenhum médico identificava a sua doença. Mas ela não se abatia e não abria mão dos seus compromissos profissionais. Naquela mesma fase, por sinal, as gravadoras brasileiras enfrentavam uma grave crise, decorrente da política econômica recessiva adotada pelo ministro da Fazenda, Delfim Neto. A conseqüência foi a demissão em massa de artistas contratados. A Polygram elaborou a sua lista de demissões e, ao apresentá-la numa reunião dos chefes de departamentos, provocou um susto no diretor artístico, Roberto Menescal: Nara Leão também seria desligada, juntamente com artistas importantes como Ivan Lins, Emílio Santiago (estes, por sinal, entrariam nas suas melhores fases como vendedores de discos nas novas gravadoras), Fátima Guedes e Ângela Rô Rô. Menescal reagiu:

– Dispensar a Nara por quê? Ela está incomodando? Está pedindo para gravar? Está exigindo algum dinheiro da companhia? Então, é melhor deixá-la por aqui.

A Polygram concordou. Menescal cuidou não só da renovação do contrato, como indicou um funcionário da Polygram, Miguel Bacelar, para atuar como uma espécie de secretário dela. Miguel foi autorizado por Menescal a ausentar-se da gravadora sempre que Nara Leão precisasse dos seus serviços. Começou ali uma relação muito importante para ela até o fim da vida. Ele cuidava de tudo: da conta bancária, da compra e venda de automóveis, qualquer dificuldade era Miguel Bacelar que resolvia. Mais tarde, Miguel saiu da Polygram e trabalhou durante algum tempo com Gilberto Gil e, depois, desempregado, foi socorrido por Nara, que arranjou um emprego para ele na produção de um programa de TV produzido por Roberto de Oliveira, marido de sua sobrinha Pinky Wainer. Quando o programa acabou, Nara, rompida com a sua empresária, convidou Miguel para ser seu empresário.

– Querer eu quero, mas desconheço essa atividade. Nunca trabalhei nisso – respondeu Miguel.

O convite foi confirmado assim mesmo e, no dia seguinte, Nara tinha um show em Belo Horizonte com Paulinho da Viola. Miguel levou-a ao aeroporto e, na volta, ele foi buscá-la no aeroporto para levá-la para casa. Quando chegaram à porta do apartamento, ela abriu a bolsa, tirou um dinheiro e deu a ele:

– Esta é a sua comissão de empresário pelo meu show: 20% do meu cachê.

– O que é isso? Eu não fiz nada! – espantou-se ele, acrescentando que apenas dera uma carona a uma amiga da casa para o aeroporto e do aeroporto para casa.

– A gente havia acertado que você seria meu empresário. Faço questão de pagar os seus 20% – disse ela, decidida.

Começou ali uma relação que, sem dúvida, fez de Nara uma pessoa mais feliz nos seus últimos anos de vida. Aliás, três homens foram fundamentais para que Nara enfrentasse todas as dificuldades provocadas pela doença: Roberto Menescal, Miguel Bacelar e Marco Antônio Bompet, sendo este, segundo Cacá Diegues, um "presente divino, um companheiro que todo mundo quer ter. Ele cuidou dela de maneira exemplar". As relações de Bompet com Nara tinham em seu favor o interesse dele pela música, particularmente pela bossa nova (era amigo de Tom Jobim), e o fato de ele tocar violão muito bem. Entre os apoios muito importantes recebidos pela cantora naqueles anos, não pode ser esquecido também o que foi dado pelas suas amigas Helena Floresta de Miranda e Marieta Severo.

Uma boa oportunidade para fazer o disco que vinha planejando com o pessoal da Camerata Carioca, na base do samba com pitadas de choro, surgiu quando Menescal comunicou, em abril de 1983, que chegara o momento de gravar mais um LP. Lançado em fins de julho, o disco recebeu o título de *Meu samba encabulado*, expressão retirada da letra do samba *Quatorze anos*, de Paulinho da Viola, segunda faixa do lado A do disco. Na revista *Isto É*, Rosângela Petra escreveu que, no LP, Nara "juntou pandeiro, surdo e coração". Na *Veja*, Joaquim Ferreira dos Santos não fez por menos: "o disco é uma delícia, mais uma peça que se junta à boa fornada de sambas lançados este ano". Zuza Homem de Melo, de *O Estado de S.Paulo*, também não poupou elogios: "Disco estupendo, que lava a alma da gente, confirmando que a poeira levantada pelos pretensiosos 'músicos dos anos 90' terá muito chão pela frente para durar até lá. Bem antes disso, os tamborins estarão falando mais alto". No *Jornal da Tarde*, Maria Amélia Rocha Lopes destacou "a simplicidade e a originalidade" e chamou a atenção para "uma belíssima unidade" do disco "costurada no canto seguro de Nara". Quem também se manifestou foi o ex-namorado Ronaldo Bôscoli: "O fato é que Nara está no auge da sua carreira", escreveu ele, depois de confessar que era "extremamente difícil, penoso mesmo, falar aqui apenas de Nara Leão cantora", apesar de considerar que o relacionamento entre eles, ultimamente, "descomplicou-se sensivelmente".

Meu samba encabulado, de fato, teve tudo para manter o prestígio da discografia de Nara. Ela canta músicas excelentes como *Relembrando* (Luís Carlos da Vila), *Fundo azul* (Nélson Sargento), *Como será o ano 2000* (Padeirinho), *De mal pra pior* (Pixinguinha e Hermínio Belo de Carvalho) e várias outras, incluindo obras de compositores não considerados sambistas, como Johnny Alf (*Eu e a brisa*, um número instrumental tocado por Paulo Moura) e Radamés Gnattali (*Pé de moleque*, também uma faixa instrumental com a Camerata Carioca). Não pode faltar, é claro, o samba que deu nome ao disco, *Quatorze anos* (Paulinho da Viola). Além dos integrantes da Camerata, participaram do disco Paulo Moura (sax e clarineta), Chiquinho (acordeom) e os ritmistas Bira, Ubirani e Joviano, do bloco carnavalesco Cacique de Ramos.

O lançamento do disco começou pela participação de Nara e da Camerata Carioca no Projeto Pixinguinha. A estréia do show ocorreu na sala Sidney Miller, na sede da Funarte no Rio de Janeiro, indo depois para Niterói (teatro Leopoldo Fróes), Fortaleza (teatro José de Alencar), Natal (teatro Alberto Maranhão), Recife (teatro do Parque), Salvador (teatro Castro Alves) e terminou em Brasília (sala Funarte). Quase sempre, Nara e os músicos foram obrigados a fazer duas apresentações por dia, tal a procura de ingressos. Segundo as estatísticas da Funarte, foi o show de maior público de toda a história do Projeto Pixinguinha. De volta ao Rio, a cantora fez um lançamento especial no Clube do Samba, a memorável iniciativa do cantor e compositor João Nogueira. Compareceu ao lançamento do livro *De banda pra lua*, de Aloysio de Oliveira, no Canecão, onde foi uma das atrações de um show que contou com a presença de Antonio Carlos Jobim, Dorival Caymmi, João de Barro, Edu Lobo, João Bosco, Lúcio Alves, Carlos Lyra e Luís Carlos Vinhas. Nara chegou ao Canecão em companhia de Marco Antônio Bompet, um detalhe que surpreendeu Ronaldo Bôscoli, com quem se encontraram:

– Vocês estão juntos? – perguntou Ronaldo.

– Vocês se conhecem? – agora Nara Leão perguntando, dando oportunidade a Marco Antônio para encerrar o bate-papo:

– Muito, das mesas da Plataforma.

Foi uma festa maravilhosa, mas não terminou bem para Nara Leão. Antes da entrada dela em cena para cantar, Luís Carlos Mièle, o apresentador do espetáculo, exibiu o seu violão, dizendo tratar-se do "violão da bossa nova", pois era utilizado pelos participantes das reuniões pioneiras que, por uma razão ou por outra, não levavam o seu instrumento. Nara sempre salvava a situação, pois jamais se esquecera de levar o seu. E lembrou que tocaram naquele instrumento personalidades como João Gilberto, Tom Jobim, Carlos Lyra, Roberto Menescal, Normando Santos, Dori Caymmi e outros. Em seguida, anunciou a entrada de Nara. Terminado o show, por sugestão de Tom Jobim, foram todos para a Plataforma. Enquanto jantavam, alguém conseguiu abrir o carro de Marco Antônio e roubou o violão que acompanhava Nara há mais de vinte anos e que foi tocado por tantos nomes importantes da bossa nova. Uma preciosidade.

Dias depois, em São Paulo, para onde fora divulgar o seu disco, a Di Giorgio, fabricante de violões, ofereceu outro instrumento a ela, do mesmo modelo do violão roubado, que já estava fora de linha, mas a indústria produziu um especialmente para ela. Além de lançar o disco, Nara apresentou-se em Jacareí para cerca de quatro mil pessoas e foi ver o show de João Gilberto no Palace. Apresentou-se depois em Porto Alegre, na boate Alambique, e em João Pessoa, no Esporte Clube Cabo Branco. Por falar em João Gilberto, ele foi vítima do humor de Tom Jobim em seus longos e divertidos bate-papos nas mesas da churrascaria Plataforma. É que, quase na mesma época, foram roubados os violões de Nara, Tom e Dorival Caymmi. Dizia tom Jobim, com ar de quem falava sério: "Já tenho um suspeito para esses roubos misteriosos. Isso só pode ser coisa do João Gilberto. Ele quer roubar todos os violões do país para ninguém mais tocar. Só ele".

De volta ao Rio, participou de mais uma tentativa da Polygram de salvar a música carnavalesca, com a gravação do LP *Carnaval liberou geral*, produzido por Roberto Santana e com a participação de vários cantores, entre os quais Jair Rodrigues, Lucinha Lins, Emílio Santiago e o conjunto Céu da Boca. Coube a Nara a música, sem dúvida, de nome mais complicado: *Cineangiocoronariografia* (Pedro Caetano, Alcir Pires Vermelho e Manuel Baña). Maurício Kubrusly, então crítico de música popular da *Folha de S. Paulo*, espinafrou o disco, elogiando apenas as faixas entregues a Eduardo Dussek e a Nara Leão ("Chame os veteranos e vai na mosca", aconselhou). No fim do ano, Nara embarcou para uma viagem à Espanha e à França com Marco Antônio Bompet, que tinha um compromisso profissional em Tenerife, nas Ilhas Canárias, entrando em férias em seguida. Ela divertia-se muito contando um episódio caseiro, que precedeu a viagem. É que Francisco fazia questão de participar da viagem, até que Isabel, com 13 anos de idade e com a maturidade que as meninas geralmente adquirem bem antes dos meninos, sepultou os seus planos:

– Esse menino não se enxerga, querendo estragar a lua-de-mel da minha mãe!

De fato, foi uma lua-de-mel. Na Espanha, o casal percorreu de carro as cidades de Almagro, Jaén, Granada, Sierra Nevada, Córdoba, Sevilha e Madri. No dia 31 de dezembro, em Paris, os dois decidiram comemorar o *reveillon* no restaurante *Chez André*, localizado próximo ao hotel em que estavam hospedados e para lá se dirigiram sem fazer reservas. Por sorte deles, o *maitre* informou que ainda havia uma mesa disponível num dos dois salões do restaurante. Quando chegaram na tal mesa, descobriram felizes que, ao lado dela, estava instalados a jornalista Marília Gabriela e seu marido. Em Paris, Nara reviu também sua amiga Violeta Arraes e seu marido Pierre. Voltaram a Madri e, ciceroneados pelo diplomata Antenor Bogéa, visitaram as cidades próximas da capital, como Toledo, Ávila, Aranjuez, Pedraza e outras. Durante a viagem, Nara sentiu-se mal duas vezes, durante poucos segundos. A primeira no quarto do hotel em Madri e a segunda, depois de uma visita ao Museu do Prado, onde permaneceu um longo tempo, talvez exagerado para o seu estado de saúde, contemplando, principalmente, a obra do pintor El Grecco.

Na volta ao Brasil, havia a perspectiva de um show produzido pelo empresário Manuel Poladian no Rio de Janeiro, no teatro do BNH (que, em constantes atos falhos, ela chamava de "teatro do FMI"), cujo nome mudaria em seguida para teatro Nélson Rodrigues. O show teria o título de "Com açúcar e com afeto", por sugestão de Poladian, já que estava assegurado o patrocínio do açúcar União. O empresário reuniu-se várias vezes com Nara e Miguel Bacelar, "prometendo mundos e fundos", segundo Miguel, mas, de um dia para o outro, sumiu de circulação. Não atendeu a qualquer um dos inúmeros telefonemas dirigidos a ele durante vários dias. Quando, finalmente, foi encontrado, confessou que o projeto fracassara. Sem condições de bancar uma produção envolvendo muita gente, Nara abriu mão da Camerata Carioca, convocou Túlio Feliciano para a direção e resolveu fazer o show sozinha, ela e o violão, com o nome de "Meu samba encabulado". "Sei cantar e tocar violão. Qual é o risco?", defendia-se perante os amigos que a advertiam para o perigo que assumia. Na verdade, estava estimulada pelo exemplo do cantor e compositor João Bosco, que fazia muito sucesso nos shows em que se apresentava sozinho, com o violão. E, para provar que era capaz de atrair o público sem utilizar-se de recursos extramusicais, ela encomendou ao figurinista Daniel Maia um traje – calça e blusa de seda pérola – que escondia os seus admiráveis joelhos. No roteiro de Túlio Feliciano, as músicas gravadas por Nara durante a sua carreira foram divididas em temas e reunidas em vários blocos, ficando de fora, por isso, mais da metade das músicas gravadas no seu último disco. Mas o momento de que mais gostava era aquele em que, sentada na escada à beira do palco, bebia uma água de coco e conversava com a platéia. Túlio Feliciano criou o quadro, mas deixou-a inteiramente à vontade para escolher os temas da conversa. Era divertidíssimo. Ela escolhia geralmente uma mulher para saber se tinha filhos, marido e o que achava deles. De repente, Nara estava revelando detalhes da sua própria família, como se estivesse conversando com velhos amigos. Era o momento em que colocava todo o seu bom humor para fora, falando coisas que arrancavam gargalhadas da platéia. "Eu me sinto a própria Derci Gonçalves", comentava ela com Túlio Feliciano, acrescentando que começava a considerar-se melhor cômica do que cantora. Na sua crítica ao show, intitulada "A caminho da perfeição", Diana Aragão, do *Jornal do Brasil*, classificou-o como "um recital da melhor qualidade".

Terminada a temporada, Nara apresentou o show em outras cidades, mas, no dia 16 de fevereiro de 1984, estava no Rio de Janeiro para participar da passeata da igreja da Candelária à Cinelândia em defesa das eleições diretas para a presidência da República. Depois da passeata, compareceu ao Circo Voador, que promovia um baile carnavalesco intitulado *Mamãe, eu quero votar*. Dias depois, pretendia viajar para Vitória, onde apresentaria o show *Meu samba encabulado* na boate Smoke Island, mas o suicídio do seu pai obrigou-a a cancelar a viagem. Nunca se soube o que levara Jairo Leão a ato de tanto desespero, mas o fato é que perdera aquele exuberante humor desde o início da doença da filha.

O programa *Nara Leão 84*, dirigido por Cláudio Petraglia para a TV Bandeirantes e apresentado em março, foi importante para recuperá-la do trauma causado pela morte do pai e marcou também a sua volta ao trabalho que, aliás, durante algum tempo, limitou-se a aparições na televisão. Nara viu-se durante o programa cercada de amigos (o clima foi de "patota": Miguel Bacelar atuou como repórter) e só não contou coma presença dos filhos porque eles se consideravam já bem grandinhos para participar do coro infantil que acompanhou a cantora em *Pra mode chatear*, de Tom Jobim.

Em abril, Nara participou do programa *Bar Academia*, na TV Manchete, dedicado a Erasmo Carlos, e deu início à gravação do seu disco de 1984. Teria sido o seu trabalho mais surpreendente se Roberto Menescal aceitasse a sua sugestão de um LP exclusivamente com músicas indígenas. Discutiram muito até que ela concordou em, mais uma vez, voltar às suas origens, ou seja, à bossa nova. Não só concordou como, em poucos dias, estava entusiasmada pela idéia. César Camargo Mariano foi escolhido para fazer os arranjos do disco, que tinha apenas uma música inédita, *Lá vem você* (João Donato e Lysias Ênio). As demais faixas foram ocupadas por clássicos da bossa nova, como *Este seu olhar*, *Wave* (ambas de Tom Jobim), *Você e eu* (Carlos Lyra e Vinicius de Moraes), *Por causa de você* (Tom Jobim e Dolores Duran) e outras, incluindo uma música de Bororó, *Sublime tortura*, que Jobim ensinara a Marco Antônio Bompet e este ensinou a Nara. Além do namorado, a cantora contou também com a ajuda de João Gilberto, para quem telefonava diariamente para falar do repertório e da melhor maneira de interpretar cada música. João chegou a sugerir que os dois gravassem juntos *Noite dos mascarados*, de Chico Buarque de Holanda, e chegaram a ensaiar pelo telefone, ele no violão, dando a idéia de como a bela marcha-rancho deveria ser apresentada. Infelizmente, os planos não foram adiante. O LP, que recebeu o título de *Abraços e beijinhos e carinhos sem ter fim*, foi considerado pelo importante crítico Aramis Millarch, do *Estado do Paraná*, o disco do ano, por ser "perfeito, maravilhoso, emocionante". Nara só não gostou da omissão da Polygram, deixando de colocar o nome de César Camargo Mariano seja como arranjador seja como pianista. Ela telefonou para ele pedindo desculpas, mas César sabia muito bem que a cantora não tinha a menor culpa.

Em julho, a cantora recebeu um convite irrecusável: participar do Projeto Vianinha, comemorando os dez anos de criação do Centro Cultural de São Paulo. O nome de Vianinha, o amigo, criador do *Opinião* e militante político que conquistou tantos adeptos para a sua luta contra as injustiças sociais, comovia a cantora. Comovia tanto que chegou a ter medo de chorar no palco. "Mas sou artista e artista tem de disfarçar", disse ela quando se viu cercada de jornalistas durante os ensaios. "Detesto dar entrevistas, mas, como estou aqui, sirvam-se", completou. No fim de setembro, Nara fez uma rápida viagem à Colômbia, apresentando-se durante três dias no teatro Arias Pérez, na região de Colsubsidio, em Bogotá, e fazendo um show em praça pública, a pedido da prefeitura local. Na volta, cantou em Salvador, na Adega dos Orixás; em São Luís, no hotel Quatro Rodas, e em Brasília, no Grog, uma casa noturna instalada no Lago Sul, sempre sozinha, ela e seu violão.

Nara conversou com o diretor Túlio Feliciano e acertaram a realização de uma temporada de duas semanas na boate People, no Leblon, a partir da última semana de fevereiro de 1985. Ela e o violão. Elaboraram um roteiro em que foi incluído o clássico *There will never be another you* (Harry Warren e Mack Gordon), que conhecia desde a gravação de Chet Baker, cuja letra, manuscrita por ela, redescobrira num caderno do tempo de adolescente com as canções de que mais gostava na época. Foi decidido também que cantaria *Vai passar* (Francis Hime e Chico Buarque de Holanda), mas a letra tinha que ser consultada toda noite num papel colado no chão. O próprio Chico encarregou-se de passar para ela a harmonia do samba. Foi mais um sucesso de Nara Leão, sem qualquer manifestação da doença durante as apresentações. É verdade que, numa noite, ela se esqueceu da harmonia de *Garota de Ipanema*, mas resolveu tudo com bom humor, conversando com o público: "Há quase trinta anos canto esta música. Pode isso?". O conceituado crítico de música popular Mauro Dias, na época escrevendo para *O Globo*, adorou o show: "Na mesa ao lado", escreveu, "comenta-se: 'ela só canta coisas antológicas'. Menos verdade. Ela é a antologia. Nara capitalizou a bossa nova e, sem ares de dona (o que seria conversa de novo-rico), lança mão do estilo como coisa sua. Que não deixa de ser. Uma vez rainha, todos sabem". O interesse do público foi tanto que Nara se viu obrigada a esticar a temporada por mais uma semana.

Após as apresentações no People, o compromisso foi a gravação de *Um cantinho, um violão*, um LP que ela queria fazer apenas com voz e violão e que fora motivo de longas conversas com Roberto Menescal. É que ela o queria tocando violão.

– Não dá Nara. Não toco violão há quinze anos – exagerou.

– Se você não tocar, faço outro disco. Seria uma pena – insistiu ela.

– Quer saber de uma coisa? Nem violão tenho mais.

– Você toca no meu, ué! – argumentou Nara, acrescentando que ele precisava reassumir a sua condição de músico, até para amenizar o stress provocado pelas atividades de diretor artístico da gravadora. Finalmente convencido, Menescal acertou com ela dois ensaios por semana, no fim da tarde, depois do trabalho na Polygram.

Quando entraram no estúdio, sabiam exatamente como interpretar cada música. Em poucos dias, o disco estava gravado, apesar de, pelo menos duas vezes, Nara ter-se desligado do que fazia. Pacientemente, Menescal esperava ela se recuperar e reiniciavam a gravação. Nos dias de folga que se seguiram, a cantora participou, com a fina-flor da música popular brasileira, da gravação de *Chega de mágoa*, uma canção feita por Gilberto Gil, Caetano Veloso, Chico Buarque de Holanda e Fagner. A renda resultante da venda do disco seria destinada aos flagelados da seca do Nordeste. Uma iniciativa semelhante à dos artistas americanos e ingleses, que se reuniram para gravar *We are the world*, em benefício do povo da Etiópia, que também enfrentava a fome por causa da seca.

Um cantinho, um violão foi lançado em maio, durante um coquetel na boate Alô Alô em que Nara e Menescal foram entrevistados para a televisão francesa. Foi mais um disco bem recebido. O crítico Roberto M. Moura, da *Última Hora*, chamou a atenção para a voz da cantora, que soava "mais amadurecida do que nunca". Como sempre, o repertório era de primeira qualidade. Na primeira faixa do lado A, a gravação de uma música inédita em disco: *O negócio é amar* (Carlos Lyra e Dolores Duran). Tratava-se de uma letra deixada por Dolores e que permaneceu em poder da cantora Marisa Gata Mansa, até que ela decidiu entregá-la ao poeta Hermínio Belo de Carvalho para receber melodia. Carlos Lyra, convidado por Hermínio para ser o parceiro de Dolores, não só concordou como lançou a música num show. Na platéia, Nara tratou de levar *O negócio é amar* para o disco, mas, no momento da gravação, modificou a letra que lhe havia sido entregue por Carlinhos, substituindo a palavra *porrada* por *pancada*. É provável que, com tal providência, tenha recuperado integralmente a letra original, pois nem Dolores Duran – que, por sinal, não tinha a menor preocupação com o palavreado quando estava entre amigos – nem qualquer compositor da sua época teriam coragem de escrever a palavra *porrada* em suas músicas. Se escrevessem, a letra certamente seria cortada pela censura, como ocorreria muitos anos depois todas as vezes que o jornal *Pasquim* tentou publicá-la.Carlinhos Lyra, provavelmente, sentiu-se encorajado em utilizar uma palavra mais forte do que *pancada* porque a letra lhe foi entregue exatamente no momento em que o ministro da Justiça do governo José Sarney, deputado Fernando Lira, acabara definitivamente com a censura do país. Mas Nara ainda não tinha coragem de cantar *porrada*. Quanto ao disco, apesar do título sugerir um LP de bossa nova, apresentou canções de vários estilos, reunindo músicas antigas como *Da cor do pecado* (Bororó) e *Resignação* (Geraldo Pereira e Arnô Provenzano) até inéditas *Vestígio* (Marcos e Paulo Sérgio Valle) e *Blusão* (Menescal e Xico Chaves), passando por *Sabor a mi* (Álvaro Carrillo) e *There will never be another you* (Harry Warren e Mack Gordon).

Ainda em maio, Nara recebeu dois convites para apresentar-se no exterior. O primeiro para fazer oito shows em Portugal, ela e o violão apenas. O outro convite veio da Polygram do Japão, em parceria com a revista *Latina*, por causa do trabalho com a Camerata Carioca e do disco *Um cantinho, um violão*, que fora muito bem recebido pelos japoneses. Para atender a este convite, a cantora fez uma exigência: que Roberto Menescal, seu companheiro de disco, viajasse com ela.

– Preciso que vocês se entendam com a Polygram do Brasil, já que ele é o diretor artístico da gravadora e não sei se a diretoria permitirá que ele se ausente tanto tempo para acompanhar uma cantora – foi a advertência de Nara aos japoneses.

Dias depois, o presidente da Polygram no Brasil, o holandês Van Dijik, comunicou a Menescal que a empresa lhe concedia 15 dias de férias para ele desfrutar o Japão. Se é que fazer 10 shows em 15 dias, no outro lado do mundo, pode ser considerado férias.

Primeiramente, Nara e Miguel Bacelar embarcaram para Portugal. Na chegada a Lisboa, ela foi homenageada com um jantar no restaurante Pintado de Fresco e contemplada com um recital de fados interpretados pelo compositor e cantor Carlos Mendes. A sua estréia, porém, na discoteca Riomar, instalada na praia Vieira de Leira, teve de ser transferida porque um problema de garganta a deixou quase sem voz. Miguel pediu desculpas e assegurou ao público que Nara voltaria à casa, sem cobrar qualquer tipo de cachê. A própria cantora usou o microfone para mostrar ao público o estado em que se encontrava a sua garganta. Naquela noite, ela, que não era de ingerir bebidas alcoólicas, bebeu várias doses de conhaque, na esperança de obter alguma melhora. No dia seguinte procurou um otorrinolaringologista, que lhe receitou um medicamento a base de cortisona.

Nara recusou, alegando que aquilo poderia engordá-la, mas o médico assegurou que uma injeção apenas não iria lhe acrescentar um grama sequer. Sua maior preocupação era o show marcado para dois dias depois, na Praça dos Touros, no Porto. Tentando poupar-se, cancelou uma entrevista coletiva que iria conceder na cidade, para a tristeza de dezenas de jornalistas desejosos de conversar com ela. O estádio ficou lotado e ela continuou sem voz. Nara não encontrou outra solução que não fosse dublar o seu disco *Abraços e beijinhos e carinhos sem ter fim*. Miguel Bacelar ficou impressionado com o comportamento do público, que aplaudia como se fosse ela mesma que estivesse cantando, embora o som dos vários instrumentos do disco denunciassem que não era apenas o violão que acompanhava a cantora. Sua garganta só melhorou no show seguinte, na discoteca Skylab, em Lisboa, que lhe valeu elogios de um comentarista do *Diário de Lisboa*, para quem ela era "uma excepcional senhora da canção brasileira". O jornal previu também que "sua história se prolongará, como lenda viva, dentro do próprio memorial musical dos nossos tempos". Nara cantou depois em São João da Madeira, Vieira de Leiria, Cartaxo, Costa de Caparica, Figueira da Foz e novamente em Porto e Lisboa. Boa parte do público era atraída pela história da cantora e, sem dúvida, pelo fato de integrar a trilha sonora da telenovela *A sucessora*, que fazia muito sucesso em Portugal, cantando *João e Maria*, de Sivuca e Chico Buarque de Holanda. A apresentação na Aula Magna da Reitoria da Universidade de Lisboa reuniu uma platéia superior a 3.500 pessoas. O jornal *A Bola* convocou o público para o show assinalando que Nara Leão era "a mais apaixonante e a mais apaixonável cantora do Brasil". Outro espetáculo de muito sucesso ocorreu no Porto, no teatro Rivioli. O jornalista João Quaresma, do *Jornal de Notícias*, assim descreveu o show: "O teatro Rivioli foi pequeno. Muitos agüentaram de pé, pois os lugares escassearam. Parece até que a voz de Nara Leão apurou com a idade! Não será demais afirmar que a cantora, que também é uma boa executante de viola, deu uma nova vida a essa bossa nova já velhinha de 25 anos. [...] Nos mais de 25 temas tocados nessa noite inesquecível, Nara trouxe ao Porto o seu recital intimista, com palavras pelo meio, algumas pequenas histórias e aquele bate-papo bem característico das gentes brasileiras" (O jornalista não viu – e, se viu, recusou-se a tocar no assunto – que Nara sofrera um daqueles brancos durante a apresentação). Os empresários portugueses pediram a ela que fizesse dois show extras, mas a cantora observou que assumira o compromisso de apresentar-se no Olympia, em Paris. Os empresários concordaram em transferir a data. Em carta a Marco Antônio Bompet, ela se queixou da intensidade da programação, envolvendo jantares com duração de três a quatro horas, e "comemoraçõezinhas" que iam até alta madrugada. Mencionou uma viagem de carro prevista para ter três horas de duração, mas que durou, na verdade, oito horas. Ela cantou no Olympia para um público de franceses e brasileiros (Maria Bethânia estava na platéia) e voltou a Portugal, de onde saiu para o Brasil. A sua marca de antiestrela foi reavivada em Paris. Hospedada num hotel das proximidades do Olympia – mas não tão próximo – dirigiu-se ao teatro a pé, em companhia de Miguel Bacelar, com a roupa do show e carregando o violão. Deve ter sido a primeira vez na história daquela tradicional sala de música em que a estrela da noite chegou a pé e carregando o seu instrumento.

Após duas semanas no Rio de Janeiro, Nara e Miguel, acompanhados de Menescal e dos integrantes da Camerata Carioca, embarcaram para Tóquio. A Camerata participou das primeiras apresentações, entre elas um show realizado no pavilhão brasieliro da Exposição Internacional Científica de Tsukuba. Depois, Nara e Menescal percorreram as cidades de Tóquio, Isse, Numata, Nagoya e Sendai. Adoraram o Japão, desde a chegada, quando foram recebidos por um grupo de japoneses falando português. O clima de confraternização era permanente. No fim dos shows, com Nara Leão cantando *Vai passar*, o palco geralmente era invadido por japoneses tocando pandeiro, tamborim etc., promovendo uma animadíssima batucada. Numa dessas apresentações, apareceu um fã com 22 LPs de Nara Leão. Trêmulo de nervosismo, revelou que aprendera português por causa daqueles discos e pediu à cantora que os autografasse. Depois, confessou que era o japonês que enviava pelo menos duas cartas por mês à Polygram, dirigidas a ela. Outro admirador viajou oito horas para mostrar "um samba bossa nova" que compusera e, depois de beijar a mão dela, chorou e foi embora. Num dos shows, ela esqueceu a letra de *Aquarela do Brasil* (Ary Barroso) e foi socorrida por um espectador, que carregava um caderno cheio de letras de músicas brasileiras, entre elas, *Aquarela do Brasil*.

Embora não faltasse trabalho no Japão – era um show atrás do outro em cidades diferentes –, apareceu mais um compromisso: a gravação do primeiro CD – o então chamado *compact disc* – de um artista brasileiro. Os japoneses da Polygram queriam que Nara Leão e Roberto Menescal gravassem um disco inteiramente dedicado à bossa nova, com a participação de instrumentistas japoneses e do percussionista Beto Cazes, que excursionava pelo Japão com a Camerata Carioca.

Para Menescal, foi um sacrifício imenso, porque já estava com a viagem de volta marcada para poucos dias depois e ainda teria de escrever os arranjos de cada música. Para Nara Leão, foi um sacrifício maior ainda, porque ela se sentia muito cansada e sofreu, pelo menos, duas ausências no estúdio. A doença, aliás, se manifestou várias vezes durante a viagem. Num dos shows, iniciava a interpretação de *Corcovado*, parou e começou a dizer coisas sem o menor sentido. Depois, calou-se por um longo tempo – que Menescal estimou em 30 segundos – e, como se não estivesse entendendo o que estava acontecendo perguntou:

– O que é?

– Estamos tocando, Nara. Estamos num show.

– E onde nós estamos?

– No Japão, Nara.

– No Japão? Fazendo o quê?

– Um show, Nara.

Depois de um rápido silêncio, ela pareceu compreender o que se passava:

– Qual é a próxima música?

– *Corcovado*.

13

A tristeza das células

Roberto Menescal retornou ao Brasil e Nara Leão, livre dos compromissos profissionais, convenceu Miguel Bacelar a permanecer mais alguns dias com ela no Japão para fazer turismo. "Vamos gastar aqui o mesmo dinheiro que ganhamos", sugeriu ela. Os dois adoraram tudo o que viram. Com a ajuda do monge budista brasileiro Gustavo Alberto Correia Pinto, conheceram não só o templo em que ele atuava, instalado no alto de uma montanha, como foram levados por ele a outros templos. Os rituais e os cânticos proporcionaram a Nara uma agradável sensação de paz e tranqüilidade

Na volta, foi decidida uma visita de uma semana aos Estados Unidos, para que ela superasse os problemas decorrentes da diferença de fuso horário. Nara aproveitou para fazer um show na boate de Ricardo Amaral, em Nova York, e para passear pela cidade com Miguel, Astrud Gilberto e Danuza, que já se encontrava nos Estados Unidos. No Brasil, voltou às atividades de sempre, percorrendo o país, sempre acompanhada de Roberto Menescal que, a essa altura, já decidira abandonar o trabalho de executivo de gravadora e reassumir a condição de músico. Os dois apresentaram-se em Porto Alegre (Le Club), no Rio (Alô Alô), Brasília (Grog) etc.

Em novembro, o clínico Caio Vilela, que também era médico de dona Tinoca, tomou uma providência que, estranhamente, nenhum dos neurologistas consultados até então havia adotado, pelo menos desde 1979, depois da queda no banheiro: sugeriu ao neurologista Pedro Sampaio que examinasse Nara Leão a partir de uma tomografia. Ao tomar conhecimento do resultado, o neurologista convocou Miguel Bacelar e Marco Antônio para comunicar que o problema de Nara era extremamente grave: havia um tumor muito grande em seu cérebro. "Do tamanho de um maracujá", comparou.

– É maligno? – quis saber Marco Antônio.

– Somente poderemos saber com a biópsia, mas está com jeito de maligno. Parece uma neoplasia originária de células do parênquima cerebral, ou seja, um glioma, que quase sempre é maligno.

– Qual a sua previsão em matéria de tempo de vida para ela?

– No máximo, seis meses – respondeu o médico. Marco Antônio quis saber desde quando ele sabia da gravidade da doença.

– A partir do dia em que ela se tornou minha paciente – informou.

– O senhor comunicou isso a alguém da família?

– Sim, ao pai. Procurei poupar a mãe por causa da idade avançada.

Miguel deu a notícia ao clínico Caio Vilela, que pediu absoluto sigilo, que não falassem com ninguém, nem com a família dela. Ele e Marco Antônio telefonaram para Danuza e marcaram um encontro no bar do Leme Palace Hotel. Missão difícil para os dois, particularmente para Miguel que, meses antes, tivera a incumbência de comunicar a Danuza que seu filho Samuca Wainer morrera num acidente automobilístico na Região dos Lagos, no Estado do Rio. Danuza trabalhava na Riotur, onde sua atribuição principal, no mês de março, era de cuidar do circo da Fórmula 1, na época realizado no autódromo de Jacarepaguá. Já que estavam às vésperas de mais uma corrida, a irmã de Nara propôs uma consulta ao neurocirurgião da Federação Internacional de Automobilismo, que acompanhava todas as provas. A consulta foi feita, mas o médico desculpou-se, dizendo que sua especialidade era relacionada aos traumas. Mas, ao examinar o resultado da tomografia, não teve a menor dúvida de considerar o caso gravíssimo. Chegou a dizer: "Essa pessoa não pode estar andando. Para falar a verdade, nem pode estar viva". No encontro no Leme Palace, Danuza sugeriu a Miguel Bacelar um telefonema ao psicanalista de Nara, Eduardo Luciser, para colocá-lo a par da situação. Miguel até que tentou, mas Luciser cortou a conversa, dizendo que tudo o que queria saber da sua cliente teria de ser dito por ela mesma, e não por outra pessoa.

Dias depois, Miguel e Marco Antônio levaram Nara Leão para uma conversa no Iate Clube do Rio de Janeiro, quando a convenceram a mudar de neurologista.

– Que bom! Vocês estão pensando em mim! – disse Nara, com um sorriso feliz.

Durante a conversa, não se falou em tumor. Por sugestão de Danuza, o neurologista escolhido para cuidar da cantora foi José Carlos Lynch, que recomendou um exame a ser feito num hospital da Tijuca, durante o qual os médicos teriam de valer-se de uma sonda para recolher as informações mais próximas da exatidão. Miguel Bacelar aproveitou um momento em que se viu a sós com o Dr. Lynch para perguntar se o exame implicaria risco de vida. O médico disse que sim, estimando esse risco em 0,25%, mas observou que o exame teria de ser feito. E perguntou a Miguel se, como responsável pela paciente, autorizava a realização do exame, cujo nome, ironicamente, já havia sido cantado por Nara Leão: cineangiocoronariografia.

– Posso até ter sido irresponsável, mas decidi que era melhor que eu ficasse preocupado sozinho do que espalhar a preocupação por outras pessoas – disse Miguel Bacelar, em depoimento ao autor destas linhas.

Mas não conseguiu conter o choro ao ouvir o médico dizer que o exame estava concluído e que não havia mais risco. Quando Nara saiu da sala, ele, já com os olhos secos, falou do risco de vida e dos momentos de angústia que enfrentou:

– Graças a Deus, o exame foi feito. Tudo o que for preciso para acabar com isso deve ser feito – disse ela, dando, em seguida, a sentença tranqüilizadora:

– Que bom que você não falou com ninguém. Poderiam ser contra e eu não teria feito o exame. Você está de parabéns.

Os exames confirmaram o que a tomografia já indicara: o tumor se instalara numa área do cérebro inatingível por uma cirurgia. Não havia como chegar ao tumor sem destruir áreas nobres do cérebro. No mínimo, seria atingida a área da fala e Nara Leão ficaria muda. José Carlos Lynch, que chegou a pensar numa cirurgia que poderia dar a ela uma sobrevida superior a seis meses, disse a Marco Antônio que a quimioterapia, geralmente, não tem efeito nesse tipo de tumor e recomendou o tratamento à base de radioterapia.

Em dezembro de 1985, o neurologista pediu uma ressonância magnética nuclear, a ser feita em Nova York, onde Nara Leão deveria fazer um consulta com um dos maiores especialistas do mundo em neurologia e neurocirurgia, Leonard Malis, do hospital Monte Sinai. Alertou, porém, que a agenda do médico norte-americano era demasiadamente carregada e que não seria muito fácil marcar uma consulta. Escreveu um bilhete para o dr. Malis – seu antigo professor, à época do seu estágio nos Estados Unidos – e pediu a Marco Antônio Bompet que o entregasse a umas das três secretárias dele. No bilhete, o dr. Lynch expôs o caso de Nara, em linguagem de médico para médico, e pediu seu parecer sobre o exame a ser feito. "E quando ela pode saber do que tem?", quis saber o namorado. "Depois de todos os exames", respondeu o médico.

Marco Antônio Bompet e Nara Leão partiram para Nova York e foram primeiramente ao New York Medical Imaging para realizar o exame. Como Helena Floresta de Miranda encontrava-se na cidade, Nara pediu a ela que atuasse como intérprete nos entendimentos com médicos, técnicos em radiologia, enfermeiros etc. Ela e Marco Antônio falavam inglês muito bem, mas Helena seria uma tradutora mais confiável num momento tão delicado, em que os termos técnicos teriam de ser claramente entendidos. No dia 11 de dezembro, o exame foi feito no New York Medical Imaging. De posse do exame, Nara e Marco Antônio dirigiram-se ao hospital Monte Sinai, pavilhão Metzger, Departamento de Neurocirurgia, consultório 604, onde receberam a já esperada informação de que a consulta com o dr. Leonard Malis não poderia ser feita num prazo inferior a seis meses. Mas a secretária do médico recebeu o bilhete do Dr. Lynch, assegurando-se de que ele seria entregue ao seu chefe e que, certamente, o dr. Malis enviaria, por escrito, o seu parecer ao médico brasileiro. Alguma informação, contudo, poderia ser dada em um ou dois dias, em caráter preliminar. Pediu que telefonassem. Helena telefonou dois dias depois e ouviu da secretária alguma coisa que lhe pareceu a informação de que o caso de Nara Leão não era de cirurgia. As duas amigas ficaram felizes, mas Marco Antônio, não. Ele sabia perfeitamente que o tumor era inoperável. Se Nara mostrava-se feliz e estava em Nova York, que aproveitasse o que a cidade oferecia de bom. Sendo assim, à noite, foram todos para o Blue Note ouvir um bom jazz, com a *big band* de Lionel Hampton. No dia seguinte, visitaram o museu Guggenheim. Assistiram também a apresentações de Astrud Gilberto, dos violonistas

Laurindo de Almeida e Larry Caryell e compraram uma luneta astronômica para que Francisco observasse a próxima passagem do cometa de Halley, previsto para aquele ano e que se transformaria numa grande frustração. Somente no dia do regresso ao Brasil, no saguão do hotel, Marco Antônio teve coragem de esclarecer a Helena Floresta de Miranda o que a secretária do dr. Malis queria dizer, quando revelou que o caso de Nara não era de cirurgia. Helena ficou muito perturbada e mal disfarçou a emoção.

No Brasil, encaminhada ao oncologista Ernani Saltz, deu início a um tratamento à base de radioterapia. Seu cabelo começou a cair, mas, aparentemente, não se assustava. Um dia, telefonou para Maurício Carrilho, pedindo que ele fosse à casa dela, advertindo-o para que não ficasse preocupado ao vê-la careca. Bem humorada, posou para uma fotografia depois de inventar um arranjo de cabelo em que ficou parecendo com uma índia moicana *punk*. Pensou em comprar uma peruca, mas temia ser reconhecida pelas vendedoras ou mesmo pelas clientes da loja. Miguel Bacelar resolveu o problema sugerindo que a compra fosse feita numa loja especializada em Madureira, onde provavelmente ninguém a reconheceria. De fato, foi a Madureira, comprou uma peruca com o mesmo corte do seu cabelo, sem que as vendedoras a reconhecessem. Adorou Madureira. Quanto à peruca, jamais foi usada, porque o cabelo caíra numa pequena área e Nara disfarçava muito bem com o cabelo que sobrava.

Dias depois, conversando no automóvel com Miguel, Nara queixou-se:

– Não é justo que uma pessoa não saiba a doença que tem. Sei que há doentes que não querem saber, mas eu quero.

Miguel, que convivia quase o dia inteiro com ela, resolvendo seus problemas profissionais e pessoais, estava convicto de que, a qualquer momento, Nara teria que saber de toda a verdade. Abriu o jogo:

– Nara, você tem um tumor no cérebro.

Depois de um silêncio de alguns segundos, ela o abraçou tranqüilizando-o:

– Foi bom saber, porque eu já desconfiava de que estava ficando maluca. Agora, já sei: tenho um tumor no cérebro. Mas sei também que ficarei boa com a radioterapia.

Miguel deixou Nara em casa e seguiu para o teatro Villa-Lobos, onde Marieta Severo ensaiava sua próxima peça.

– Não sei se sou linguarudo – justificou ele diante da amiga de Nara –, mas a verdade é que estou convivendo há muito tempo com uma pessoa doente. Não posso manter essa estranha situação, em que um médico diz que o que ela tem é psicológico, enquanto outro recomenda um tratamento à base de radioterapia.

Marieta foi bem simples ao definir a sua posição:

– Eu não contaria. Mas, já que você contou, está tudo certo.

– Os médicos já jogaram a toalha. Vamos tentar tudo – respondeu.

Miguel Bacelar, quando soube da conversa, concordou em procurar uma saída alternativa. "Estamos na mão do sobrenatural. Não temos outra opção", disse ele. Na verdade, a doença de Nara já era conhecida por vários dos seus amigos. Augusto César Vanucci, o diretor de alguns dos mais importantes programas da TV Globo e que tinha o espiritismo como religião, ofereceu-se para aproximá-la de um médium famoso por receber o espírito de um médico alemão, o dr. Fritz, e realizar cirurgias. Mas chamou a atenção também para um juiz de direito de Belo Horizonte, Odilon Ferreira, que seria o responsável por curas milagrosas. Nara não se entusiasmava muito por esse tipo de solução. Chegou a comparecer duas ou três vezes a um centro espírita, em Vila Isabel, por indicação do homem de TV Hilton Gomes, mas ia sempre contrariada, de mau humor. Chico Buarque sugeriu que ela fizesse uma consulta com o bruxo Lorival de Freitas, que cuidava da saúde de Tom Jobim, do próprio Chico e que livrou a cantora Miúcha de um problema no joelho que parecia insolúvel. Mas Nara soube que Lorival utilizava uma lâmina de barbear nas suas "cirurgias" e temia que ele usasse o mesmo instrumento para abrir sua cabeça.

Um dia, a jornalista Hildegard Angel telefonou para dizer que tinha horário marcado com Odilon Ferreira para o seu marido, o também jornalista João Resende, que sofria de câncer, mas, infelizmente, João morreu antes de ser atendido. De qualquer maneira, o horário estava reservado. Odilon atendia em Petrópolis, no Estado do Rio, e mão mais em Belo Horizonte, onde era alvo de comentários maldosos por ser um juiz de direito que estaria exercendo ilegalmente a medicina. A casa em Petrópolis foi cedida por um paciente. Ele tinha pavor que os colegas de magistratura soubessem da sua atividade. Revelou a Nara que passara a cuidar de pessoas doentes em decorrência de uma incompreensível compulsão. Se não fizesse aquilo, sua vida se transformaria num inferno. Chegou a pensar que estava ficando maluco. Todas as noites, tinha pesadelos terríveis. Submeteu-se a um tratamento com psicanalista e sua mulher levou-o a vários psiquiatras. Até que um dia, ao levar para o hospital um menino que teve um dedo da mão decepado, no meio do caminho sem saber por quê, pegou o dedo do menino e colocou-o no lugar, "colando-o". Nesse momento, lembrou que, nos seus sonhos e pesadelos, via sempre a mão dele iluminada, com um brilho fosforescente. Dali em diante, resolveu fazer os trabalhos de cura e sua vida melhorou. Não teve mais pesadelos, as angústias desapareceram e ele passou a considerar aquele trabalho como uma missão que teria de cumprir pelo resto da vida.

Estabeleceu-se imediatamente uma relação de mútua simpatia entre Nara e Odilon, até porque ele foi muito franco com ela: "Não garanto nada. Aliás, não garanto nada para ninguém", advertiu logo no primeiro encontro. Liberou-a para continuar se tratando com os médicos, mas queria ver todos os exames que ela fazia. Ficou impressionado com o tamanho do tumor, ao examinar as tomografias diante da luz. Recebia Nara em Petrópolis a cada dois meses, aproximadamente. Receitou chás e fez, de imediato, algumas recomendações, como não se expor ao sol, não comer carne de porco e não viajar de avião. Assim, a cantora passou a aceitar shows somente em São Paulo, Minas Gerais e Espírito Santo, Estados que não exigem uma viagem demasiadamente longa para quem sai do Rio de Janeiro de automóvel ou de ônibus. E recusou uma viagem à Holanda, para cantar durante o jantar de aniversário da Philips.

Num dos primeiros encontros, Nara Leão viu Odilon encostar o dedo no tumor no seio de uma moça e, pouco depois, num segundo toque, o tumor parecia ter-se espatifado em várias partes. Experiências como essa animavam a cantora. Mais animada ficou quando uma tomografia revelou que o tamanho do tumor em seu cérebro diminuíra. Exames posteriores revelavam que seu tumor não tinha mais as dimensões de um maracujá, mas de uma uva. Um deles mostrou o tumor partido em vários pedaços. Tudo isso deixou Nara animadíssima e os médicos perplexos. O oncologista Ernani Saltz, embora descrente dos poderes paranormais de Odilon Ferreira, chegou a falar do caso de Nara, num congresso de medicina, como um extraordinário exemplo de regressão de um tumor cerebral. O dr. Lynch, menos cético, não dava opinião. Tudo isso levou Nara Leão a recomendar Odilon para os três amigos que, na mesma época, sofriam de câncer: a atriz Dina Sfat (no seio), o diretor teatral Flávio Rangel e o cineasta Joaquim Pedro (ambos no pulmão). Incrível! Quatro grandes artistas da mesma geração, ligados por amizade e por afinidades culturais e políticas, quatro extraordinários baluartes da luta pelo restabelecimento da democracia no país atingidos, na mesma época, pela terrível doença. Joaquim Pedro foi atendido duas vezes por Odilon, mas a doença chegara a um estágio muito adiantado. Dina Sfat, por sua vez, já havia sido operada e estava depauperada pela metástase. Ela e Flávio Rangel, segundo Miguel Bacelar, não seguiam com rigor as recomendações do bruxo mineiro, pois, quando ele voltou a atender em Belo Horizonte, viajavam de avião, apesar da proibição. E, além disso, Flávio comia presunto no café da manhã, embora não pudesse comer carne de porco. Já o comportamento de Nara Leão agradava muito a ele. Sempre que iam a Belo Horizonte, ela e Miguel jantavam na casa de Odilon. As consultas eram inteiramente gratuitas e os medicamentos receitados – geralmente, da flora medicinal – eram muito baratos.

Nara dedicou o ano de 1986 à sua recuperação. Mas a sua vida de cantora continuava na ordem do dia, já que a Polygram lançou no mês de abril a versão brasileira, em vinil e com o título de *Garota de Ipanema*, do CD gravado por Nara Leão no Japão. "A cantora Nara Leão e o compositor Roberto Menescal voltam a fazer história", assinalou a *Veja* ao comentar o lançamento do disco. A revista aproveitou a oportunidade para explicar aos leitores o que era o CD, "uma das maravilhas da tecnologia de áudio", assinalando que também na gravação de *Garota de Ipanema* foi utilizada uma tecnologia que era a última palavra: "Foi gravado, mixado e prensado no Japão pelo sistema digital, o mais avançado que existe".

Uma pista de que era forte a esperança dela de que iria recuperar-se foi encontrada pelo autor destas linhas no seu álbum de recortes: um artigo do crítico musical Luís Paulo Horta abordando a volta da pianista argentina (radicada nos Estados Unidos) Ana Trenchi que, havia quinze anos, fraturara gravemente o crânio num acidente de carro. Ana, que se apresentaria em setembro na sala Cecília Meireles, perdera a memória e um cirurgião dissera-lhe que nunca mais poderia tocar piano. Ela se esquecia das notas no momento de tocar e dos assuntos que conversava. Saía do ar, como Nara Leão. Mas, com determinação decidiu que voltaria a tocar e, quinze anos depois, apresentava-se no Avery Fischer Hall, em Nova York, oferecendo ao público uma lista de 100 peças musicais para que os espectadores escolhessem as que queriam ouvir. A memória falhou apenas duas vezes. Em 1986, Ana Trenchi, que se apresentava pelo menos uma vez por ano no Carnegie Hall, era diretora da Germaine Pinault School of Musica and Performing Arts de Nova York.

Foi uma fase muito feliz para Nara Leão. Feliz com a sua recuperação e feliz no amor. Brincava com Marco Antônio, oficial marinheiro, dizendo que desbancara Emilinha Borba do título de "favorita da Marinha". Sempre que podiam, estavam nos fins de semana na Serrinha ou em Angra dos Reis. Procurava, porém, manter-se lúcida em relação ao seu estado de saúde. Sentia-se melhor, mas, por via das dúvidas, procurou uma advogada do escritório Evandro Lins e Silva para que os seus bens imóveis fossem gravados até que os filhos completassem 23 anos de idade. Para o namorado, deixou o seu melhor violão, um Suguiyama exemplar 231, fabricado em 1983.

Além de cuidar da saúde, Nara não se esquecia da educação dos filhos. Não era uma supermãe, como a famosa personagem de Ziraldo, mas era uma mãe atenta. Não queria saber se Isabel e Francisco estavam estudando muito ou pouco, mas não admitia que fossem reprovados na escola. Exigia que, além das matérias curriculares, eles se dedicassem a uma língua estrangeira, a um instrumento musical e a uma atividade esportiva. Ainda bem crianças, Isabel e Francisco já tinham direito a uma mesada. Ficaram muito gratos à mãe, pois, graças a esse sistema, tiveram sempre o cuidado de evitar que a despesa fosse superior à receita. É verdade que a mesada não era nada desprezível, pois, economizando exclusivamente o que a mãe lhe pagava mensalmente, Francisco conseguiu fazer a sua primeira viagem ao Havaí, o paraíso dos esportes sobre as ondas, dos quais ele se tornou especialista. Um dos aspectos mais marcantes da educação que Nara Leão dava aos filhos era o estímulo à independência. Não só no controle do dinheiro como na administração dos problemas do cotidiano. Na festa em que Isabel comemorou os seus 15 anos, Nara despediu-se dos convidados antes mesmo da festa começar e recolheu-se ao seu quarto para dormir. A casa ficava entregue aos aproximadamente 60 amigos e amigas da aniversariante. E assim seria se Isabel não recebesse de alguns convidados um apelo caloroso para que Nara cantasse para eles.

– O que é que vamos dizer quando souberem que viemos à casa de Nara Leão e ela não cantou para nós? – perguntaram.

Convencida pelos convidados, Isabel foi ao quarto da mãe para pedir que ela fosse até a sala cantar para seus amigos. Nara pegou o violão e, mesmo de pijama, atendeu ao pedido deles, cantando duas músicas. "Já fiz minha parte. Agora vou dormir", disse ela despedindo-se dos convidados. Cantar assim fazia parte do seu cotidiano. No caminho para Serrinha, parava sempre na estrada para comprar balas e doces. Chegando lá, mandava chamar as crianças filhas do caseiro do condomínio e outras, todas muito pobres e com idades variando de 5 a 12 anos e, após distribuir os doces e as balas, cantava e tocava violão para elas, que ficavam muito atentas e felizes. Esse jeito simples de Nara Leão fez com que Isabel e Francisco raramente tivessem idéia de que eram filhos de uma grande estrela da música popular brasileira, um monstro sagrado. Quando um amigo, um colega ou até mesmo um professor chamava a atenção para a mãe famosa, reagiam com indiferença, até porque, desde cedo, faziam questão de preservar a identidade de cada um. Quando Isabel estava com 13 anos, teve de viver uma experiência inédita. Visitando um amigo, foi abordada pelo pai dele, que se mostrou encantado por saber que ela era filha de Nara Leão. Depois de gastar todos os adjetivos para louvar a cantora, fez a Isabel o pedido mais inesperado que, provavelmente, ela recebeu em toda a sua vida:

– Espero que você não me leve a mal, mas posso ver o seu joelho?

Isabel mostrou.

Em Francisco, o que ficou mais forte foi o carinho com que era tratado pelas pessoas estranhas, quando descobriam que era filho de Nara. "Sabia que aquele carinho não era para mim, mas para minha mãe. Aquilo, porém, me fazia muito bem", confessou ele.

Nara, realmente, era tratada com muito carinho pelo público. E era muito habilidosa no contato com admiradores, encerrando a conversa ou afastando os inconvenientes sem levantar a voz ou cometer qualquer tipo de grosseria. Mas não era de esconder sentimentos. Discordava quando achava necessário e não deixava de fazer as suas críticas. Os diretores de televisão ouviram muitas vezes suas críticas ao que considerava o desprezo deles pela apresentação correta das músicas, deixando passar desafinações e outro erros dos intérpretes e dos instrumentistas. Segundo dizia, os diretores de televisão pareciam preocupar-se apenas com a imagem, deixando o som de lado. Mas, às vezes, a imagem também era exibida com incorreções, conforme atestou em carta enviada ao *Jornal do Brasil*, a propósito de uma apresentação em que o violonista Turíbio Santos executou peças de Heitor Villa-Lobos. Escreveu ela que a televisão insistia "em mostrar a mão direita do artista, quando o que verdadeiramente interessa, em se tratando de violão, é a mão esquerda, o caminho que ela percorre, os acordes que o violonista faz", um erro, aliás, que havia observado nas apresentações do "nosso genial João Gilberto". Ela comparou o comportamento da TV em relação a esses músicos ao de quem filmasse "um balé sem mostrar as pernas dos bailarinos, focalizando-os apenas da cintura para cima".

Nara ficou muito feliz ao ver que Beth Carvalho dedicou a ela o seu disco anual, lançado em fevereiro de 1987 (Beth jamais escondeu a sua admiração pela colega. Em 1984, em seu show no Canecão, afirmava, todas as noites, no palco, que o caminho que escolhera na música popular brasileira fora anteriormente desbravado por Nara Leão). Mais feliz ainda ficou ao ver que um novo exame revelava que o tumor no cérebro teve o seu tamanho reduzido a níveis inacreditáveis. "O que era comparado a um maracujá hoje lembra muito mais uma uva", dizia alegremente Nara Leão, que começava também a reformular suas relações com a religião. "Aos 11 anos, me tornei uma pessoa inteiramente materialista, mas, de uns tempos pra cá, comecei a achar que existem coisas que a gente desconhece. Não tenho mais as antigas convicções", afirmou à jornalista Deborah Dumar, do *O Globo*, a quem confessou que esteve muito perto da morte, mas que nunca perdeu a esperança. Ao velho amigo Ferreira Gullar, a quem disse que o tumor desaparecera "completamente", perguntou se ele, um materialista convicto, tinha alguma explicação para o fenômeno.

– Não tenho explicação nenhuma. O que eu tenho é uma grande alegria de saber que você ficou boa – comentou Gullar.

A recuperação produziu o que poderia ser algo como uma necessidade metafísica de acreditar em alguma coisa. Brincava citando o Barão de Itararé, segundo o qual havia "qualquer coisa no ar, além dos aviões da FAB". Não optou por qualquer religião. Numa entrevista a Hildegard Angel, para a TV Educativa, inventou: "uma amiga, que tinha um tumor na cabeça e ficou boazinha".

Falando de tal "amiga", afirmou que a participação dos médicos pode ter sido importante, mas lembrou que a maior parte deles "dizia que não tinha jeito". E concluiu:

– Sou obrigada a acreditar, mas não sei em quê. Tenho mais dúvidas do que certezas.

E não era somente ela que festejava uma melhora de saúde. Flávio Rangel, achando-se recuperado, voltou a escrever suas crônicas para o *Jornal do Brasil* e pretendia montar *O mambembe*, de Artur Azevedo (ele havia sido responsável por uma magnífica montagem de *A capital federal*, do mesmo autor), com Antônio Fagundes, em São Paulo. Dina Sfat, que esteve em Moscou, apresentou-se no palco com o poeta russo Ievtuchenko. Nara também voltou a trabalhar. Em março, fez dois shows no Cabaré Mineiro, em Belo Horizonte. Em entrevista ao *Estado de Minas*, confessou-se decepcionado com Leonel Brizola, em quem votou nas eleições de 1982 para governador e não pretendia votar nele para sucessor de José Sarney. No dia 7 de abril, estreou uma nova temporada na boate People, no Rio, ao lado de Roberto Menescal. Além disso, voltou às aulas de canto com Eládio Perez Gonzalez, de violão com Almir Chediak ("Era a minha aluna mais aplicada. Estudava quatro horas por dia", revelou Almir) e ainda encontrava tempo para ensinar violão a um amigo da sua filha Isabel. Certa vez, confessou a Chediak que, quando ficasse "bem velhinha", já não estaria cantando mais e que passaria o resto dos seus dias dando aulas de violão. Enfim, as coisas começavam a funcionar como ela queria. Sua única frustração era não ter convencido Marco Antônio Bompet a viver com ela na mesma casa. Conseguiu apenas que ele passasse a morar perto dela; para isso, entendeu-se com um corretor, que se encarregou de vender o apartamento dele no Leblon e comprar outro no Leme.

A temporada no People rendeu amplo espaço nos jornais, que abordaram não só o show como o restabelecimento da saúde da cantora. A revista *Visão* lembrou que as suas apresentações se faziam "depois de vencer uma difícil luta contra a morte". E registrou as suas declarações de que esteve doente "como qualquer ser humano pode ficar doente". Com o título de "Um impecável e comovente reencontro", Artur Xexéo escreveu um texto com muitos elogios e com uma restrição: "Se há algo para ser criticado, é o terninho branco que a cantora usa o tempo todo. Qual é, Nara? Mostre os joelhos para a geração 80". Por mais que Xexéo insistisse,

Nara não mostraria. A beleza de um dos joelhos estava prejudicada naqueles dias por um cisto que, pouco depois, seria extraído na casa de saúde de São Vicente, com anestesia local e sem maiores problemas. Para não haver qualquer dúvida, foi feita a biópsia. Era benigno. A propósito, o jornalista Tarso de Castro, que nunca deixou de assediá-la, mesmo quando Nara ainda era casada com Cacá Diegues (honra seja feita, Tarso nunca discriminou as mulheres em suas cantadas, fossem casadas ou solteiras), escrevendo sobre ela, na revista *Afinal*, não fez por menos: "Nara foi o nosso grande tesão. De minha parte, continua sendo. Nara, suas pernocas, seus joelhos, sua boca são sempre imperdíveis".

Os shows reunindo Nara e Menescal repetiam-se. Afinal, o tumor no cérebro já não dava tanto trabalho, embora, de vez em quando, se manifestasse. Em junho de 1987, durante uma temporada de dez dias no 150 Night Club, no hotel Maksud, em São Paulo, ela passou mal durante um show e se retirou do palco. Roberto Menescal continuou tocando e contando histórias, enquanto Miguel Bacelar correu para o camarim, encontrando-a deitada no sofá.

– Já estou melhor – disse ela, levantando-se e voltando em seguida para o palco. Para o público, nada de anormal; seria apenas um momento do roteiro em que Menescal ficava sozinho no palco.

Em agosto, saiu mais um LP surpreendente de Nara Leão, *Meus sonhos dourados*, com dez clássicos da música americana, todos eles com letras em português feitas especialmente para o disco. Ela própria fez a versão de quatro canções: *Moonlight serenade – Um sonho de verão* (Glenn Miller e Mitchell Parish), *Over the rainbow – Além do arco-íris* (Harold Arlen e Harbourg), *Embraceable you – Me abraça* (George e Ira Gershwin) e *What's new – Como vai você* (Bob Haggart e Johnny Burke). As demais músicas tiveram versões de Carlos Colla, Ronaldo Bôscoli, Paulo Sérgio Valle, Fátima Guedes, Edmundo Souto e Aloysio de Oliveira. Na capa, a fotografia da adolescente Nara Leão de maiô na praia; na contracapa, outra foto, ela também de maiô, ao lado do jovem Roberto Menescal, outra vez na praia. No texto que escreveu para a contracapa, ela lembrou que morava ao lado do cinema Metro, em Copacabana, que via filmes musicais americanos e que dançou na chuva depois de ter visto *Singing in the rain*. "O engraçado", concluiu, "é que, nesse momento, contando essas coisas, me sinto mais próxima dos meus filhos Isabel e Francisco, adolescentes e também, certamente, com seus sonhos dourados". Na faixa em que cantou a sua versão de *Over the rainbow*, depois de repetir os versos finais – "Então o que pensei foi/Nada sei dos mistérios da vida/Nem por onde eu andei" -, ficou registrada uma fala da cantora em que ela disse: "Essa vai prum bruxo meu amigo", e deu uma gostosa risada em seguida.

Desconfiada de que receberia críticas negativas pela opção por músicas americanas, Nara se defendia sempre que falava do disco. "São músicas estrangeiras, mas o som é brasileiro", dizia, lembrando que as músicas estavam com a cadência da bossa nova. Num encontro com o autor destas linhas, perguntou:

– Você está zangado comigo?

– Zangado por quê? – perguntei.

– Por causa do meu disco.

– Ora, Narinha...

Ninguém protestou na imprensa, pelo contrário. O escritor e jornalista Caio Fernando Abreu, no *O Estado de S. P*aulo, por exemplo, confessou: "Há uma semana estou encantado. Tomo banho de doçura de duas em duas horas. Fico deitado no sofá, olhando pela janela, esquecido até de fumar. Completamente apaixonado. Não sei direito se é por essa moça, se pelo tempo e pelo clima que ela consegue criar. Eu fico bobo. O disco rodando, suspiros, molezas, preguiças, saudades, aquelas coisas, você sabe. Não minta pra mim: se você acha que não sabe de que estou falando, ouça esse disco, essa moça. É a Nara Leão, *Meus sonhos dourados*. [...] Viver é tão bonito quando a gente aprende a ouvir Nara Leão. Essa moça de maiô, sentada na areia, agora mãe de filhos, mais de 40 anos, saída de uma batalha com a morte e inteiramente fiel à cor dourada dos seus sonhos".

Feliz com a sua recuperação, Nara passou a ser uma espécie de porta-voz dos paranormais na Constituinte. Ela achava que a nova Constituição deveria preservar o direito deles, a fim de que não fossem considerados fora-da-lei pelo exercício ilegal da medicina. O seu primeiro pronunciamento sobre o assunto foi feito numa entrevista ao *Estado de Minas*, quando esteve em Belo Horizonte com Roberto Menescal, em setembro, para fazer cinco shows no BH Shopping: "Tenho visto coisas incríveis. Tenho uma amiga que estava com um tumor na cabeça e tinha um prazo de vida de seis meses. Tratando com um paranormal, aqui de Minas, ela conseguiu se curar. Sei que essa minha amiga, que já deveria ter morrido há três anos, está vivinha. Tem também um amigo meu que esse mesmo paranormal curou a Aids dele".

Voltou a defender os paranormais na *Tribuna da Imprensa*, lembrando que o próprio Sigmund Freud, num artigo intitulado "A questão da análise leiga", referiu-se aos paranormais com simpatia. "Eles deveriam atuar livremente, desde que não cobrem nada", concluiu ela. Numa entrevista a Márcia Cezimbra, do *Jornal do Brasil*, insistiu veementemente no tema: "Eu vi uma mulher chegar com o seio duro, com um tumor imenso, e o cara encostar o dedo e dividi-lo em quatro e depois em mais pedaços, até a cura. Eu vi. Não posso falar o nome dela porque essas pessoas podem até ser presas. Mas eu vi. Queria assegurar o trabalho dos paranormais na Constituinte, com a ressalva de que tudo deve ser gratuito, para afastar os vigaristas, que sobram neste país. Há alguma coisa mais forte do que a razão e a ciência. Oposição aos paranormais lembra Galileu Galilei. Ele não negou, por causa da Inquisição, a sua descoberta de que a Terra roda em torno do Sol? Estamos ainda na Idade Média. Talvez o paranormal, daqui a algum tempo, seja normal".

A entrevista à jornalista Márcia Cezimbra foi feita em fevereiro de 1988 e tinha como pretexto o impressionante sucesso do show que fazia mais uma vez na boate People com Roberto Menescal. Convidada para cantar durante uma semana, foi obrigada a prolongar a temporada por cinco semanas. Há muito tempo não se sentia tão bem. Quando não fazia shows de temporada, continuava cantando nos Estados próximos ao Rio e não deixava de prestigiar os colegas. Preparava-se para um espetáculo no Canecão que Aloysio de Oliveira pretendia montar apenas com mulheres. Naquele início de ano, havia assistido aos shows de Caetano Veloso e de Chico Buarque de Holanda no Canecão e de Gal Costa no Scala. Continuava freqüentando também cinema, teatro e restaurantes. De vez em quando, sugeria a Marco Antônio: "Vamos àquele restaurante que eu gosto?" Era o do francês Claude Toisgros, que ela nunca sabia o nome (Rouane). Freqüentavam também o Primavera, um restaurante da Danuza Leão, no bairro de Botafogo, que tinha uma característica muito especial: para enfrentar a inflação brasileira, aparentemente incontrolável, os preços dos pratos e das bebidas eram fixados em ORTNs (Obrigações Reajustáveis do Tesouro Nacional), com correções diárias.

Márcia Cezimbra procurou o astrólogo Pedro Tornaghi e, sem dizer de quem se tratava, pediu que ele fizesse o mapa astrológico de uma mulher nascida em tal dia, tal hora etc. Eis a conclusão a que chegou Tornaghi: "Aquariana com ascendente em Touro e Lua em Peixes. O Sol no meio do céu lhe dá uma personalidade forte, mas Aquário traz certa insegurança, que nunca aparece para o público. O Sol, em oposição a Plutão, traz problemas com a autoridade paterna. Vai aproximar-se do pai apenas quando ele lhe parecer mais fraco. Vênus, o planeta de Touro, das glândulas e da garganta, no meio do céu da profissão, vai lhe dar enorme capacidade de modular a voz. Na paixão é muito seletiva. Escolhe a dedo, vê defeito em todos, mas, depois que se apaixona, fica cega. Trata mendigos como príncipes. Com Sagitário na casa da saúde, ela pode lançar mão de coisas espirituais para proteção nos momentos de risco. Sagitário é o planeta das proteções espirituais. Ela pode desenvolver energias até em si própria, se quiser, para curar os outros. É muito sensível à agressividade, tem forte convicção em seus pontos de vista e a Lua, em Peixes, a afará absorver a dor dos outros, principalmente dos amigos".

A crítica só não foi unânime na exaltação ao show do People porque, na *Tribuna da Imprensa*, Arnaldo de Souteiro espinafrou-o violentamente. Escreveu que *Manhã de carnaval* recebeu "talvez a sua mais lamentável interpretação de todos os tempos, carente de verve e de emoção". Sobrou também para Menescal que, segundo Souteiro, queria retornar à atividade como instrumentista, mas precisava "aprimorar novamente o toque de violão", que estava "meio pesado". O crítico não se conteve em espinafrar o violonista. Aproveitou para bater também no produtor musical que, segundo ele, colaborou "para o estabelecimento do caos em que se encontra o nosso mercado fonográfico, produzindo até o primeiro disco da Xuxa". Em compensação, Diana Aragão, do *Jornal do Brasil*, começou os seus elogios pelo título, "O impecável show de Nara", acentuando em seguida que, "depois do baticum carnavalesco, com a emocionante e justa vitória da Vila Isabel, é uma delícia reescutar no People a suavidade de Nara Leão e Roberto Menescal". Tudo correria bem se a boate não tivesse sido invadida, numa noite, por quatro assaltantes armados, que levaram a féria da casa, além do dinheiro e as jóias dos freqüentadores, mas tiveram a delicadeza de poupar Nara e Menescal. A outra ocorrência digna de registro foi o comportamento da cantora, numa noite em que utilizou o microfone para uma comunicação extra-show:

– Gostaria que meu empresário Miguel Bacelar viesse aqui agora.

Miguel saboreava um uísque no jirau da boate e desceu correndo, quase caindo da escada. Para ele, Nara não estava passando bem. Chegando ao palco, assustadíssimo, ela desviou-se do microfone e cochichou no ouvido dele:

– Sabe o que é, Miguel? Meu Saúde Bradesco vence amanhã e acho que você não está sabendo, Não consigo me concentrar.

Ele levantou o polegar da mão direita e ela, finalmente tranqüila, deu continuidade ao show: "Um cantinho, um violão...", cantou. Pouco depois, parou de cantar e o público, não sabendo que a apresentação era em duas partes, protestou. Nara, então, explicou: "É apenas uma pausa para vocês tomarem um uisquinho". Todas as noites o público protestava e todas as noites ela dava a mesma explicação. Aliás, tantos anos cantando em casas noturnas, acostumada, portanto, com um público muitas vezes excitado pelo consumo de uísque, parecia não se perturbar com o falatório que, de vez em quando, parecia soar mais alto que sua voz. Ela, simplesmente, passava a cantar tão baixinho que levava os demais espectadores interessados em ouvi-la a pedirem silêncio aos tagarelas.

Uma semana após o fim da temporada, Nara Leão e Roberto Menescal estavam na estrada para um show em Vitória. Aproveitaram a viagem para, no meio do caminho, em Campos, faturar um cachê no Country Bar e Restaurante. Em abril, a gravadora CBS lançou o LP *Bossa Nova... para fazer feliz a quem se ama*, produzido por Menescal e com a participação de vários artistas (Nara cantou *Corcovado* e *Insensatez*), em comemoração pela passagem do 30º aniversário da bossa nova. Outro evento comemorativo da bossa nova foi um programa especial apresentado pela TV Manchete e que contou com a participação de Nara e Menescal.

Não podendo viajar de avião, ela continuava a fazer shows nas proximidades do Rio de Janeiro. Ainda em abril, esteve na cidade de Macaé, no Chaplin's Bar. Em maio, cantou na praia de Copacabana, ao lado de Carlos Lyra, Luiz Eça e do conjunto Garganta Profunda, em mais uma comemoração pelos 30 anos da bossa nova. Em junho, apresentou-se com Menescal durante quatro dias no SESC Pompéia, em São Paulo. Numa das apresentações, o compositor Zé Kéti esteve na platéia e subiu ao palco para cantar *Opinião* com ela. Na semana seguinte, estava, mais uma vez, no Seis e Meia do teatro João Caetano. Em agosto, sempre com Menescal, cantou no teatro da Universidade Federal Fluminense e no teatro João Teotônio, no Centro do Rio de Janeiro, no chamado Projeto Brahma Extra, criado por Ney Murce.

O projeto de Aloysio de Oliveira de fazer um show somente com mulheres, no Canecão, fracassou "por má administração do produto artístico", segundo o próprio Aloysio explicou em carta a Nara Leão, assumindo toda a culpa pelo fracasso. Foi uma pena. Vários ensaios já haviam sido realizados com as 13 participantes do show, entre as quais a maestrina Célia Vaz, a harpista Cristina Braga, a cantora Rosa Passos, O Quarteto em Cy e o grupo instrumental Kholi. Nara cantaria *Wave* (Antonio Carlos Jobim), *Camisa amarela* (Ary Barroso), *João e Maria* (Sivuca e Chico Buarque de Holanda) e *Estação derradeira* (Chico Buarque de Holanda). Ensaiara também *Neste mesmo lugar* (Armando Cavalcanti e Clécius Caldas) e *O que é que a baiana tem?* (Dorival Caymmi), sendo esta para introduzir o Quarteto em Cy. Ela respondeu à carta de Aloysio e abriu o jogo: "Se quer saber mesmo, já que você escreve sobre esse assunto, realmente fiquei chateada com o show que não houve. Claro, todos ficamos. A partir de certo momento, como havíamos combinado, recusei várias apresentações que poderia ter feito". Embora chateada, confessou que continuava gostando muito dele e que acabava ganhando uma lição: "Por mais que eu goste de um diretor, de um músico, seja você, Túlio, Menescal, jamais farei novamente um contrato verbal. Afinal, para isso, tenho Miguel, que trata da parte chata do negócio há seis ou sete anos, e é da minha inteira confiança". Além da lição, teve também a alegria de "conviver com as adoráveis moças do Quarteto em Cy, com o grupo Kholi, com Cristina Braga e com todas as participantes do show". Como Aloysio não respondeu, ela insistiu em nova carta, em outubro, desconfiada de que ele estivesse aborrecido com ela. "Vamos fazer as pazes? A vida é curta para a gente brigar com quem gosta", escreveu.

Em setembro, ela e Roberto Menescal apresentaram-se gratuitamente no Boteco do Cabral, nome que o comitê eleitoral do candidato a vereador pelo Partido Socialista Brasileiro, Sérgio Cabral, assumia às quintas-feiras, quando sempre se apresentava um representante da música popular brasileira. Mesmo doente, ela não deixava de manifestar a sua solidariedade aos amigos. Graças à ajuda de artistas como ela e Menescal, o candidato foi eleito, ou melhor, reeleito.

O compositor João do Vale sofreu, em outubro, um derrame cerebral que o deixou paraplégico. Nara visitou-o várias vezes no hospital da Associação Brasileira Beneficente de Reabilitação. Dias depois, morreu outro grande amigo e companheiro de luta contra o câncer, o diretor teatral Flávio Rangel. Esses acontecimentos atingiram em cheio o estado de espírito de Nara, que procurava enfrentar a depressão com o trabalho, fazendo shows e atuando na televisão. Adoraria comparecer ao programa de Jô Soares – de quem gostava muito – mas os convites foram sistematicamente feitos durante os períodos em que ela não passava bem. Em novembro, Nara e Menescal foram contemplados com um especial da TV Manchete. Carlinhos Lyra, no programa, corrigiu o papel dela na música brasileira, dizendo que Nara Leão não era a musa da bossa nova, "mas a música da bossa nova". Ronaldo Bôscoli, por sua vez, afirmou que a bossa nova teve vários pais, mas a mãe de verdade era Nara. Caetano Veloso, depois, sugeriu outro tipo de parentesco: era mãe da bossa nova e irmã do tropicalismo.

Nara passou as últimas semanas de 1988 dividindo com Nelsinho Motta a elaboração das versões em português de vários clássicos da música americana, com vistas à gravação de um disco encomendado pela Polygram japonesa, que aprovou inteiramente a experiência de *Meus sonhos dourados* e decidiu repeti-la. Ela fez as versões de *S'Wonderful - Maravilha* (George e Ira Gershwin), *My funny Valentine - Adeus no cais* (Rodgers e Hart), *But not for me - Mas não para mim* (George e Ira Gershwin), *Night and day - Só você* (Cole Porter), *Where or when - Onde e quando* (Rodgers e Hart) e *Sentimental journey - A saudade me bateu* (B. Green, L. Brown e B. Homer). As demais ganharam letras de Nelson Motta, ficando uma delas com Zé Rodrix e Miguel Paiva. Gravado no estúdio de Roberto Menescal, na Barra da Tijuca, o disco saiu no Japão em forma de CD, com o título de *My foolish heart*. Na versão japonesa, o disco tinha uma única música brasileira, *Saudades de você*, melodia criada por Roberto Menescal, que recebeu a letra da própria Nara Leão. Mas a música não constou da versão brasileira, lançada em vinil cinco meses depois da morte de Nara Leão. Outra gravação feita por ela para o mercado japonês foi a do jingle da cerveja Kiri, mais uma composição de Menescal. No final de dezembro e início de janeiro, nas férias anuais de duas semanas que ela e Marco Antônio gozavam na Serrinha, Nara começou a dar sinais assustadores da sua doença, como, por exemplo, esquecer o nome do seu vizinho Roberto Menescal. Mas não dava sinais de depressão.

Em março de 1989, morreu Dina Sfat, uma perda que soou como uma derrota e que lhe causou muita tristeza. No mesmo mês, Nara foi sozinha ao teatro Ipanema e contou a Marco Antônio que, ao sair do teatro, não sabia em que cidade estava e, só depois de algum tempo, com dificuldade, conseguiu articular-se e tomar um táxi para casa. A partir desse dia, o namorado não permitiu mais que ela saísse de casa sozinha. Nesses mesmos dias, os dois foram ver a festa do Prêmio Sharp e Marco Antônio ficou preocupado com o comportamento de Nara, que trocava os nomes das pessoas e proferia frases sem nexo. Mesmo consciente de que seu estado de saúde se agravava, manteve-se firme, cumprindo da melhor maneira possível os seus compromissos profissionais, sem que ninguém percebesse o seu sofrimento. E acertara mais uma viagem ao Japão, em bases financeiras extremamente vantajosas. Se o câncer é "a tristeza das células", como definiu Vinicius de Moraes, tal tristeza era muito bem disfarçada por ela. Naquele mesmo março, concedeu uma longa entrevista a Almir Chediak para o *Songbook* da bossa nova e respondeu a todas as perguntas com a lucidez de sempre. Mas, em 10 de abril, um dia que deveria ser de alegria, acabou sendo de tristeza. Naquela noite, realizou-se um grande espetáculo no teatro Municipal do Rio de Janeiro, o III Concerto Brahma Extra de Música Brasileira. Era um evento que Ney Murce promovia todos os anos, marcando mais um aniversário do seu Projeto Brahma Extra. Cerca de 60 cantores e instrumentistas foram escalados e o roteiro previa, no sétimo bloco, um tributo à bossa nova, com a participação de Nara Leão cantando *O barquinho* (Menescal e Bôscoli), além de Roberto Menescal, Luiz Eça, João Donato, Maurício Einhorn e Carlos Lyra. Ela não estava passando bem e chegou atrasada para o ensaio da tarde. Encaminhada ao camarim, permaneceu lá, tentando ensaiar com Menescal, mas se esquecia repetidamente da letra de *O barquinho*. Depois de insistir muito, concluiu que não dava para cantar e pediu a Miguel Bacelar para levá-la para casa. Nara deixou o teatro chorando muito e continuou chorando no carro, até chegar à sua casa, no Leme. "Nem cantar eu consigo", queixava-se ela entre soluços. A cantora Leny Andrade, escalada para atuar no bloco dos cantores da noite no III Concerto Brahma Extra de Música Brasileira, substituiu-a no tributo à bossa nova, cantando *O barquinho*. "Lembro-me bem desse dia. Foi o início do fim", disse Marco Antônio que, pouco depois, passou a morar com Nara. Isabel e Francisco ficaram com Cacá Diegues. Durante o dia, com o namorado trabalhando na Marinha, Danuza fazia companhia a ela.

A própria Nara começava a reconhecer que a doença tomava conta dela. Pelo menos foi isso que insinuou numa conversa com Isabel, que acabava de chegar de uma viagem à Europa com o namorado, o jovem cineasta Andrucha Wadington. Mas procurava cumprir os compromissos assumidos. Como já estava liberada para viajar de avião, cantou em Natal, no hotel Samburá, e fez o último show de sua vida no dia 31 de março de 1989, em Belém, no Iate Clube, quando se embaraçou algumas vezes com o seu violão. Na volta, foi com o fotógrafo Paulo Sabugosa ao Pão de Açúcar para fazer as fotos do disco *My foolish heart*. O problema é que seu estado de saúde piorava dia a dia. Procurava distrair-se indo ao cinema. O último filme que viu foi *The Bird*, de Clint Eastwood, a bela biografia do grande Charles Parker. A partir de um certo momento, porém, não controlava os seus movimentos e não conseguia sequer assinar um cheque. Até que, na noite de 18 de maio, levou um tombo na cozinha de casa e ficou com o rosto todo ensangüentado. No dia seguinte, foi internada na casa de saúde São José.

Durante a internação, Danuza, Marco Antônio e Edi Diegues (casada com Fernando, irmão de Cacá) estabeleceram turnos para acompanhar Nara Leão: Danuza pela manhã, Edi à tarde e Marco Antônio à noite. Miguel Bacelar aparecia freqüentemente e, com menos freqüência, o casal Iara e Roberto Menescal. Marieta Severo aproveitava os intervalos da gravação da telenovela *Que rei sou eu?* para ver a amiga. O Dr. Lynch aparecia diariamente para fazer testes neurológicos e cada exame mostrava que o estado de saúde de Nara piorava dia a dia. O agravamento da doença dava sinais assustadores para os acompanhantes, pois o tumor expandiu-se para a área do cérebro que controla a circulação e ela passou a apresentar vários problemas, inclusive respiratórios. No dia 24, entrou em coma. E, no dia 7 de junho de 1989, uma quarta-feira, ao meio-dia, morreu.

– Morreu com a dignidade com que viveu – comentou Marco Antônio Bompet.

Discografia

LP *DEPOIS DO CARNAVAL*
PHILIPS P630.492L
Maio de 1962

É tão triste dizer adeus (Carlos Lyra-Nélson Lins de Barros) c/**Carlos Lyra**
Promessas de você (Carlos Lyra-Nélson Lins de Barros) c/**Carlos Lyra**

LP *NARA*
ELENCO ME-10
1964 (gravado em janeiro)

Marcha da quarta-feira de cinzas (Carlos Lyra-Vinicius de Moraes)
Diz que fui por aí (Zé Kéti-H. Rocha)
O morro (Feio não é bonito) (Carlos Lyra-Gianfrancesco Guarnieri)
Canção da terra (Edu Lobo-Ruy Guerra)
O sol nascerá (Cartola-Elton Medeiros)
Luz negra (Nélson Cavaquinho-Hiraí Barros)
Berimbau (Baden Powell-Vinicius de Moraes)
Vou por aí (Baden Powell-Aloysio de Oliveira)
Maria Moita (Carlos Lyra-Vinicius de Moraes)
Réquiem por um amor (Edu Lobo-Ruy Guerra)
Consolação (Baden Powell-Vinicius de Moraes)
Nanã (Moacir Santos)

LP *O FINO DA BOSSA*
RGE XRLP 5254
1964 (gravado em 25 de janeiro, ao vivo, no teatro Paramount, SP)

Maria Moita (Carlos Lyra-Vinicius de Moraes)

LP *OPINIÃO DE NARA*
PHILIPS P632.732L
Novembro de 1964 (gravado em setembro)

Opinião (Zé Kéti)
Acender as velas (Zé Kéti)
Derradeira primavera (Tom Jobim-Vinicius de Moraes)
Berimbau (ritmo de capoeira) (João Melo-Codó)
Sina de caboclo (João do Vale-J. B. de Aquino)
Deixa (Baden Powell-Vinicius de Moraes)
Esse mundo é meu (Sérgio Ricardo-Ruy Guerra)
Labareda (Baden Powell-Vinicius de Moraes)
Em tempo de adeus (Edu Lobo-Ruy Guerra)
Chegança (Edu Lobo-Oduvaldo Viana Filho)
Na roda da capoeira (folclore baiano)
Mal-me-quer (Newton Teixeira-Cristovão de Alencar)

LP *O CANTO LIVRE DE NARA*
PHILIPS P632.748L
1965

Corisco (Sérgio Ricardo-Glauber Rocha)
Samba da legalidade (Zé Kéti-Carlos Lyra)
Não me diga adeus (Paquito-Luis Soberano-J. C. da Silva)
Uricuri (João do Vale-José Cândido)
Canto livre (Bené Nunes-Dulce Nunes)
Suíte dos pescadores (Dorival Caymmi)
Carcará (João do Vale-José Cândido)
Malvadeza Durão (Zé Kéti)
Aleluia (Edu Lobo-Ruy Guerra)
Nega Dina (Zé Kéti)
A minha namorada (Carlos Lyra-Vinicius de Moraes)
Incelença (D.P.)

LP *5 NA BOSSA*
PHILIPS P632.769L
1965 –c/TAMBA TRIO

Carcará (João do Vale-José Cândido)
O trem atrasou (Vilarinho-Estanislau Silva-Paquito)
Aleluia (Edu Lobo-Ruy Guerra) **c/Edu Lobo**

Cicatriz (Zé Kéti-Hermínio Bello de Carvalho)
Minha história (João do Vale-Raimundo Evangelista)

LP *SHOW OPINIÃO*
PHILIPS P632.775L
1965

Borandá (Edu Lobo)
Desafio (Cego Aderaldo) c/**João do Vale**
Carcará (João do Vale-José Cândido)
Incelença (D.P.) c/fala de **João do Vale**
Guantanamera (José Martí)
Canção do subdesenvolvido (trecho) (Carlos Lyra-Chico de Assis) c/**Zé Kéti**
Canção do homem só (trecho) (Carlos Lyra-Vinicius de Moraes)
Sina de caboclo (João do Vale-J. B. de Aquino) c/**João do Vale**
Malmequer (trecho) (Newton Teixeira-Cristovão de Alencar)
Esse mundo é meu (trecho) (Sérgio Ricardo-Ruy Guerra)
Deus e o diabo na terra do sol (trecho) (Sérgio Ricardo-Glauber Rocha)
Marcha da quarta-feira de cinzas (trecho) (Carlos Lyra-Vinicius de Moraes)
Tiradentes (Chico de Assis-Ari Toledo)

LP *NARA PEDE PASSAGEM*
PHILIPS P632.787L
1966

Pede passagem (Sidney Miller)
Olé olá (Chico Buarque)
Amei tanto (Baden Powell-Vinicius de Moraes)
Palmares (Noel Rosa de Oliveira-Anescar do Salgueiro-Walter Moreira)
Recado (Paulinho da Viola-Casquinha)
Amo tanto (Jards Macalé)
Pedro Pedreiro (Chico Buarque)
Quatro crioulos (Elton Medeiros-Joacir Santana)
Pranto de poeta (Nélson Cavaquinho-Guilherme de Brito)
Madalena foi pro mar (Chico Buarque)
Pecadora (Jair do Cavaquinho-Joãozinho)
Deus me perdoe (Humberto Teixeira-Lauro Maia)

LP *MANHÃ DE LIBERDADE*
PHILIPS P765.003P
1966

*A banda** (Chico Buarque)
Ana vai embora (Franklin Dario)
Funeral de um lavrador (João Cabral de Melo Neto-Chico Buarque)
Como dois e dois são quatro (Denoy de Oliveira-Ferreira Gullar)
Morena dos olhos d'água (Chico Buarque)
Favela (Padeirinho-Jorginho)
Manhã de liberdade (Nélson Lins de Barros-Marco Antônio)
Menina de Hiroxima (Luís Carlos Sá-Francisco de Assis)
Ladainha (Gilberto Gil-Capinam)
Canção do bicho (Geni Marcondes-Denoy de Oliveira-Ferreira Gullar-Oduvaldo Viana Filho)
Canção da primavera (Carlos Elias)
Faz escuro mas eu canto (Monsueto Menezes-Tiago de Melo)
(*) Lançada em compacto simples com ***Ladainha*** e no LP ***Festival dos festivais*** – PHILIPS – P765.000P/1966)

LP *LIBERDADE, LIBERDADE*
FORMA FM-12
1966 (ao vivo)

Com Paulo Autran, Teresa Raquel e Oduvaldo Viana Filho. Nara participa cantando trechos de várias músicas.

LP *VENTO DE MAIO*
PHILIPS P765.006P
1967

Quem te viu, quem te vê (Chico Buarque)
Com açúcar e com afeto (Chico Buarque)
Noite dos mascarados (Chico Buarque) c/**Gilberto Gil**
Vento de maio (Gilberto Gil-Torquato Neto)
Maira Joana (Sidney Miller)
A praça (Sidney Miller)
O circo (Sidney Miller)
Morena do mar (Dorival Caymmi)
Fui bem feliz (Sidney Miller-Jorginho)
Rancho das namoradas (Ary Barroso-Vinicius de Moraes)

Um chorinho (Chico Buarque)
Passa passa gavião (Sidney Miller)

LP *SIDNEY MILLER*
ELENCO ME-45
1967
A estrada e o violeiro (Sidney Miller) c/**Sidney Miller**
Menina da agulha (Sidney Miller) c/**Sidney Miller**

LP *II FESTIVAL INTERNACIONAL DA CANÇÃO POPULAR*
PHILIPS R765.019L
Outubro de 1967
Carolina (Chico Buarque)

LP *GAROTA DE IPANEMA*
PHILIPS R765.022L
Outubro de 1967 (trilha do filme)
Lamento do morro (Tom Jobim-Vinicius de Moraes)

LP *NARA*
PHILIPS R765.023L
Novembro de 1967
Tique-taque do meu coração (Alcir Pires Vermelho-Valfrido Silva)
Lancha nova (João de Barro-Antônio Almeida)
Por exemplo, você (Sueli Costa-João Medeiros Filho)
Corrida de jangada (Edu Lobo-Capinam)
De onde vens (Dori Caymmi-Nelson Motta) c/**Edu Lobo**
Se você quiser saber (Cristóvão de Alencar-Silvio Pinto)
Camisa amarela (Ary Barroso)
Cabra macho (Guto-Mariozinho Rocha)
No cordão da saideira (Edu Lobo)
Inspiração (Ubenor Santos)
Soneto da separação (Tom Jobim-Vinicius de Moraes)

LP *DULCE – SAMBA DO ESCRITOR*
FORMA VDL 110
1968
Mal de amor (Dulce Nunes-Vinicius de Moraes)

LP *SIDNEY MILLER – DO GUARANI AO GUARANÁ*
ELENCO ME-51
1968

Maria (Sidney Miller) c/**Sidney Miller**

LP *NARA LEÃO*
PHILIPS R765.051L
Agosto de 1968

*Lindonéia** (Caetano Veloso)
Quem é? (Cústodio Mesquita-Joracy Camargo)
Donzela, por piedade, não perturbes (J. S. Arvelos)
Mamãe, coragem (Caetano Veloso-Torquarto Neto)
Anoiteceu (Francis Hime-Vinicius de Moraes)
Modinha (Villa-Lobos-Manuel Bandeira)
Infelizmente (Lamartine Babo-Ari Pavão)
Odeon (Ernesto Nazaré-Vinicius de Moraes)
Mulher (Custódio Mesquita-Sadi Cabral)
Medroso de amor (Alberto Nepomuceno-Juvenal Galeno)
Deus vos salve esta terra santa (Caetano Veloso-Torquato Neto)
Tema de Os inconfidentes (Chico Buarque-Cecília Meireles)
(*) Lançada no LP ***Tropicália ou Panis et Circensis*** – PHILIPS R765.040L/1968

LP *BRASIL CANTA NO RIO – I FESTIVAL NACIONAL DE MÚSICA POPULAR BRASILEIRA*
PHILIPS R765.059L
Agosto de 1968

Festa (Dori Caymmi-Nelson Motta)

LP *II FESTIVAL ESTUDANTIL DA MÚSICA POPULAR BRASILEIRA*
PHILIPS R765.060L
Setembro de 1968

Linha 12 (Juarez de Souza-Antônio Eduardo Mota) c/**Jorge Neri**

LP *IV FESTIVAL DE MÚSICA POPULAR BRASILEIA* – vol. II
PHILIPS R765.066L
Novembro de 1968

Diálogo (Marcos-Paulo Sérgio Valle-Milton Nascimento)

LP *IV FESTIVAL DE MÚSICA POPULAR BRASILEIRA* - vol. III
PHILIPS R765.067L
Novembro de 1968

Rosa da gente (Dori Caymmi-Nelson Motta) c/**Edu Lobo**

LP *COISAS DO MUNDO*
PHILIPS R765.079L
1969

Coisas do mundo, minha nega (Paulinho da Viola)
Me dá... Me dá... (Cícero Nunes-Portelo Juno)
Atrás do trio elétrico (Caetano Veloso)
Azulão (Jaime Ovalle-Manuel Bandeira)
Tambores da paz (Sidney Miller)
Parabién la paloma (Rolando Alarcón-Nara Leão)
Pisa na fulô (João do Vale-Ernesto Pires-Silveira Jr.)
Fez bobagem (Assis Valente)
Little boxes (Reynolds-Nara Leão)
Poema da rosa (Jards Macalé-Augusto Boal)
Apanhei-te, cavaquinho (Ernesto Nazaré-Nara Leão)
La colombe (Jacques Brel-Nara Leão)

CD *PINÓQUIO*
PHILIPS 441.436
1969

Disco infantil, com atores e efeitos especiais. Nara Leão participa de três momentos, cantando o tema principal.

CD *NARA LEÃO*
POLYDOR 2249.003
1971

Era uma vez um jardim (Il y avait un jardin) (Georges Moustaki-Nara Leão)
O estrangeiro (Le métèque) (Georges Moustaki-Nara Leão)
Pai e filho (Father and son) (Cat Stevens-Cacá Diegues)
Vinte anos (Votre fille a vingt ans) (Georges Moustaki-Nara Leão)

LP *DEZ ANOS DEPOIS*
POLYDOR 44.059
1971 (gravado em Paris. Participação especial de Tuca)

Insensatez (Tom Jobim-Vinicius de Moraes)

Samba de uma nota só (Tom Jobim-Newton Mendonça)
Retrato em branco e preto (Tom Jobim-Chico Buarque)
Corcovado (Tom Jobim)
Garota de Ipanema (Tom Jobim-Vinicius de Moraes)
Pois é (Tom Jobim-Chico Buarque)
Chega de saudade (Tom Jobim-Vinicius de Moraes)
Bonita (Tom Jobim-Ray Gilbert)
Você e eu (Carlos Lyra-Vinicius de Moraes)
Fotografia (Tom Jobim)
O grande amor (Tom Jobim-Vinicius de Moraes)
Estrada de sol (Tom Jobim-Dolores Duran)
Por toda a minha vida (Tom Jobim-Vinicius de Moraes)
Desafinado (Tom Jobim-Newton Mendonça)
Minha namorada (Carlos Lyra-Vinicius de Moraes)
Rapaz de bem (Johnny Alf)
Vou por aí (Baden Powell-Aloysio de Oliveira)
O amor em paz (Tom Jobim-Vinicius de Moraes)
Sabiá (Tom Jobim-Chico Buarque)
Meditação (Tom Jobim-Newton Mendonça)
Primavera (Carlos Lyra-Vinicius de Moraes)
Este seu olhar (Tom Jobim)
Outra vez (Tom Jobim)
Demais (Tom Jobim-Aloysio de Oliveira)

LP *OS MAIORES SAMBAS-ENREDO DE TODOS OS TEMPOS*
PHILIPS 6349.014
1971

Nordeste, seu povo, seu canto e sua glória (Wilson Diabo da Cuíca-Maneco-Heitor)

LP *QUANDO O CARNAVAL CHEGAR*
PHILIPS 6349.038
Agosto de 1972

Mais uma estrela (Bonfiglio de Oliveira-Herivelto Martins)
Minha embaixada chegou (Assis Valente) c/**Maria Bethânia**
Soneto (Chico Buarque)
Formosa (Nássara-J. Rui) c/**Maria Bethânia**
Cantores do rádio (Lamartine Babo-João de Barro-Alberto Ribeiro) c/**Chico Buarque** e **Maria Bethânia**

LP *ORAÇÕES PROFANAS*
PHILIPS 6349.039
1972

O profeta (Paulinho Tapajós)

LP *OS MAIORES SAMBAS-ENREDO DE TODOS OS TEMPOS* – vol. II
PHILIPS 6349.053
1972

Sublime pergaminho (Zeca Melodia-Nilton Russo-Carlinhos Madrugada)

LP *O CARNAVAL CHEGOU*
PHILIPS 6349.058
Dezembro de 1972

Cordão do zepelin (Zé Rodrix-Luís Carlos Sá-Gutemberg Guarabira)

LP *MANERA FRU FRU MANERA*
PHILIPS 6349.066
Junho de 1973

*Penas do tiê** (folclore-adaptação de Fagner) c/**Fagner**
Pé de sonhos (Petrúcio Maia-Brandão) c/**Fagner**
(*) O verdadeiro nome da música é Você, de Hekel Tavares e Nair Mesquita, composta em 1928.

LP *PHONO 73 – O CANTO DE UM POVO* – Vol. 3
PHILIPS 6349.074
1973 (ao vivo, Anhembi, SP)

Diz que fui por aí (Zé Kéti-H. Rocha)
Quinze anos (Naire-Paulinho Tapajós)

LP *AS DIVINAS... E MARAVILHOSAS*
MERCURY 2001
1973 (novela da TV Tupi com o mesmo nome)

A donzela (Naire-Paulinho Tapajós)

CS *A SENHA DO NOVO PORTUGAL*
PHILIPS 6245.035
Julho de 1974

Grandola, vila morena (José Afonso)
Maio, maduro maio (José Afonso)

LP *MÚSICA POPULAR DO CENTRO-OESTE/SUDESTE 1*
MARCUS PEREIRA 410.5011
1974

Viola quebrada (Ari Kerner-Mário de Andrade)
O galo cantou na serra (Luís Cláudio-Guimarães Rosa)
Casinha pequenina (D.P.)

LP *MÚSICA POPULAR DO CENTRO-OESTE/SUDESTE 2*
MARCUS PEREIRA 410.5012
1974

Cálix bento (recolhido por Téo de Barros)

LP *MÚSICA POPULAR DO CENTRO-OESTE/SUDESTE 3*
MARCUS PEREIRA 410.5013
1974

Coreto (tradicional)

LP *MÚSICA POPULAR DO CENTRO-OESTE/SUDESTE 4*
MARCUS PEREIRA 410.5014
1974

Cuitelinho (recolhido por Paulo Vanzolini)

LP *MEU PRIMEIRO AMOR*
PHILIPS 6349.052
1975

Atirei o pau no gato (tradicional)
Marcha dos gafanhotos (Roberto Martins-Frazão)
Canta, Maria (Ary Barroso)
Sabiá, laranjeira (Max Bulhões-Milton de Oliveira) e *Andorinha preta* (Breno Ferreira)
Menino de Braçanã (Luís Viera-Arnaldo Passos)
Trevo de quatro folhas (I'm looking over a four leaf clover) (Dixon Woods-Nilo Sérgio)
Fiz a cama na varanda (Dilu Melo-Ovidio Chaves) e *Prenda minha* (tradicional)
Colar de estrelas (Breno Ferreira)
Casinha pequenina (motivo popular)
Upa! Upa! (Meu trolinho) (Ary Barroso)
A saudade mata a gente (Antônio Almeida-João de Barro)
Meu primeiro amor (Lejanía) (H. Gimenez – vers.: José Fortuna-Pinheirinho Jr.)

LP *OS MAIORES SAMBAS-ENREDO DE TODOS OS TEMPOS* – VOL. III
PHILIPS 6349.169
1975

O mundo fantástico do uirapuru (Tatu-Nezinho-Campo)

CD *MÚSICA POPULAR INFANTIL*
PHILIPS 6245.061
Setembro de 1976

O dragão mágico (Renato Teixeira)

LP *PALCO, CORPO E ALMA*
PHILIPS 0299.224
1976 (ao vivo, boate Flag, RJ, agosto de 1972)

Fez bobagem (Assis Valente)
Águas de março (Tom Jobim)
Samba da preguiça (Roberto Carlos-Erasmo Carlos)

LP *O CASARÃO*
SOM LIVRE 403.6091
1977 (trilha sonora da novela da TV Globo)

Capricho (Francis Hime-Castro Alves)

LP *OS SALTIMBANCOS*
PHILIPS 6349.321
1977

Bicharia
História de uma gata
A cidade ideal
A pousada do barão
Todos juntos
Esconde-esconde
Obs. – Todas as músicas são de autoria de Luíz Enríquez-Sérgio Bardotti-Chico Buarque.

LP *MEUAS AMIGOS SÃO UM BARATO*
PHILIPS 6349.338
1977

Sarará miolo (Gilberto Gil) c/**Gilberto Gil**
Odara (Caetano Veloso) c/**Caetano Veloso**
Meu ego (Roberto Carlos-Erasmo Carlos) c/**Erasmo Carlos**
Chegando de mansinho (Dominguinhos-Anástacia) c/**Dominguinhos**

Repente (Edu Lobo-Capinam) c/**Edu Lobo**
Nonô (Nélson Rufino) c/**Nélson Rufino**
João e Maria (Sivuca-Chico Buarque) c/**Chico Buarque**
Amazonas (João Donato-Lísias Ênio) c/**João Donato**
Flash back (Roberto Menescal-Ronaldo Bôscoli) c/**Roberto Menescal**
Cara bonita (Carlos Lyra) c/**Carlos Lyra**
Fotografia (Tom Jobim) c/**Tom Jobim**

LP *CANTARES BRASILEIROS-I-A MODINHA*
CIA. INTERNACIONAL DE SEGUROS
1977

Tirana (Anônimo-Castro Alves)
A mulata (Xisto Bahia-Melo Morais Filho)
Isto é bom (Xisto Bahia)

LP *...E QUE TUDO MAIS VÁ PRO INFERNO**
PHILIPS 6349.396
1978

Quero que vá tudo pro inferno
As curvas da estrada de Santos
Além do horizonte
Como é grande meu amor por você
Dia de chuva
Olha
Cavalgada
Proposta
Debaixo dos caracóis dos seus cabelos
A cigana
O divã
Se você pensa
(*) Relançado em CD com o título ***Debaixo dos caracóis dos seus cabelos***, por motivos contratuais. A capa também já havia sido mudada
Obs. – Com exceção de Como é grande o meu amor por você, apenas de Roberto Carlos, todas as demais são de autoria da dupla Roberto-Erasmo Carlos.

LP *ÓPERA DO MALANDRO*
PHILIPS 6349.401
1979

Folhetim (Chico Buarque)

LP *20 ANOS DE BOSSA NOVA*
CLACK 23.026
1979 (show gravado ao vivo no Teatro Municipal de SP, em 27 de outubro de 1978)

Barquinho (Roberto Menescal-Ronaldo Bôscoli) c/**Roberto Menescal**
Corcovado (Tom Jobim), *Insensatez* (Tom Jobim-Vinicius de Moraes), *Se é tarde, me perdoa* (Carlos Lyra-Ronaldo Bôscoli), c/**Carlos Lyra**

LP *COM AÇÚCAR, COM AFETO*
PHILIPS 6349.444
1980

A Rita (Chico Buarque)
Onde é que você estava? (Chico Buarque)
Ela desatinou (Chico Buarque)
Trocando em miúdos (Francis Hime-Chico Buarque)
O que será (À flor da pele) (Chico Buarque)
Baioque (Chico Buarque)
Dueto (Chico Buarque) c/**Chico Buarque**
Vence na vida quem diz sim (Chico Buarque-Ruy Guerra) c/**Chico Buarque**
Samba e amor (Chico Buarque)
Homenagem ao malandro (Chico Buarque)
Olhos nos olhos (Chico Buarque)
Mambembe (Chico Buarque) c/**Chico Buarque**

LP *ERASMO CARLOS CONVIDA*
POLYDOR 2451.153
1980

Café da manhã (Roberto-Erasmo Carlos) c/**Erasmo Carlos**

LP *ROMANCE POPULAR*
PHILIPS 6328.316
1981

Amor nas estrelas (Roberto de Carvalho-Fausto Nilo)
Laranja da China (Fagner-Fausto Nilo)
Bloco do prazer (Morais Moreira-Fausto Nilo)
Seja o meu céu (Robertinho do Recife-Capinam)
Romance popular (Stelio do Vale-Xico Chaves-Fausto Nilo)
Moça bonita (Geraldo Azevedo-Capinam)
Por um triz (Clodô-Climério-Clésio)
Traduzir-se (Fagner-Ferreira Gullar) c/**Fagner**

Luz brasileira (Nonato Luís-Fausto Nilo)
Cli-clé-clo (Fagner-Nara Leão-Fausto Nilo)
*Penas do tiê** (folclore-adapt. Fagner)
Marinheira (Fernando Falcão-Fausto Nilo)
(*) O verdadeiro nome da música é *Você*, de Hekel Tavares e Nair Mesquita, composta em 1928.

LP *JOÃO DO VALE*
CBS 138.237
1981
Pipira (João do Vale-José Batista) c/**João do Vale**

LP *NASCI PARA BAILAR*
PHILIPS 6328.475
1982
Nasci para bailar (João Donato-Paulo André)
Pede passagem (Sidney Miller)
Luz do sol (tema do filme *Índia*) (Caetano Veloso)
Supõe (Supon) (Silvio Rodríguez-Chico Buarque)
Maravilha curativa (Miltinho-Kledir Ramil)
Tou com o diabo no corpo (Sivuca-Paulinho Tapajós)
Questão de tempo (Kleiton)
Manto negro (Elton Medeiros-Antônio Valente)
Gaiolas abertas (João Donato-Martinho da Vila)
Imagina só (Imagínate) (Silvio Rodríguez-Chico Buarque)
Caso do acaso (David Tygel)
Penar (Antônio Adolfo-Paulinho Tapajós)
A primeira sentença (Túlio Mourão)

LP *A MÚSICA DE FOGAÇA*
POLYFAR 2493.161
1982
*Hei de voltar pro Sul** (Kledir Ramil-Fogaça)
(*) Disco produzido para o mercado gaúcho. O compositor Fogaça seria eleito senador pelo Rio Grande do Sul.

LP *VIAGEM ENCANTADA*
PHILIPS 6328.524
1982

Pra mode chatear (Tom Jobim)
Tem gato na tuba (João de Barro-Alberto Ribeiro)

LP *MEU SAMBA ENCABULADO*
PHILIPS 814.081-13
1983

Meu cantar (Noca da Portela-Joel Menezes)
Quatorze anos (Paulinho da Viola)
Relembrando (Luís Carlos da Vila)
De mal pra pior (Pixinguinha-Hermínio Belo de Carvalho)
Há música no ar (Ivone Lara-Délcio Carvalho)
*Eu e a brisa** (Johnny Alf)
Como será o ano 2000? (Padeirinho)
Isso é Brasil (José Maria de Abreu-Luís Peixoto)
Fundo azul (Nélson Sargento)
Firuliu (Teça Calazans)
(**) *Pé de moleque* (Radamés Gnattali)
Brasileirinho (João Pernambuco-José Leal)
Quando a saudade apertar (Meira-Leonel Azevedo)
(*) *Eu e a brisa*, a faixa 6 do lado A, é uma música instrumental gravada por Paulo Moura.
(**) *Pé de Moleque*, a faixa 4 do lado B, é uma música instrumental gravada pela Camerata Carioca.

LP *84 – CARNAVAL LIBEROU GERAL*
FROMA 814.856-1
1983

Cineangiocoronariografia (Pedro Caetano-Alcir Pires Vermelho-Manuel Baña)

LP *ABRAÇOS E BEIJINHOS E CARINHOS SEM TER FIM*
PHILIPS 822.317-1
Julho de 1984

Outra vez (Tom Jobim)
Eu preciso de você (Tom Jobim-Aloysio de Oliveira)
Até quem sabe (João Donato-Lísias Ênio)
Por causa de você (Tom Jobim-Dolores Duran)
Lá vem você (João Donato-Lísias Ênio)

Sublime tortura (Bororó)
Sabe você (Carlos Lyra-Vinicius de Moraes)
Telefone (Roberto Menescal-Ronaldo Bôscoli) c/**Céu da Boca**
Mágoa (Marino Pinto-Tom Jobim) e *Caminhos cruzados* (Tom Jobim-Newton Mendonça)
Você e eu (Carlos Lyra-Vinicius de Moraes)
Este seu olhar (Tom Jobim)
Wave (Tom Jobim)

LP *UM CANTINHO, UM VIOLÃO*
PHILIPS 824.414-1
Maio de 1985 – c/ ROBERTO MENESCAL
O negócio é amar (Carlos Lyra-Dolores Duran)
Tristeza de nós dois (Durval Ferreira-Maurício Einhorn-Bebeto)
Sabor a mi (Álvaro Carrillo)
Da cor do pecado (Bororó)
Transparências (Roberto Menescal-Abel Silva)
Blusão (Roberto Menescal-Xico Chaves)
Resignação (Geraldo Pereira-Arnô Provenzano)
Vestígios (Marco & Paulo Sérgio Valle)
There will never be another you (Mack Gordon-Harry Warren)
Comigo é assim (Luís Bitencourt-José Menezes)
Mentiras (João Donato-Lísias Ênio)
Inclinações musicais (Geraldo Azevedo-Renato Rocha)

LP *HERMÍNIO BELO DE CARVALHO-LIRA DO POVO*
TYCOON 992.061-1
1985
Pintou e bordou (Maurício Carrilho-Hermínio Belo de Carvalho)

LP *GAROTA DE IPANEMA*
PHILIPS 826.854-1
1986 (gravado no Japão, em junho de 1985)
O barquinho (Roberto Menescal-Ronaldo Boscôli)
Garota de Ipanema (Tom Jobim-Vinicius de Moraes)
Berimbau (Baden Powell-Vinicius de Moraes)
Desafinado (Tom Jobim-Newton Mendonça)
Wave (Tom Jobim)
Corcovado (Tom Jobim)

Águas de março (Tom Jobim)
A felicidade (Tom Jobim-Vinicius de Moraes)
Manhã de carnaval (Luís Bonfá-Antônio Maria)
Chega de saudade (Tom Jobim-Vinicius de Moraes)
Meditação (Tom Jobim-Newton Mendonça)
Samba de uma nota só (Tom Jobim-Newton Mendonça)
Água de beber (Tom Jobim-Vinicius de Moraes)
Você e eu (Carlos Lyra-Vinicius de Moraes)
Samba do avião (Tom Jobim-Vinicius de Moraes)
O que será (Chico Buarque)

LP *MEUS SONHOS DOURADOS*
PHILIPS 832.639-1
1987

Eu gosto mais do Rio (How about you) (B. Lane-R. Freed-Pacífico Mascarenhas), *Ela é carioca* (Tom Jobim-Vinicius de Moraes) e *Garota de Ipanema* (Tom Jobim-Vinicius de Moraes)
Um sonho de verão (Moonlight serenade) (G. Miller-Parish-Nara Leão)
Garoto levado (Lullaby of Birdland) (G. Shearing-B.Y.Foster-Carlos Colla)
Milagre (Misty) (Errol Garner-Johnny Burke-Ronaldo Bôscoli)
Bobagens de amor (Tea for two) (Vicent Youmans-Irving Caesar-Paulo Sérgio Valle)
Jamais... (The boys next door) (H. Martin-R. Blane-Fátima Guedes)
Além do arco-íris (Over the rainbow) (Harold Arlen-Harbourg-Nara Leão)
Aqui no mesmo bar (As time goes by) (Herman Hupfeld-Edmundo Souto)
Coisas que lembram você (Those foolish things) (Stracey-Marvell-Link-Aloysio de Oliveira)
Me abraça (Embraceable you) (G. & I. Gershwin-Nara Leão)
Como vai você? (What's new) (Bob Haggart-Johnny Burke-Nara Leão)

LP *BOSSA NOVA... PRA FAZER FELIZ A QUEM SE AMA*
CBS 231.083
1988

Corcovado (Tom Jobim) e *Insensatez* (Tom Jobim-Vinicius de Moraes)

LP *GRANDES AUTORES – ARY BARROSO*
PHILIPS 838.337-1
1989

Morena boca de ouro (Ary Barroso)

LP *MY FOOLISH HEART*
PHILIPS 838.812-1
Novembro de 1989 (gravado em janeiro de 1989)

Maravilha (S'Wonderful) (G.&I. Gershwin-Nara Leão)
Adeus no cais (My funny valentine) (Richard Rodgers-Lorenz Hart-Nara Leão)
Mas não pra mim (But not for me) (G. & I. Gershwin-Nara Leão)
Mais uma vez amor (I'm in the mood for love) (J. McHugh-D. Fields-Nelson Motta)
Só você (Night and day) (Cole Porter-Nara Leão)
Cartas de amor (Love letters) (E. Heyman-V. Young-Nelson Motta)
Sonhos (Dream) (Johnny Mercer-Nelson Motta)
E se depois (Tenderly) (J. Lawrence-W. Gross-Nelson Motta)
Descansa coração (My foolish heart) (N. Washington-V. Young-Nelson Motta)
Onde e quando (Where or when) (Richard Rodgers-Lorenz Hart-Nara Leão)
Pleno verão (Summertime) (G. & I. Gershiwin-D. B. Heyword-Nelson Motta)
A saudade me bateu (Sentimental journey) (B. Gree-L. Brow-B. Homer-Nara Leão)
Fumaça nos olhos (Smoke gets in your eyes) (Jerome Kern-Otto Harbach-Nelson Motta)
Alguém que olhe por mim (Someone to watch over me) (G. & I. Gershwin-Zé Rodrix)
Sem querer (You'll know never) (Mack Gordon-Harry Warren-Nelson Motta)

CD *MY FOOLISH HEART*
PHILIPS 838.812-2

*Um beijo (Kiss)** (H. Gillespie-Lionel Newman-Nelson Motta)
(*) Faixa bônus não incluída no LP.

Discos lançados somente no exterior

Compacto duplo cantado em castelhano com as seguintes músicas:

Opinião (Zé Kéti)

Ascender as velas (Zé Kéti)

Carcará (João do Vale-José Cândido)

Não me diga adeus (Paquito-Luis Soberano-J. C. da Silva)

Obs. – Não figura no disco, lançado em 1966, o nome do autor (ou dos autores) das versões.

Compacto duplo cantado em francês com as seguintes músicas:

Opinião (Zé Kéti)

Acender as velas (Zé Kéti)

Funeral de um lavrador (Chico Buarque-João Cabral de Melo Neto)

Obs. – Embora o nome do autor (ou dos autores) das versões não figure no disco, tudo indica que tenha sido a própria Nara Leão. O disco provavelmente foi gravado na França por volta de 1970.

LP *NARA CANTA EN CASTELLANO*

Disco feito para o mercado argentino, em 1979, com o mesmo repertório do LP com músicas de Roberto & Erasmo Carlos. As curvas da estrada de Santos e Debaixo dos caracóis dos seus cabelos são cantadas em português; as demais em castelhano. As versões, provavelmente, são as mesmas já gravadas por Roberto Carlos.

Este levantamento discográfico, realizado por Paulo César de Andrade, não poderia ter sido levado a cabo sem a preciosa colaboração dos pesquisadores, colecionadores, artistas e amigos

- Cláudio Olivotto
- Cristina Buarque
- Luís Fernando Vieira
- Marcelo Fróes e
- Sílvio Júlio Ribeiro.

Agradecimentos especiais a Edu Lobo, Jairo Severiano, Kledir Ramil, Marco Antônio Bompet, Paulinho Tapajós e Zuza Homem de Melo, que nos forneceram informações importantes a respeito dos discos.

Índice Onomástico

B

C

D

M

T